De blinde man

Faye Kellerman bij Boekerij:

Het rituele bad
Een onreine dood
Melk en honing
Verzoendag
Valse profeet
De doodzonde
Toevluchtsoord
Gerechtigheid
Gebed voor een dode
Het zoete gif
Jupiters resten
Slachtoffer
De vergetenen
Een stenen omhelzing
Donkere dromen
De Mercedes-moord
De blinde man

www.boekerij.nl

Faye Kellerman

De blinde man

ISBN 978-90-225-5512-5
NUR 330

Oorspronkelijke titel: *Blindman's Bluff* (William Morrow, HarperCollins)
Vertaling: Els Franci-Ekeler
Omslagontwerp en -beeld: marliesvisser.nl
Zetwerk: Mat-Zet BV, Soest

Voor Jonathan,

mijn eeuwige bron van inspiratie

1

Fantasieën: de essentie van het leven.

Hij keek in de spiegel toen hij zich aankleedde om naar zijn werk te gaan en zag een knappe man van één meter negentig...

Nee. Een meter negentig was te lang.

En zag een knappe, hoekige man van één meter tweeëntachtig, met een dikke bos surferblond haar en uitzonderlijk blauwe ogen met een blik zo intens dat vrouwen die naar hem keken bedeesd hun ogen neersloegen.

Dat van de ogen was waarschijnlijk waar.

Nieuwe poging.

In de spiegel zag hij een man met een hoekig gezicht, een dikke bos donkere krullen en een timide glimlach waar vrouwen geheid op vielen, een jongensachtige, charmante, maar toch ook erg mannelijke man.

Hij glimlachte en kamde met zijn vingers door zijn golvende haar, dat wat aan de dunne kant was, niet kalend, maar zonder veel volume. Hij schoof de knoop van zijn stropdas omhoog, schikte de das onder zijn boord en betastte de stof: luxe, zware zijde, met de hand geschilderd in een kleurschakering die paste bij vrijwel elke combinatie die hij uit zijn kast haalde. Toen hij de slippen van zijn overhemd in zijn broek stopte, streek hij over de ribbels van zijn gespierde buik, het resultaat van uren opdrukken, gewichtheffen en strikte eetgewoonten. Zoals bij alle bodybuilders hadden zijn spieren veel proteïne nodig, en dat was niet erg zolang hij het vet maar verbrandde. Daarom was hij, elke keer dat hij in de spiegel keek, tevreden over wat hij zag.

Of liever gezegd, over wat hij zich verbeeldde te zien.

Decker was stomverbaasd. 'Ik snap niet hoe jij door het *voir dire* heen bent gekomen.'

‘De rechter geloofde me blijkbaar toen ik zei dat ik objectief kon zijn,’ antwoordde Rina.

Decker bromde iets en deed een zoetje in zijn koffie. Hij dronk zijn koffie meestal zwart, maar de laatste tijd had hij vaak zin in iets zoets, vooral als ze vlees hadden gegeten. Niet dat ze vanavond erg uitgebreid hadden gegeten – ribstuk en sla. Hij hield van eenvoudige maaltijden als ze met z’n tweeën waren. ‘Al had de rechter je gedwongen zitting te nemen, dan nog had de pro-Deoadvocaat niet moeten toestaan dat jouw aantrekkelijke derrière op de stoel van een jurylid terecht zou komen.’

‘Misschien gelooft de pro-Deoadvocaat ook dat ik objectief kan zijn.’

‘Je hoort me nu al achttien jaar steen en been klagen over de erbarmelijke toestanden binnen het rechtsstelsel. Hoe kun je dan objectief zijn?’

Rina glimlachte. ‘Jij gaat ervan uit dat ik alles geloof wat jij vertelt.’

‘Je wordt bedankt.’

‘Dat ik de echtgenote ben van een politie-inspecteur, wil niet zeggen dat ik niet meer over mijn verstandelijke vermogens beschik. Ik ben in staat zelfstandig na te denken en ben net zo rationeel als ieder ander.’

‘Zo te horen wil je juist jurydienst doen.’ Decker nam een slokje van zijn koffie, die sterk en zoet was. ‘Nou, je doet je best maar. Dit is precies wat ons rechtsstelsel nodig heeft, pientere mensen die hun burgerplicht vervullen.’ Hij grijnsde plagend. ‘Of misschien wil meneer Pro Deo gewoon graag naar je kijken.’

‘Het is een mevrouw Pro Deo, en misschien wil ze dat inderdaad.’

Decker lachte. Wie wilde er nou niet naar Rina kijken? De afgelopen jaren had haar gezicht een paar lachrimpeltjes gekregen, maar ze zag er nog steeds vorstelijk uit: een huid als albast met een zweem van roze op haar konen, zijdezacht zwart haar en ogen zo blauw als korenbloemen.

‘Het is niet zo dat ik er niet onderuit wilde komen,’ legde Rina uit, ‘maar op een gegeven moment moet je gaan liegen als je van je plicht ontslagen wilt worden. Dan moet je dingen gaan zeggen als “nee, ik zou nooit objectief kunnen zijn”, en dan klink je wel erg dom.’

‘Om welke zaak gaat het?’

‘Je weet best dat ik er niet over mag praten.’

‘Vooruit, joh.’ Decker beet in een koekje dat zijn zestienjarige dochter had gebakken. Er bleven kruimels in zijn snor hangen. ‘Aan wie zou ik het nou moeten vertellen?’

‘Aan iedereen van Recherche, bijvoorbeeld,’ antwoordde Rina. ‘Moet

jij binnenkort toevallig op het gerechtshof van Los Angeles zijn?'
'Niet voor zover ik weet. Hoezo?'
'Ik had gedacht dat we dan samen konden gaan lunchen.'
'Welja, ga de vijftien dollar die je per dag van de rechtbank krijgt, ook nog even verbrassen.'
'Ik krijg ook benzinegeld, maar niet voor heen en terug. Alleen heen. Van jurydienst wordt men niet rijk. Je krijgt nog meer als je bloed afstaat. Maar ik doe mijn burgerplicht en daar zou jij, als politieman die de burgers moet dienen en beschermen, dankbaar voor moeten zijn.'
Decker gaf haar een zoen. 'Ik ben trots op je, hoor. Je hebt volkomen gelijk en ik zal je niets meer over de zaak vragen. Vertel me alsjeblieft alleen dat het niet om een moordzaak gaat.'
'Ook die vraag mag ik niet beantwoorden, maar aangezien jij precies weet wat voor gespuis er op deze wereld rondloopt en omdat je een erg levendige fantasie hebt, denk ik dat ik je wel mag vertellen dat je je geen zorgen hoeft te maken.'
'Gelukkig.' Decker keek op zijn horloge. Het was over negenen. 'Zei Hannah niet dat ze om negen uur thuis zou zijn?'
'Ja, maar je kent onze dochter. Tijd is voor haar een rekbaar begrip. Wil je dat ik haar bel?'
'Denk je dat ze zal opnemen?'
'Waarschijnlijk niet, zeker niet als ze rijdt... O wacht, ik hoor de auto.'
Even later kwam hun dochter luidruchtig binnen met een twee ton zware rugtas en twee papieren zakken vol etenswaren. Decker nam de rugzak van haar over en Rina de rest.
'Wat is dit allemaal?' vroeg Rina.
'Ik heb een paar vriendinnen uitgenodigd voor de sjabbes. Afgezien van de koekjes die ik bak, hebben we tegenwoordig nooit meer iets lekkers in huis. Ik zal het opbergen.'
'Dat doe ik wel,' zei Rina. 'Zeg jij je vader eerst maar gedag. Hij was ongerust.'
Hannah keek op haar horloge. 'Het is tien over negen.'
'Ik weet dat ik een overbezorgde vader ben, maar dat kan me niet schelen en ik zal ook nooit veranderen. En we hebben niks lekkers in huis omdat ik er niet van af kan blijven.'
'Ik weet het, abba. En aangezien jij de rekeningen betaalt, schik ik me naar jouw wensen, maar ik ben zestien en dit is waarschijnlijk de enige

periode in mijn leven dat ik kan eten wat ik wil zonder dik te worden. Ik hoef maar naar jou en Cindy te kijken om te weten dat ik niet altijd zo slank zal blijven.'

'Hoezo Cindy? Cindy is niet dik.'

'Omdat ze lang is, net als ik, en constant aan de lijn doet. Zover ben ik nog niet, maar het is slechts een kwestie van tijd voordat mijn metabolisme me de baas zal worden.'

Decker klopte op zijn buik. 'En ik? Ik ben ook niet dik.'

'Dat weet ik, abba. Je ziet er goed uit voor...' Ze zweeg abrupt. *Je leeftijd* waren de onuitgesproken woorden. Ze gaf hem een zoen. 'Ik hoop dat ik een echtgenoot krijg die net zo knap is als jij.'

Decker moest onwillekeurig glimlachen. 'Dank je, maar ik weet zeker dat jouw echtgenoot veel knapper zal zijn.'

'Dat bestaat niet. Niemand is zo knap als jij en met uitzondering van beroepssporters is er bijna niemand zo lang als jij. Dat is voor lange meisjes wel eens deprimerend. Ik moet altijd schoenen met platte hakken dragen, anders steek ik met kop en schouders boven de rest van de klas uit.'

'Zo lang ben je nou ook weer niet.'

'Dat zeg je alleen omdat voor jou iedereen klein is. Ik ben al langer dan Cindy en zij is één vierenzeventig.'

'Ben je echt langer dan Cindy? Dat kan dan niet erg veel zijn. En er zijn genoeg jongens die langer zijn dan één meter vierenzeventig.'

'Geen Joodse jongens.'

'Ben ik geen Joodse jongen?'

'Geen Joodse jongens die nog op school zitten.'

Dat vond Decker heel prettig, want dat wilde zeggen dat ze moest wachten tot ze ging studeren voordat ze een vriendje zou krijgen. Hannah zag zijn heimelijke glimlach. 'Je leeft niet erg mee, moet ik zeggen.'

'Het spijt me dat je al mijn genen hebt geërfd.'

'Ja, nou ja,' zei Hannah. 'Het heeft voor- en nadelen. Als je lang en slank bent en je goed kleedt, denkt iedereen dat je fotomodel wilt worden en dat je dus geen hersenen hebt.'

'In dat opzicht leven je vriendinnen vast wel met je mee.'

'Je denkt toch niet dat ik zulke dingen tegen mijn vriendinnen zeg? Dit zeg ik alleen tegen jou.' Ze keek naar de tafel. 'Hoe vond je de koekjes?'

'Veel te lekker. Daarom zei ik ook dat ik niks lekkers in huis wil hebben.'

'Geniet nou maar van die koekjes,' zei Hannah. 'Het leven is al zo kort.'

Het begon met een zacht gerinkel dat bij haar droom leek te horen tot Rina zich realiseerde dat de telefoon ging. Het was Marge Dunn en ze zei op vlakke toon: 'Mag ik de baas even?'

Rina keek naar haar man. Hij had zich niet bewogen sinds hij vier uur geleden in slaap was gevallen. Ze zag op de klok op het nachtkastje dat het drie uur was. Peter werd als inspecteur niet vaak uit zijn bed gebeld. Het misdaadpeil in West Valley was niet erg hoog en Peter had een uitstekend team van rechercheurs die nachtelijke voorvallen over het algemeen zelf konden opvangen. Moord kwam niet vaak voor, maar als dat gebeurde, was het meestal ook meteen een bijzonder onaangenaam geval. Toch was het zelfs dan niet nodig om de baas om drie uur 's nachts wakker te maken.

Een sensationele zaak was echter iets heel anders.

Rina wreef over het kippenvel op haar armen en schudde hem zachtjes wakker. 'Ik heb Marge aan de telefoon.'

Decker schoot overeind in bed en nam de telefoon van haar over. Met een stem dik van de slaap vroeg hij: 'Wat is er?'

'We hebben een veelvoudige moord.'

'O, god.'

'Zeker vier doden en één zwaargewonde. De gewonde is de zoon van het echtpaar dat is vermoord. Hij wordt op dit moment naar het St. Joe vervoerd. Hij is neergeschoten maar zal het vermoedelijk wel overleven.'

Decker stapte uit bed en trok zijn overhemd aan. 'Wie zijn de slachtoffers?'

'Niemand minder dan Guy en Gilliam Kaffey van Kaffey Industries.'

Deckers mond viel open. Guy en zijn jongere broer, Mace, waren de eigenaars van de firma die het gros van de winkelcentra in het zuiden van Californië had gebouwd. 'Waar is het gebeurd?'

'Op de Coyote Ranch.'

'Heeft iemand daar dan ingebroken?' Hij klemde de telefoon onder zijn kin en trok zijn broek aan. 'Ik dacht dat het een ondoordringbare vesting was.'

'Of het een vesting is, weet ik niet. Ik weet alleen dat het een gigantisch terrein is, iets van dertig hectare. De huizen niet inbegrepen. Het is een stad op zich.'

Decker herinnerde zich een artikel erover dat hij onlangs in een tijdschrift had gelezen. De ranch bestond uit een aantal compounds, afzonderlijk gegroepeerde gebouwen, en een woonhuis dat groot genoeg scheen te zijn om er congressen te houden. Behalve de vele gebouwen waren er uiteraard een zwembad, een whirlpool, een tennisbaan, een kennel, een manege waar je een olympisch springconcours kon houden, een stal voor de tien showpaarden van mevrouw Kaffey en een landingsbaan die geschikt was voor alle soorten privévliegtuigen. Bovendien had de ranch een eigen afslag van en naar de snelweg. Een jaar geleden had Guy Kaffey een bod gedaan op de voetbalclub L.A. Galaxy, toen die David Beckham had aangekocht, maar de deal was niet doorgegaan.

Hij herinnerde zich dat het echtpaar twee zonen had en was benieuwd welke van de twee was neergeschoten. 'Hoe zit het met de bewakers?'

'Er waren twee bewakers in het wachthuisje bij de ingang. Die zijn allebei dood,' antwoordde Marge. 'We zijn het terrein aan het uitkammen. Er zijn zeker tien compounds, dus je hebt kans dat we nog meer slachtoffers zullen vinden. Wanneer kun je hier zijn?'

'Ik schat over tien minuten. Wie zijn op het terrein aanwezig?'

'De agenten van zes patrouillewagens. Oliver heeft Strapp gebeld. Het is natuurlijk slechts een kwestie van tijd voordat de pers er lucht van krijgt.'

'Zet het terrein af. Straks verpesten de verslaggevers nog allerlei sporen.'

'Komt voor elkaar. Tot zo.'

Decker hing op en ging in gedachten na wat hij allemaal nodig had: een blocnote en pennen, handschoenen, zakjes voor bewijsmateriaal, mondmaskers, een vergrootglas, een metaaldetector, vaseline en Advil. Dat laatste niet voor forensische doeleinden, maar voor de koppijn die hij had gekregen omdat hij zo ruw uit zijn slaap was gehaald.

'Wat is er aan de hand?' vroeg Rina.

'Moord en doodslag op de Coyote Ranch.'

Ze ging rechtop zitten. 'De ranch van Kaffey?'

'Ja. Tegen de tijd dat ik er ben, zal het pandemonium wel zijn losgebarsten.'

'Wat vreselijk!'

‘Het is niet alleen vreselijk, maar ook een logistieke nachtmerrie. Het is een terrein van dertig hectare. Dat krijgen we natuurlijk nooit hermetisch afgesloten.’

‘Ja, ik weet dat het erg groot is. Vorig jaar hebben ze het opengesteld ten behoeve van een of andere liefdadigheidsinstelling en men zegt dat er een schitterende tuin bij is. Ik had willen gaan, maar kon om de een of andere reden niet.’

‘Dan is je kans nu definitief verkeken.’ Decker opende de kluis, haalde zijn Beretta eruit en stak hem in zijn schouderholster. ‘Dat klinkt cru, maar dat kan ik niet helpen. Ik word bij voorbaat kregel als ik weet dat ik de pers te woord moet staan.’

‘Wordt er dan midden in de nacht een persconferentie gehouden?’

‘Er zijn een paar dingen in het leven waar niets tegen bestand is: de dood, de belastingdienst en de pers.’ Hij gaf haar een snelle kus. ‘Tot straks, lieverd.’

‘Tot straks.’ Rina zuchtte. ‘Ik vind het maar triest, hoor. Rijkdom is een dodelijke magneet voor bloedzuigers, oplichters en moordenaars.’ Ze schudde haar hoofd. ‘Een mens kan misschien nooit te slank zijn, maar wel te rijk.’

Als je er midden in de nacht op uit moest, was het enige voordeel dat je met een rotgang door de stad kon rijden omdat er nauwelijks verkeer was. Decker scheurde door verlaten, donkere, nevelige straten hier en daar verlicht door straatlantaarns met een wazig aureool. De snelweg was een naargeestig, zwart lint dat in de mist verdween. In 1994 was het Southland getroffen door een aardbeving, en gedurende twintig angstaanjagende seconden waren er gebouwen omgevallen en betonnen viaducten ingezakt. Als de aardbeving zich een paar uur later had voorgedaan, tijdens het spitsuur, zouden er tienduizenden slachtoffers zijn gevallen in plaats van minder dan honderd.

De afslag Coyote Road was geblokkeerd door twee neus aan neus staande patrouillewagens. Decker liet de penning zien die hij om zijn hals droeg. Het duurde enkele ogenblikken voordat de agenten de auto’s uit de weg hadden gemanoeuvreerd zodat hij erdoor kon. Een van de agenten had hem uitgelegd hoe je bij de ranch kwam. Dat was trouwens niet ingewikkeld, want je kon nergens afslaan en nadat hij ongeveer anderhalve kilometer op de ongeplaveide weg had afgelegd, kwam het woonhuis in zicht. En toen het eenmaal in zicht was gekomen, bleef het oprijzen als een zeemonster dat boven water komt om adem te halen. Alle buitenlampen waren aan, waardoor het terrein het aanzien had van een themapark.

Het huis had de bouwstijl van een Spaanse villa en paste ondanks de overdreven afmetingen erg goed in het landschap. Op het hoogste punt telde het drie verdiepingen en het had geel stucwerk, balkons met houten balustrades, glas-in-loodramen en een dak met rode, Spaanse dakpannen. Het stond op een soort terp waarachter zich lege hectaren uitstrekten tot aan de donkere omtrek van de heuvels.

Toen hij ongeveer tweehonderd meter was gevorderd op de eigenlijke oprit zag Decker een parkeerterrein waar een zestal patrouillewagens, het busje van de lijkschouwer, een aantal reportagewagens met satellietschotels en antennes, meerdere wagens van de forensische dienst en acht burgerauto's van de politie stonden. Ondanks dat hele wagenpark was er nog meer dan genoeg ruimte over. De media hadden hun materieel al in gereedheid gebracht en er was zo veel licht dat je er microchirurgie kon uitvoeren, omdat de ploegen van de verschillende netwerken en kabelstations elk hun eigen schijnwerpers en camera's hadden, alsmede geluidstechnici, hun eigen producent en een vrijpostige verslaggever die stond te wachten tot er iets bekendgemaakt kon worden. De pers had dolgraag dichter bij de onheilsplek willen zijn, maar een barrière van geel lint en politieagenten hield hen tegen.

Decker toonde zijn penning, dook onder het lint door en legde de rest van de weg naar de ingang te voet af, langs een zorgvuldig gesnoeide buxushaag die de buitenrand vormde van een geometrisch aangelegde tuin. Achter de haag waren perkjes met lentebloemen, niet alleen rozen, irissen, narcissen, lelies, anemonen, dahlia's, zinnia's en cosmea, maar ook vele andere soorten waarvan hij de namen niet kende. Dichtbij stonden gardenia's en jasmijn, de nachtbloeier die de dood nu een zoete, weeïge geur gaf. Een pad van flagstones liep tussen rijen bloeiende citrusbomen door, citroenbomen, als Decker zich niet vergiste.

Twee agenten bewaakten de voordeur. Ze herkenden Decker, zodat hij meteen kon doorlopen. Binnen waren ook alle lampen aan. De hal zou een balzaal in een Spaans kasteel kunnen zijn. De vloer bestond uit brede planken van oud, gehard hout dat de onregelmatige tint en glans had die je met kunstmatige verwering nooit kon bereiken. Het hoge plafond had dikke balken waarin petrogliefen waren geëtst, de rotstekeningen die veel voorkwamen in de zuidwestelijke staten. De muren waren betimmerd met goudkleurige houtpanelen waaraan tapisserieën hingen die in een museum niet zouden misstaan. Decker zou waarschijnlijk met open mond om zich heen hebben gekeken, met stomheid geslagen over de afmetingen van het huis, als er niet een geüniformeerde agent was geweest die hem wenkte.

Hij daalde een zestal traptreden af en kwam uit in een zitkamer waar het plafond twee keer zo hoog was als in de hal en net zulke beschilderde balken had. De vloer bestond uit hetzelfde hardhout, alleen was die hier voor een groot deel bedekt met authentiek ogende Navajotapijten. Ook deze kamer had goudkleurige muren waaraan tapisserieën en gigantische schilderijen van bloederige veldslagen hingen. De banken, stoelen en tafels hadden mammoetachtige afmetingen. Decker was een forse vent – één meter negentig lang en honderdtien kilo zwaar – maar in dit huis voelde hij zich nietig.

Iemand zei: 'Dit huis is groter dan de universiteit waar ik heb gestudeerd.'

Het was Scott Oliver, een van Deckers beste rechercheurs. Oliver was achter in de vijftig en zag er goed uit voor zijn leeftijd, omdat hij een gave huid had en zijn haar regelmatig een zwarte spoeling liet geven. Ondanks het feit dat het midden in de nacht was, was hij gekleed als een CEO op een bestuursvergadering in een zwart krijtstreepkostuum met een gesteven wit overhemd en een rode stropdas.

'Het was geen grote universiteit, maar had een prima campus.'

'Enig idee wat de totale vloeroppervlakte van dit huis is?'

'Pakweg negenduizend vierkante meter.'

'Jemig, dat is...' Decker zweeg omdat woorden tekortschoten. Alhoewel er bij beide deuren een politieman stond, zag hij nergens markeringsbordjes en was niemand van de forensische recherche bezig iets te bestuiven. 'Waar is het gebeurd?'

'In de bibliotheek.'

'Waar is de bibliotheek?'

'Moment,' zei Oliver. 'Dan pak ik de plattegrond erbij.'

2

Het doolhof van gangen zou de ontsnappingsroute van iedere inbreker danig hebben bemoeilijkt. Zelfs met de plattegrond erbij sloeg Oliver twee keer een verkeerde gang in.

'Marge zei dat er vier lijken zijn gevonden,' zei Decker.

'Dat zijn er inmiddels vijf. De Kaffeys, een dienstmeisje en twee bewakers.'

'Godallemachtig. Is er iets gestolen? Zijn er kamers overhoopgehaald?'

'Zo op het oog niet.' Ze liepen door schier eindeloze gangen. 'Het was in elk geval niet het werk van één persoon. Wie dit heeft gedaan, had een plan en een ploeg mensen om dat plan uit te voeren. Het is waarschijnlijk het werk van een insider.'

'Wie heeft melding gemaakt van de misdaad? De gewonde zoon?'

'Dat weet ik niet. Toen we hier aankwamen, werd de zoon net bewusteloos in een ziekenauto geladen.'

'Enig idee wanneer het is gebeurd?'

'Niet precies, maar er was al sprake van rigor mortis.'

'Tussen vier en vierentwintig uur geleden dus,' zei Decker. 'Dat wordt straks nog wel toegespitst aan de hand van de inhoud van hun maag. Wie zijn hier van het forensisch laboratorium?'

'Twee onderzoekers en een assistent-lijkschouwer. Hier rechtsaf. Als het goed is zijn dat de dubbele deuren van de bibliotheek.'

Zodra Decker de bibliotheek betrad, werd hij een beetje duizelig, niet alleen vanwege de reusachtige afmetingen van het vertrek, maar vooral door het ontbreken van hoeken. De bibliotheek was een ronde zaal met een koepeldak van staal en glas. De gewelfde muren waren betimmerd met donker notenhout en tussen de boekenkasten hingen daaraan van de vloer tot het dak reikende wandkleden waarop mythologische, in bossen dartelende wezens waren uitgebeeld. De manshoge open haard was groot genoeg voor een ware vlammenzee. Op de uitgestrekte houten vloer lagen antieke vloerkleden. Er was veel meubilair: sofa's en tweezitsbankjes, tafels en stoelen, twee vleugels en talloze lampen.

De misdaad was een verhaal in twee delen. Een deel had zich afgespeeld bij de open haard; het andere voor een wandkleed van een heks die een schone jongeling verslond.

Oliver wees aan. 'Gilliam Kaffey zat bij de haard met een boek en een glas wijn; pa en zoon zaten in die fauteuils te praten.'

Zijn vinger bleef gericht op twee bruinleren, met sierknopjes afgewerkte stoelen, waarnaast Marge Dunn voor het wandkleed van de mensverslindende heks in gesprek was met een van de onderzoekers van het forensisch laboratorium, die een zwart jack droeg met de gele initialen van de forensische dienst op de rug. Marge zag Decker en Oliver en wenkte hen. Ze had tegenwoordig vrij lang haar, waarschijnlijk op verzoek van haar huidige partner, Will Barnes. Ze droeg een beige broek, een witte blouse en een donkerbruine kabeltrui en liep op schoenen met rubberzolen. Decker en Oliver voegden zich bij haar.

Guy Kaffey lag op zijn rug in een plas bloed met een gapende wond in zijn borst. Botfragmenten en stukjes van zijn vlees waren over zijn gezicht en ledematen gespat, en wat er verder niet op de grond terecht was gekomen, zat tegen het wandkleed gekleefd, waardoor de onfortuinlijke jongeling een onverwacht levensecht aanzien had gekregen.

'Ik zal je even uitleggen waar we zijn.' Marge haalde een plattegrond uit haar zak en vouwde hem open. 'Dit is het huis en we zijn... hier.'

Decker pakte zijn notitieboekje en keek om zich heen. Toen hij een opmerking maakte over het feit dat het vertrek geen ramen had, zei Marge: 'Het overlevende dienstmeisje zei dat de kunstwerken erg oud zijn en daarom schade kunnen oplopen door daglicht.'

'Behalve de zoon heeft dus nog iemand de aanval overleefd?' vroeg Decker.

'Nee, zij heeft de slachtoffers aangetroffen toen ze binnenkwam,' zei Marge. 'Haar naam is Ana Mendez. Ze zit ergens in een kamer en wordt bewaakt door een agent.'

Oliver zei: 'We moeten de tuinman en de stalknecht ook ondervragen. Die zitten ook ergens, onder bewaking.'

'In aparte kamers,' voegde Marge eraan toe.

'De tuinman heet Paco Albanez, hij is midden vijftig en werkt hier drie jaar.' Oliver keek in zijn aantekeningen. 'De stalknecht heet Riley Karns. Hij is een jaar of dertig. Ik weet niet hoe lang hij hier werkt.'

'Weten jullie wie melding heeft gemaakt van de misdaad?' vroeg Decker.

'Dat zijn we aan het uitzoeken. Het dienstmeisje zei dat iemand een bewaker had gebeld die geen dienst had en dat die waarschijnlijk de politie heeft gebeld,' antwoordde Marge.

'Het dienstmeisje is degene die de nog levende zoon op de vloer heeft aangetroffen,' zei Oliver. 'Ze dacht trouwens dat hij dood was.'

'Hoe heet de bewaker die geen dienst had en die volgens haar is gebeld?' vroeg Decker.

'Piet Kotsky,' antwoordde Marge. 'Ik heb hem al gesproken. Hij was in Palm Springs maar is al onderweg hiernaartoe. Als ik het goed heb begrepen, werkt het als volgt: De bewakers verblijven op de ranch zolang ze dienst hebben. Er zijn er acht en ze werken in ploegendiensten van vierentwintig uur. Er zijn altijd twee bewakers in het huis en twee in het wachthuisje bij de ingang van het terrein. Die in het wachthuisje zijn vermoord. Ze zijn in hun hoofd en borst geschoten. Alle beveiligingscamera's en de monitors van het gesloten circuit zijn vernield.'

'Hoe heten de vermoorde bewakers?' zei Decker.

'Kotsky weet niet uit zijn hoofd wie er vanavond dienst hadden, maar kan ons vertellen hoe ze heten als hij ze ziet.'

'En de bewakers die in het huis waren?'

'Die worden vermist,' zei Marge.

'Dus er worden twee bewakers vermist en er zijn twee bewakers vermoord.'

Marge en Oliver knikten.

'Oliver zei iets over een dienstmeisje dat is vermoord?'

'In haar slaapkamer beneden.'

'En hoe is Ana Mendez aan de dood ontsnapt?'

'Ze had vanavond vrij,' zei Oliver. 'Ze zegt dat ze rond één uur naar de ranch is teruggekeerd.'

'Hoe? Er is hier geen openbaar vervoer.'

'Ze heeft een auto.'

'Is het haar niet opgevallen dat er geen bewakers in het wachthuisje waren?'

'Ze is achterom gereden naar de dienstingang,' vertelde Marge. 'Die wordt over het algemeen niet bewaakt. Ana heeft een codekaart waarmee ze het hek kan openen. Ze reed naar binnen, parkeerde haar auto en ging naar haar kamer. Ze zag het lijk en begon te gillen. Vanaf dat punt is haar verhaal niet helemaal duidelijk. Ik geloof dat ze toen naar boven is gegaan en de andere lijken heeft gevonden.'

'Is ze dan naar boven gegaan zonder dat ze wist of de moordenaars nog in het huis waren?' vroeg Decker.

'Zoals ik al zei, is haar verhaal niet helemaal duidelijk. Toen ze de lijken zag, heeft ze Kotsky gebeld en die heeft de politie gewaarschuwd... denk ik.'

'Ik zal met haar praten. Spreekt ze Spaans?'

'Ja, maar haar Engels is ook wel goed.'

Decker zei: 'Even terug naar de bewakers. Weten jullie al wie het dienstrooster samenstelt?'

Oliver zei: 'Kotsky verdeelt de taken maar maakt niet het rooster. Dat wordt gedaan door ene Neptune Brady, de opzichter. Brady heeft een woning hier op het terrein, maar is toevallig al een paar dagen bij zijn zieke vader in Oakland.'

'Heeft iemand contact met hem opgenomen?'

'Kotsky heeft hem gebeld. Hij zei dat Brady een privévliegtuig heeft gecharterd en hier over niet al te lange tijd zal zijn.' Marge zweeg even. 'We hebben een kijkje genomen bij hem thuis om te zien of daar soms nog meer doden liggen. We hebben het huis verder niet doorzocht. Daar hebben we een huiszoekingsbevel voor nodig.'

'Laten we er alvast een aanvragen, voor het geval dat Brady niet wil meewerken.' Decker keek om zich heen. 'Enig idee wat er is gebeurd?'

Oliver zei: 'Gilliam zat bij de haard met een boek en een glas wijn. We denken dat zij als eerste is doodgeschoten. Ze ligt nog op de bank, haar boek is een eindje bij haar vandaan op de grond gevallen en zit onder het bloed. Kom maar even kijken.'

Decker liep met hem mee. Op de bank voor de haard lag het lijk van een mooie vrouw. Haar blauwe ogen waren nog open en haar blonde haar was besmeurd met geronnen bloed. Haar bovenlichaam was bijna van het onderlichaam gereten door de kogels. Het was vreselijk om te zien en Decker wendde instinctief zijn blik af. Er waren dingen waar hij nooit aan zou wennen.

'Dit is een waar bloedbad,' zei hij. 'We moeten heel veel foto's laten maken, want ons geheugen zal niet in staat zijn alle informatie te verwerken.'

Marge ging door: 'Haar man en zoon moeten zijn opgeschrokken van de indringers en we nemen aan dat zij vervolgens zijn neergeschoten.'

Oliver zei: 'De Kaffeys hebben twee zonen. De gewonde zoon is de oudste, Gil.'

'Heeft hij een echtgenote die op de hoogte gesteld moet worden?' vroeg Decker.

'Dat zijn we aan het uitzoeken,' antwoordde Oliver. 'Tot nu toe heeft niemand de politie gebeld om naar hem te vragen.'

'Waar is zijn broer?' vroeg Decker.

Marge zei: 'Volgens Piet Kotsky woont de jongste zoon, Grant, in New York. Daar woont ook de jongere broer van Guy, Mace Kaffey.'

'Die ook in het bedrijf zit,' merkte Oliver op. 'Ze zijn allebei op de hoogte gesteld van wat er is gebeurd.'

'Door wie? Kotsky? Brady?'

Marge en Oliver haalden hun schouders op.

'Enig idee wat Guy en Gil aan het bespreken waren?'

Oliver zei: 'Misschien hadden ze het over zaken, maar we hebben geen documenten gevonden.'

'Guy Kaffey is waarschijnlijk opgestaan en heeft toen gezien wat er met zijn vrouw gebeurde. Vervolgens is er op hem geschoten en viel hij achterover. Zijn zoon was wat sneller en heeft geprobeerd te vluchten, maar werd toen ook geraakt. Hij is bij een van de deuren in elkaar gezakt,' vertelde Marge.

'Maar de daders hebben niet de moeite genomen te controleren of hij dood was?'

Marge haalde haar schouders op. 'Misschien werden ze gestoord en zijn ze ervandoor gegaan.'

Decker zei: 'Er zijn een, twee, drie... zes deuren in deze kamer. De moordenaarsbende kan dus uit vele mensen hebben bestaan die ieder via een andere deur binnen zijn gekomen en het echtpaar hebben verrast. Enig idee waarom een bende moordenaars die speciaal naar de ranch is gekomen zich er niet van heeft verzekerd dat de zoon ook dood was?'

Oliver haalde zijn schouders op. 'Misschien is er een alarm afgegaan.

We moeten het alarmsysteem nog controleren. Misschien hoorden ze het dienstmeisje aankomen. Al heeft zij niemand zien vluchten.'

Decker dacht na. 'Als de familie ontspannen aan een glas wijn zat, was het waarschijnlijk nog niet erg laat: ze hadden al gegeten, maar het was nog vroeg genoeg voor een laatste glaasje. Een uur of tien, elf.'

'Zoiets,' zei Marge.

'Waren de stalknecht en de tuinman in het huis toen jullie hier aankwamen?' zei Decker.

'Ja.'

'Je zei dat ze hier wonen?'

'Ze hebben allebei een woning op het terrein,' zei Oliver.

'Hoe wisten ze dat er moorden waren gepleegd? Heeft iemand hen geroepen of zijn ze opgeschrikt door geluiden?'

De twee rechercheurs haalden hun schouders op.

'We zijn hier nog wel een poosje bezig.' Decker masseerde zijn kloppende slapen. 'We zullen de forensische dienst, de fotografen en de onderzoekers van de lijkschouwer hier in de bibliotheek hun werk laten doen. Intussen gaan wij de plaatsen bekijken waar de andere moorden zijn gepleegd en getuigen ondervragen. Waar zijn de andere slachtoffers?'

Marge wees het aan op haar plattegrond. Decker zei: 'Ik kan ook wel zo'n plattegrond gebruiken.'

Oliver gaf die van hem aan zijn baas. 'Ik kopieer er nog wel een voor mezelf.'

'Bedankt,' zei Decker. 'Als jullie de plaatsen bekijken waar de andere moorden zijn gepleegd, ga ik met de getuigen praten, in het bijzonder met degenen die Spaans spreken. Ik zal eens kijken of we een tijdlijn van de gebeurtenissen kunnen samenstellen.'

'Goed,' zei Marge. 'Ana zit in deze kamer.' Ze wees hem aan. 'Albanez zit hier en Karns daar.'

Decker markeerde de kamers op de plattegrond. Toen noteerde hij de namen op een nieuwe pagina van zijn notitieboekje. Er waren veel mensen bij deze zaak betrokken. Hij kon het beste meteen een lijst maken.

Ana Mendez zat met haar benen opgetrokken in een fauteuil waar ze bijna in verdween. Ze leek achter in de dertig, was erg klein, nog geen één meter vijftig, en had een lichtbruine huid die zich om haar brede voorhoofd en geprononceerde jukbeenderen spande. Haar mond was breed, haar ogen waren rond en donker. Ze had een pagekapsel waardoor haar gezicht eruitzag alsof het uit een raam met zwarte gordijnen keek, waarbij haar lokken en pony de gordijnen en het valletje bij dat raam vormden.

Ze was in slaap gevallen en werd wakker toen Decker binnenkwam. Ze wreef in haar ogen, die gezwollen waren van het huilen en knipperde tegen het felle lamplicht.

Decker verzocht haar bij het begin te beginnen. In haar eigen woorden.

Ana had vrij van maandagavond tot dinsdagavond. Meestal keerde ze vrij vroeg op de avond terug naar de ranch, maar gisteravond was er iets te doen geweest in haar kerk en was ze pas rond half een vertrokken, na de korte mis waarmee die gebeurtenis was afgesloten. Ze was naar de ranch gereden, waar ze ongeveer een uur later was aangekomen. Omdat het woonhuis was omgeven door een zware, smeedijzeren omheining met scherpe pieken op de bovenrand, waren de meeste toegangshekken tot het terrein onbewaakt. Ze had een codekaart voor het hek dat het dichtst bij de keuken was. Ze had het hek geopend en was doorgereden naar het parkeerterrein bij de keuken, waar ze haar auto had neergezet. Ze was de trap af gelopen naar de vleugel waar de bediendevertrekken waren en had zich met de sleutel van haar slaapkamer toegang verschaft tot het gebouw. Toen Decker vroeg of er geen alarmsysteem was, vertelde ze dat die vleugel er wel een had, maar dat het niet in verbinding stond met het alarmsysteem van de rest van het huis. Daardoor konden de bedienden komen en gaan zonder zich te hoeven bekommeren om het alarmsysteem van de Kaffeys.

Dikke tranen blonken in haar ogen toen ze beschreef wat ze in haar slaapkamer had aangetroffen. Toen ze het licht had aangedaan, had ze overal bloed gezien – op de muren, de vloerbedekking, de twee bedden. Maar het allerergste was Alicia: ze lag op haar rug en bewoog zich niet. Ze was in haar gezicht geschoten. Het was afschuwelijk. Ana was doodsbang gaan gillen.

Het volgende deel van haar verhaal vertelde ze terwijl ze hartverscheurend huilde. Ze was de trap op gerend die uitkwam in de keuken van het woonhuis. Normaal gesproken ging de keukendeur om middernacht op slot om te voorkomen dat er iemand via de bediendevertrekken in het huis kon komen, maar vanavond zat de deur niet op slot. Ana was de keuken binnengestormd en had om mevrouw geroepen.

Ze had geen antwoord gekregen.

Decker vroeg of het alarm van het woonhuis niet was afgegaan toen ze de keuken was binnengegaan, maar dat kon Ana zich niet herinneren. Ze was hysterisch geweest en verontschuldigde zich voor haar vage herinneringen.

Decker vond dat ze het helemaal niet slecht deed.

Ze trof de Kaffeys aan in de bibliotheek. Eerst de mannen, toen mevrouw. Ze bewogen zich niet dus dacht ze dat ze allemaal dood waren, Gil ook. Ze wist van televisieprogramma's dat ze niets mocht aanraken.

Nog steeds gillend was ze naar buiten gerend. Ze was helemaal alleen en op het donkere terrein was het erg griezelig. Ze wist waar het huis van Paco Albanez was, omdat ze met de tuinman bevriend was. Maar om bij Paco's huis te komen moest ze langs het zwembad lopen, de tennisbaan oversteken en de boomgaard door. Riley Karns woonde dichter bij het woonhuis. Alhoewel ze hem minder goed kende, besloot ze hem wakker te maken. Hij zei dat hij een kijkje zou gaan nemen en dat ze intussen in zijn huis moest blijven. Een kwartiertje later kwam Riley terug met Paco Albanez en overlegden ze met z'n drieën wat ze moesten doen. Ze wisten dat ze de politie moesten bellen en omdat Riley Engels sprak, bood hij aan dat te doen. Hij zei dat Paco en zij in zijn huis moesten wachten. Toen ging hij weg om de politie te bellen. Ongeveer een half uur later kwam hij terug met twee politieagenten. De agenten namen haar, Paco en Riley mee naar het huis, waar ze van elkaar werden gescheiden. De agent zei dat er mensen met haar zouden komen praten. Eerst was er een vrouwelijke agent gekomen. En nu hij.

Het was een simpel relaas. Ze leek niet erg in de war en klonk niet alsof ze op haar verhaal had geoefend. Toen ze klaar was, keek ze verdrietig op naar Decker en vroeg of ze nu mocht gaan. Toen hij zei dat ze nog een poosje moest blijven, barstte ze weer in tranen uit.

Hij gaf een klopje op haar hand en verliet de kamer om Riley Karns te gaan ondervragen.

De stalknecht was een kleine man met een krachtige handdruk en een sterk Engels accent. Hij had een verweerd gezicht met kabouterachtige gelaatstrekken en zag bleek vanwege de afschuwelijke gebeurtenissen en vanwege slaapgebrek.

Hij werkte al jaren met paarden – als jockey en als trainer, en had meegedaan aan concoursen en dressuurwedstrijden. Hier op de ranch was het niet alleen zijn taak om voor de paarden en de honden te zorgen, maar ook om Gilliam Kaffey de beginselen van het paardrijden bij te brengen. Hij droeg een donker trainingspak vol vlekken. Toen Decker vroeg of hij zich vanavond had omgekleed, zei hij van niet. Karns verhaal kwam overeen met dat van Ana. Hij vulde aan wat Ana niet kon weten, namelijk wat hij had gedaan gedurende het half uur dat zij met Paco Albanez in het huis van Karns had gezeten.

Karns gaf toe dat hij onmiddellijk de politie had moeten bellen, maar hij had niet helder kunnen denken, dus had hij Neptune Brady gebeld – de opzichter van de Kaffeys. Karns wist dat Brady in Oakland was bij zijn zieke vader, maar belde hem evengoed. Neptune had tegen Karns gezegd dat hij onmiddellijk de politie moest waarschuwen en daarna Piet Kotsky bellen en dat die zo snel mogelijk naar de ranch moest komen om uit te zoeken wat er precies was gebeurd. Brady zei dat hij zou proberen een privévliegtuig te charteren en dat hij Kotsky zou bellen zodra hij dat voor elkaar had. Brady zei ook tegen Karns dat hij de familie zou inlichten.

Karns deed wat hem was opgedragen. Hij belde de politie en daarna Piet Kotsky, die zei dat hij meteen zou vertrekken, maar dat hij er drie uur over zou doen om bij de ranch te komen. Ongeveer vijf minuten later arriveerde er een ambulance en daarna kwam de politie. Karns nam twee van de agenten mee naar zijn huis, waar Ana en Paco zaten te wachten. De politie nam hen mee naar binnen en zette hen in afzonderlijke kamers.

Paco Albanez was een man van in de vijftig met een mokkakleurige huid, lichtbruine ogen, grijs haar en een grijze snor met afhangende punten. Hij had een gedrongen lichaamsbouw met een brede borstkas en gespierde armen. Net als Ana werkte hij ongeveer drie jaar voor de Kaffeys. Hij had niet veel aan de verhalen van de anderen toe te voegen. Karns had hem wakker gemaakt en gezegd dat hij zich moest aankleden omdat de familie iets was overkomen. Hij had eerst slaperig gereageerd, maar toen hij zag hoezeer Ana van streek was, was hij opeens klaarwakker geweest. Hij had Ana gezelschap gehouden tot de politie was gekomen. Zijn verhaal leek overeen te komen met dat van de anderen.

Decker hield aan de ondervragingen veel onbeantwoorde vragen over.

1. Waarom zat de deur van de keuken niet op slot?
2. Waren de moordenaars via de bediendevertrekken binnengekomen, waar ze eerst het slapende dienstmeisje hadden vermoord, en hadden ze zich toen via de keuken toegang verschaft tot het huis? Zo ja, wie had hen binnengelaten?
3. Was het alarm afgegaan toen Ana de keuken was binnengestormd? En zo niet, wie had het dan uitgeschakeld?
4. Wie waren er in het bezit van sleutels van het woonhuis, afgezien van de familieleden?
5. Wie kende de code van het beveiligingssysteem, afgezien van de familieleden?
6. Wie ontdekte als eerste dat Gil Kaffey niet dood was?
7. En tot slot, waarom hadden de moordenaars niet gecontroleerd of Gil Kaffey dood was?

Een dienstmeisje, de bewakers bij de ingang, de bewakers van het huis, een tuinman, een stalknecht, Piet Kotsky, Neptune Brady. En dat was alleen nog maar het personeel van de ranch. Decker wist dat alles nog veel ingewikkelder zou worden als hij het bedrijf zou gaan doorlichten – een corporatie met duizenden personeelsleden. Een sensationele zaak als deze zou een gigantische hoeveelheid mankracht vereisen. In zijn verbeelding zag hij een uit zijn voegen barstende dossierkast gevuld met een heel bos aan gekapte bomen. De afgelopen maanden was de politie juist papier gaan gebruiken van gerecyclede pulp.

Kies voor groen.

Beter dan rood, dat vanavond de overheersende kleur was.

3

Beide stemmen hadden een zwaar en opdringerig timbre. Van achteren zag Decker eerst de kale man, die gekleed was in een wijde broek en een bomberjack. Hij had een dikke nek, brede schouders en woog zeker honderdtwintig kilo, maar dat waren voornamelijk spieren. Zijn metgezel had een dikke bos zwart haar en droeg een grijze broek en een blauwe blazer. Hij was langer en slanker, maar net zo potig. Als het footballspelers waren geweest, zou de ene een tackle en de andere een quarterback zijn.

Uit flarden van hun gesprek maakte hij op dat ze erg kwaad waren op de politie. Eerst waren ze bij de afslag aangehouden als ordinaire misdadigers en ondervraagd alsof ze iets misdaan hadden, en nu weigerde Marge hun toegang tot de plaats waar de moorden waren gepleegd. Alhoewel zijn favoriete brigadier geen hulp nodig had, liep Decker naar hen toe om poolshoogte te nemen.

Marge stelde hen snel aan hem voor: Piet Kotsky en Neptune Brady. Kotsky zag er verhit uit en er gleden zweetdruppeltjes over zijn wat bolle voorhoofd. Hij had grote, diepliggende ogen en zijn huid zat strak gespannen over zijn jukbeenderen. Zijn gezicht had een gelige tint, de kleur van gemummificeerde huid.

Brady was jonger, begin dertig. Zijn magere gezicht had heel wat uurtjes doorgebracht in een zonnestudio. Hij had bleekblauwe ogen, dikke lippen en kleine krulletjes. Hij hield zijn armen over elkaar geslagen en droeg een aantal gouden ringen aan zijn grote handen. Hij stak zijn kin naar voren toen hij sprak: 'Wie heeft hier de leiding? U?' Zonder op antwoord te wachten ging hij door: 'Wat is er gebeurd?'

Decker zei: 'We zijn informatie aan het...'

'Het heeft me twintig minuten gekost om die idioten bij de afslag duidelijk te maken dat ik een reden heb om hier te zijn. Houden jullie geen contact met elkaar?'

Decker deed een stap achteruit om zichzelf en de man wat ruimte te geven. 'Wat kan ik voor u doen, meneer Brady?'

'Om te beginnen wil ik antwoord op mijn vragen.'

'Zodra ik antwoorden heb, krijgt u ze. Tot dan heb ik een paar vragen voor u.' En hij zei tegen Marge: 'U kunt meneer Kotsky in een van de kantoren ondervragen, brigadier.'

'Wat moet dit voorstellen?' Brady snoof. 'Verdeel en heers?'

'Wij zijn niet uw vijand, meneer Brady. En ik heb informatie nodig.' Decker telde af op zijn vingers. 'Een lijst van alle mensen die fulltime en parttime in het huis werken. Hoeveel mensen 's nachts gelijktijdig in het huis zijn. Wie er gisteravond dienst had. Wie op het terrein woont. Wie er niet op het terrein woont. Hoe lang elk van de personeelsleden voor de Kaffeys werkt. Wie er een codekaart heeft. Wie de alarmcodes kent. Wie het personeel aanneemt. Wie het personeel ontslaat. Dat soort informatie.'

Brady bond in. 'Daar kan ik u wel mee helpen. Ik zou alleen graag eerst willen zien wat er is gebeurd.'

Marge kwam tussenbeide. 'Komt u even met mij mee, meneer Kotsky, dan kunnen inspecteur Decker en meneer Brady rustig praten.'

Kotsky keek naar Brady, die knikte. 'Ga maar in de oostkamer zitten.'

'Waar is die op deze plattegrond?' vroeg Marge.

'Piet wijst de weg wel.'

Toen ze weg waren, zei Brady: 'Ik moet echt zien wat er is gebeurd.'

'Niemand krijgt de slachtoffers te zien tot de onderzoekers van de forensische dienst klaar zijn met hun werk. Wij gaan over de plaats delict, maar zij gaan over de slachtoffers.'

'Wat een bureaucratisch gedoe!' zei Brady smalend. 'Geen wonder dat de politie nooit iets gedaan krijgt.'

Decker staarde hem aan. 'We krijgen heus wel dingen gedaan, maar omdat we alles correct willen doen, zijn we voorzichtig. Denkt u dat meneer Kaffey iedereen die erom vroeg toegang zou geven tot de vergaderzaal van zijn bedrijf?'

Brady zei: 'Het verschil is dat ik een belastingbetaler ben en dus uw salaris betaal.'

Decker slaagde erin neutraal te blijven kijken. 'Meneer Brady, u krijgt voorlopig niets te zien, omdat u op de familieleden zult moeten wachten. In plaats van dwars te liggen en u op te winden, kunt u dus beter meewerken. Dan maakt u in mijn ogen ook een minder verdachte indruk.'

'Verdenkt u mij?' Toen Decker geen antwoord gaf, zei Brady: 'Ik was hier honderden kilometers vandaan.' Toen Decker ook daarop niet reageerde, viel Brady uit: 'Ik werk al jaren voor meneer Kaffey. Ik heb echt geen behoefte aan dit gezeik!'

'Iedereen die iets met de familie Kaffey te maken heeft, is op dit moment een mogelijke verdachte. Niks aan te doen. Als ik niet achterdochtig was ingesteld, zou ik een slechte rechercheur zijn.'

Brady balde zijn handen tot vuisten, maar ontspande zijn vingers toen weer. 'Ik ben blijkbaar de schok nog niet te boven.'

'Dat begrijp ik.'

'U hebt geen idee...' Hij ging op zachtere toon door: 'Ik was bij mijn vader omdat die onlangs een hartaanval heeft gekregen. Nu moet ik hier de familieleden opvangen. Hebt u enig idee hoe moeilijk het was om Grant Kaffey te moeten bellen en hem te vertellen dat zijn ouders en broer dood zijn?'

Decker keek hem aan. 'Gil Kaffey ligt in het ziekenhuis. Hij is niet dood.'

'Wat?' Brady zette grote ogen op. 'Maar Riley Karns zei dat hij dood was!' Na een ongemakkelijke stilte mompelde hij: 'Dat is tenminste nog een geluk.' Een cynische lach. 'Al denkt de familie nu natuurlijk dat ik achterlijk ben.'

'U kunt de familie aan mij overlaten.'

'De veiligheid van de Kaffeys was mijn zorg en ik heb gefaald.' Opeens kreeg hij tranen in zijn ogen. 'Ik heb hier niets mee te maken, maar u hebt gelijk dat u iedereen als een verdachte beschouwt. Wat wilt u weten?'

'Om te beginnen hoe uw veiligheidsdienst werkt.'

'Niet goed genoeg, zoals nu is gebleken.' Brady beet hard op zijn lip. 'Hier gaat wel wat tijd in zitten.'

'Laten we dan een kamer zoeken waar we rustig kunnen praten.'

'Een kamer is geen probleem,' zei Brady. 'Er zijn er genoeg. Om niet te zeggen te veel.'

De lepel draaide rondjes in het kommetje met cornflakes. Hannah had geen zin in haar ontbijt en ook niet in school. Ontbijten was niet verplicht, school wel.

Rina zei: 'Ik warm wel even een bagel voor je op, dan kun je die onderweg opeten.'

De tiener streek haar rode lokken uit haar slaperige blauwe ogen. 'Ik heb geen trek.'

'Je hoeft hem niet per se op te eten. Neem hem alleen mee.'

'Waarom?'

'Omdat ik dat graag wil.' Rina pakte het kommetje cornflakes en deed een bagel in het broodrooster. 'Pak je tas. We moeten gaan.'

'Waarom heb je zo'n haast?'

'Ik heb jurydienst. Ik moet zeker een uur van tevoren van huis als ik op tijd wil zijn.'

'Arme ima. Alsof de grillen van haar stuurse dochter nog niet genoeg zijn, moet ze nu ook nog met elf medelotgenoten in de benauwde binnenstad van Los Angeles jurydienst doen.'

De bagel sprong op. Rina deed er een lik smeerkaas op en wikkelde hem in aluminiumfolie. 'Hoor je mij klagen? Kom, dan gaan we.'

Hannah hees haar loodzware rugtas op haar schouders. 'Om welke zaak gaat het?'

'Daar mag ik niet over praten.'

'Aan wie zou ik het moeten doorvertellen? Aviva Braverman?'

'Je gaat het aan niemand doorvertellen omdat ik jou niets ga vertellen.' Ze keek in haar tas, die meer op een boodschappentas leek dan een handtas. Er zat een paperback in over Abigail Adams en de *Los Angeles Times* van vandaag. De moorden hadden de voorpagina gehaald. Ze pakte haar sleutels, stelde het alarm in en sloot de voordeur af.

'Ik vind het raar dat ze je niet hebben afgewezen,' zei Hannah. Ze deed haar veiligheidsgordel om. 'Abba zit niet alleen bij de politie, maar is nota bene inspecteur.'

Rina startte de motor. 'Ik ben een zelfstandig denkend mens.'

'Maar hij heeft evengoed invloed op je. Hij is je man.' Hannah pakte de bagel uit en begon eraan te knabbelen. 'Mmm... lekker.' Ze deed de radio aan en zocht naar een zender die denderende rockmuziek uitzond. 'Wat eten we vanavond?'

Rina glimlachte inwendig. Hannah was al op een nieuw onderwerp overgegaan. Zoals alle tieners had ze het concentratievermogen van een mug. 'Kip, denk ik.'

'Denk je?'

'Kip of macaroni.'

'Waarom niet macaroni met kip?'

'Ja, ik kan wel macaroni met kip maken.' Rina keek naar haar. 'Of jij kunt macaroni met kip maken.'

'Als jij het maakt is het veel lekkerder.'

'Welnee. Jij kunt uitstekend koken. Je wilt het gewoon op mij afschuiven.'

'Klopt. Over een paar jaar ga ik ergens ver weg studeren en dan heb je niemand meer om voor te koken. Dan zul je nog terugverlangen naar deze tijd.'

'Ik heb je vader.'

'Die is nooit thuis en de helft van wat je voor hem kookt, eet hij achteraf, opgewarmd. Waarom doe je eigenlijk nog moeite voor hem?'

'Wat klink je opstandig.'

'Niet opstandig, alleen realistisch. Ik hou van abba, maar hij is nu eenmaal weinig thuis.' Ze beet op haar duimnagel. 'Komt hij vanavond naar het optreden van mijn koor?'

'Is dat vanavond? Ik dacht morgenavond.'

'Nee, mevrouw Kent heeft het verzet. Had ik je dat niet verteld?'

'Als je vanavond moet zingen, hoe kun je dan thuiskomen om te eten?'

'Dat is waar,' zei Hannah. 'Denk je dat abba komt?'

'Hij is de afgelopen twee keer toch ook geweest? Ik neem aan dat hij er zal zijn...' Ze dacht aan het nieuws van die ochtend. 'Tenzij er iets ergs gebeurt.'

'Zoals een moord?'

'Een moord is erg, ja.'

'Eigenlijk niet. Wat maakt het uit? Het slachtoffer is toch al dood.'

Het was duidelijk dat Hannah in haar eigen narcistische wereldje leefde. Het had geen zin te proberen haar op andere gedachten te brengen. In plaats daarvan zocht Rina een zender op die oude platen draaide. The Beatles zongen 'Eight Days a Week'.

'O, dat vind ik zo'n goed nummer!' Hannah zette de radio wat harder, leunde vergenoegd achterover, at haar bagel en tikte met haar voet op de maat mee.

Alle wrevel over haar vader leek te zijn verdwenen.

Het concentratievermogen van een mug was soms wel prettig.

Toen hij de rechtszaal betrad was hij blij dat hij de tijd had genomen om te controleren of zijn stropdas perfect geknoopt en zijn boord naar behoren gesteven was. Met zijn kaarsrechte houding en zwierige pas had hij de wereld in zijn zak.

Hij had een gave.

Componisten hadden een absoluut gehoor voor muziek, maar hij had een absoluut gehoor voor geluiden. Niet alleen was hij in staat woorden te vertalen en zinnen te componeren – wat de minimale vereisten waren voor zijn werk – maar net zo belangrijk was dat hij nuances kon coderen en zo alles te weten kon komen over iemands achtergrond, vaak al na een luttel aantal zinnen. Hij wist waar de persoon in kwestie was opgegroeid, waar zijn ouders waren opgegroeid en waar hij nu woonde.

Uiteraard kon hij eenvoudige dingen als ras en afkomst onderscheiden, maar was er iemand ter wereld die binnen een paar seconden ook de vinger kon leggen op iemands sociale achtergrond en opleidingsniveau? Hoeveel mensen konden horen of iemand blijmoedig of triest was? Oké, dat was niet zo moeilijk. Maar wie kon horen of iemand ontevreden, verongelijkt, jaloers, geprikkeld, weemoedig, sentimenteel, barmhartig, empathisch, ijverig of lui was? Niet door *wat* die persoon zei, maar door hóé hij het zei. Hij was in staat bijna identieke regionale Amerikaanse accenten van elkaar te onderscheiden en kon met zijn magische oor zelfs internationale accenten uit elkaar houden.

In zijn wereld was zicht niet nodig. Het oog was bedrieglijk. Hij had een buitengewone gave die hij niet mocht verkwisten aan onbeduidende dingen als gezelschapsspelletjes.

Welk accent is dit?

Mensen waren zo dom.

Zijn pda zoemde. Hij haalde hem uit zijn zak en drukte op een veelgebruikte toets. Het apparaatje las het tekstbericht hardop voor met een elektronische stem: 'Lunch? Vaste plek.' Hij zette het handige machientje uit en liet het weer in zijn zak glijden. De vaste plek was een sushibar in Little Tokyo, de vaste tijd was half een, en zijn date was Dana.

De dag begon er veelbelovend uit te zien. Hij ging op de bank zitten, zette zijn designzonnebril recht, draaide zijn hoofd naar de jurybank en lachte de brave burgers van Los Angeles toe met een mond vol schitterende witte tanden.

Showtime!

Nadat de rechter hen had gewaarschuwd dat ze met niemand over de zaak mochten praten, verliet de jury in ganzenpas de rechtszaal.

De vrouw die voor haar liep heette Kate, maar meer wist Rina niet. Ze leek midden dertig, had een strak gezicht, kort, blond haar en grote, ronde oorringen die aan haar oorlellen heen en weer zwaaiden. Ze draaide zich om naar Rina en zei: 'Ally, Ryan en Joy gaan in het winkelcentrum iets eten. Wil je mee?'

'Ik heb mijn eigen lunch meegebracht, maar kom er graag bij zitten. Zolang we maar even uit dit gebouw weg kunnen zijn.'

'Ja, wie zit er nu eigenlijk in het gevang?' Kate glimlachte. 'Ik ga even naar het toilet en Ryan en Ally moeten wat mensen bellen. Zullen we over tien minuten buiten afspreken?'

'Uitstekend.' Toen Rina de dubbele deuren van het gerechtshof openduwde, sloeg de warmte haar in het gezicht en denderde het lawaai van het verkeer in haar oren. Het asfalt leek te smelten in de zinderende hitte van de smog. De enige schaduw was die van de hoge gebouwen, en dat was op het middaguur niet veel, en van een rij stugge bomen die blijkbaar tegen de luchtvervuiling bestand waren.

Ze toetste het nummer van Peters mobiel in om een berichtje in te spreken. Tot haar verbazing nam hij op.

'Hoe gaat het?' vroeg ze.

'Ik leef nog.'

'Dat is mooi. Waar ben je?'

'Ik ben met Marge op weg naar de intensivecareafdeling van St. Joseph. Gil Kaffey is bezig te ontwaken na zijn operatie.'

'Dat is goed nieuws. Ik heb het verhaal in de krant gelezen, al neem ik aan dat het nieuws dat daarin staat al achterhaald is. Je hebt je handen er vol aan.'

'Zoals altijd.'

'Ik hou van je.'

'Ik ook van jou.'

'Wanneer zie ik je weer?'

'Op een gegeven moment zal ik moeten slapen.'

'Denk je dat je op tijd kunt zijn voor de uitvoering van Hannahs koor?'

Een korte stilte. 'Wanneer is dat ook alweer? Morgenavond om acht uur?'

'Nee, vanavond om acht uur. De lerares heeft het verschoven en Hannah was vergeten me dat te vertellen.'

'O jee.' Weer een korte stilte. 'Ja, ik zal er zijn. Ik kan alleen niet instaan voor hoe ik eruitzie en hoe ik ruik.'

Rina was opgelucht. 'Voor Hannah is het genoeg dat ze je gezicht ziet.'

'Komt voor elkaar. Maar doe me een plezier. Geef me een por in mijn ribben als je ziet dat mijn ogen dichtvallen. Hoe is het in de prachtige binnenstad van Los Angeles?'

'De zomer is losgebarsten.' Ze veegde met de rug van haar hand het zweet van haar voorhoofd. 'Ik had vandaag geen sjeitel moeten dragen. Het is te warm voor een pruik.'

'Doe hem af. Ik zal het aan niemand verklappen.'

Rina glimlachte. 'Dus we zien elkaar in de school?'

'Dat lijkt me het beste.'

'Zal ik iets te eten voor je meebrengen?'

'Graag. Ik moet ophangen. De steriele gangen en de antiseptische geuren van het St. Joe lokken al, maar wees niet jaloers dat ik zo geniet. Ik weet zeker dat jij binnen de strenge muren van het gerechtshof ook schik hebt.'

'Eerlijk gezegd heb ik al wat aanspraak. Ik ga met een paar juryleden een hapje eten in het winkelcentrum aan de overkant.'

'Bof jij even.'

'Wij doen onze burgerplicht voor vijftien dollar per dag. Zelfs bij het LAPD betalen ze beter.'

'Wil je met me ruilen?'

'Nee, hoor. Ik heb liever levende mensen dan dode.'

4

Marge en Decker deden er, buiten het spitsuur, bijna drie kwartier over om bij het ziekenhuis te komen. Als Gil Kaffey gedurende zijn rit in de ziekenauto bij bewustzijn was geweest, zou hij veel tijd hebben gehad om na te denken. Wat zou hij zich herinneren? Na een traumatisch incident trad soms retrograde amnesie op: een truc van de natuur om het slachtoffer tegen verder leed te beschermen.

Het medische centrum St. Joseph was een middelgroot ziekenhuis, verspreid over vier vleugels, met vier daarbij behorende kantoorgebouwen. Marge moest een paar rondjes over het parkeerterrein rijden voordat ze een plekje vond en dat was ook nog aan de krappe kant, maar Marge manoeuvreerde de Crown Vic er behendig in. Een paar minuten later toonden ze hun penning bij de balie voor de glazen wand van de intensivecareafdeling. Voordat ze naar binnen mochten, moest echter een van Kaffeys behandelende artsen voor hen tekenen en het duurde maar liefst twintig minuten tot een van die artsen gevonden was.

De chirurg in kwestie, Brandon Rain, was een grote kerel van begin dertig met brede schouders en vlezige armen. Hij lichtte hen in over Kaffeys situatie. 'Hij krijgt een flinke dosis pijnstillende middelen toegediend. Zijn lichaam heeft het zwaar te verduren gehad. U mag ook maar een paar minuten bij hem blijven.'

'Hoe ernstig zijn de verwondingen?' vroeg Decker.

'De kogel heeft twee zwevende ribben geraakt en een bloeding veroorzaakt. Het heeft lang geduurd voordat hij hierheen is gebracht en in het desbetreffende deel van het lichaam zitten erg veel bloedvaten. Iets meer naar het midden en de milt zou zijn geraakt en dan was hij doodgebloed.' Zijn pieper ging. Hij keek naar het venstertje. 'Ik moet gaan. Denk erom, een paar minuten, meer niet.'

'Goed,' zei Decker.

'Hebt u al iets gehoord van zijn familie?' vroeg Marge.

'Nog niet, maar dat komt nog wel,' antwoordde Rain. 'Hebt u toevallig het Kaffey Building gezien toen u hier aankwam?'

'Ja,' zei Decker. 'De familie heeft hier dus wel iets in de melk te brokkelen?'

'Laat ik het zo zeggen,' zei Rain. 'Ze zijn vrijgevig en ze zijn rijk. In onze economie is dat een gunstige combinatie.'

Gil Kaffey had slangetjes in zijn neus, slangetjes in zijn armen en slangetjes in zijn maag. Zijn gezicht was gezwollen en verkleurd, zijn ogen waren bloeddoorlopen en zijn lippen droog en gebarsten. Marge had op internet een foto van hem opgezocht maar degene die hier in het bed lag, leek in geen enkel opzicht op de knappe, zelfverzekerde man op het computerscherm. Kaffeys hartslag was regelmatig en om de tien minuten werd via een band om zijn bovenarm zijn bloeddruk gemeten. Hij was wakker, maar erg versuft. Decker was niet uit op een uitgebreid vraaggesprek. Hij was uit op een naam. Het was de eerste vraag die hij stelde.

Weet u wie er op u heeft geschoten?

Het kwam niet als een verrassing dat Kaffey nee schudde. Zijn hartslag versnelde toen hij iets probeerde te zeggen. 'Vreemde...'

De aanwezige verpleegkundige keek de rechercheurs streng aan. 'U krijgt een paar minuten. Meer niet.'

'Ik weet het,' zei Decker. 'Wat bedoelt u met vreemde, meneer Kaffey? Vreemde mannen?'

Kaffey schudde zijn hoofd. 'Vreemde...'

'Vreemdelingen? Buitenlanders?'

Kaffeys hartslag versnelde weer en hij deed langzaam zijn ogen open. Hij knikte.

'De mensen die u hebben aangevallen, waren buitenlanders.'

Een knikje.

'Weet u dat omdat ze een buitenlandse taal spraken?'

Weer een knikje.

'Weet u welke taal dat was?' vroeg Marge.

'Nee... donker...'

'Donker?' herhaalde Marge. 'Was het donker?'

Kaffey schudde zijn hoofd.

Marge probeerde het opnieuw. 'Waren de aanvallers donker? Hadden ze een donkere huidskleur?'

Hij knikte.

'Waren ze zwart?'

'Nee... donker...'

'Donker,' herhaalde Decker. 'Bedoelt u Hispaanse of mediterrane types?'

Een knikje.

'Maar de taal die ze spraken hebt u niet herkend?'

Geen reactie.

Nu vroeg Marge: 'Hoeveel mannen waren het?'

'Mis... schien... drie... vier...' Zijn ogen gingen weer dicht. 'Moe.'

De verpleegkundige kwam tussenbeide. 'Het is tijd voor zijn pijnstillers. Ik moet een arts laten komen.' Ze drukte op een knop. 'U moet nu gaan.'

'Natuurlijk.' Decker gaf haar een aantal visitekaartjes. 'Zou u ons willen waarschuwen zodra hij wat beter te spreken is? Ik weet dat zijn gezondheid voorgaat, maar hoe meer informatie we krijgen, hoe groter de kans dat we de misdaad kunnen oplossen.'

'Zie...' zei Gil.

Marge en Decker richtten hun blik weer op hem.

'Zie?' vroeg Marge.

'Ja. Zie.'

De rechercheurs wachtten af.

'Zie. Ja.'

Decker streek over zijn snor, bij gebrek aan een baard. Hij deed dat altijd als hij diep nadacht. 'Bedoelt u *sí*? Het Spaanse woord voor ja?'

'Een van hen.' Moeizame ademhaling. 'Zei *sí*.'

Rina wikkelde de folie van haar brood. Het was uienbrood met sla, tomaat, rosbief en augurk.

Joy keek er afgunstig naar. 'Dat ziet er lekker uit.'

'Wil je de helft?' vroeg Rina.

'Nee, ik heb mijn junkfood. Wat zou mijn spijsvertering moeten beginnen als ik geen extra zout binnen kreeg?'

Het winkelcentrum had een hele reeks fastfoodzaken, speciaal voor de krioelende mensenmassa die in de binnenstad werkte. Alhoewel er altijd een geur van bakolie en vlees hing, maakte de airconditioning veel goed en op dagen dat het kwik naar de dertig graden steeg, namen de mensen de verschaalde geuren op de koop toe.

Ze vormden een erg gemengde groep. Joy werkte als secretaresse voor een metaalrecyclingbedrijf. Ze was een mollige vrouw van in de zestig, met rood geverfd haar en iets te veel make-up. Ally was net afgestudeerd in communicatietechniek aan een plaatselijk college en was van plan een groot feest te geven voor haar eenentwintigste verjaardag. Ze had alle juryleden al uitgenodigd. Ally's donkere haar had in het midden een blonde lok, net zoals de vacht van een stinkdier. Ryan was achter in de dertig, getrouwd, en had drie zonen. Hij was aannemer en vond het helemaal niet erg dat hij een paar dagen niet hoefde te werken. Hij was een grote villa aan het bouwen en werd gek van zijn veeleisende klanten. Kate was de enige vrouw in een gezin met voormalige luchtmachtofficieren. Haar twee zonen waren begin dertig en werkten als piloot bij FedEx. Haar man had dertig jaar voor United Airlines gewerkt.

'We konden daardoor heel vaak op vakantie,' vertelde ze.

'Ja, dat zal wel,' zei Rina. 'Wij hebben vorig jaar in Alaska een cruise gedaan. Schitterend was dat.'

'Alaska is erg mooi,' zei Ryan. 'Als het even kan ga ik er 's zomers naartoe voor een visvakantie.'

'Vis je dan op zalm?'

'Uiteraard.'

Joy zei: 'Ben je niet bang voor grizzly's?'

'Je moet gaan vissen als er veel vis is. Dan hebben de beren het druk met eten en vallen ze je niet lastig.'

'Hebben jullie de documentaire gezien over die man en zijn vriendin die door een beer werden aangevallen en opgegeten?' vroeg Joy.

'Hou op!' zei Ally. 'Wanneer was dat?'

'Een paar jaar geleden,' zei Rina.

Ryan zei: 'Het zijn nu eenmaal wilde dieren. Die moet je wel respecteren natuurlijk.'

'Hou op,' zei Ally weer.

'Dat was misschien nog niet eens zo erg als wat er vandaag in de krant stond,' zei Joy. 'Hebben jullie gelezen wat er op die ranch in de Valley is gebeurd?'

'De Coyote Ranch,' zei Ryan. 'Van de Kaffeys. Bekende projectontwikkelaars.'

'Ik werd er niet goed van toen ik het las. Het is gewoon verschrikkelijk! Drie mensen, zomaar doodgeschoten!'

Joy was een ware bron van lugubere nieuwtjes. En ze bracht die met zo veel verve. Rina corrigeerde haar niet wat het aantal slachtoffers betrof. Mondje dicht was het devies.

'Ze zullen daar toch wel een goed alarmsysteem hebben? Dan was het vast het werk van insiders.'

Kate zei: 'Ik zou niet graag in die jury willen zitten. Ik zou die lui de doodstraf geven.' En ze vroeg aan Rina. 'Waar werkt jouw man?'

'In West Valley.'

'Ah...'

Joy zette grote ogen op. 'Dus het is zijn district?'

'Ja.'

'Werkt hij dan aan die zaak?'

'Ik denk dat heel West Valley eraan werkt. De slachtoffers zijn bekende mensen. De zaak zal veel publiciteit krijgen.'

Joy leunde naar haar toe. 'Hoeveel weet jij?'

'Net zo veel als jullie: wat ik vandaag in de krant heb gelezen.'

Ally glimlachte. 'Van haar zullen we niks loskrijgen.'

Rina glimlachte terug en nam een hap van haar broodje. Toen begon ze over iets anders. 'Weten jullie wie die man op de publieke tribune is?'

'Die vent met de zonnebril en de lach à la Tom Cruise?' vroeg Kate. 'Nee. Wie is dat dan?'

'Ik weet het niet, maar ik heb hem sinds het voir dire aldoor gezien.'

'Misschien een verslaggever,' opperde Ally.

'Ik heb hem anders niets zien opschrijven,' zei Kate.

'Verslaggevers nemen tegenwoordig alles op band op. Dat deed ik ook toen ik voor mijn studie interviews moest afnemen.'

Kate haalde haar schouders op. 'Misschien.'

'Ik vind het wel een beetje vreemd,' zei Joy. 'Hij zit aldoor naar ons te lachen. Misschien probeert hij ons te intimideren.'

'Ik heb geen idee,' zei Rina. 'Elke keer dat ik even zijn kant uit kijk, schikt hij iets aan zijn stropdas of haalt hij een pluisje van zijn pak. Hij kleedt zich erg goed. Je kunt zien dat hij veel om zijn uiterlijk geeft.'

Ryan zei: 'Eén ding is zeker. Hij doet geen zware lichamelijke arbeid, want hij heeft zachte handen.'

'Misschien is hij een privéadvocaat,' zei Joy. 'De beklaagde kan wel iemand gebruiken die beter is dan die sukkel die ze hem hebben toegewezen.'

'Ja, dat is zeker een sukkel,' zei Ally.

Kate zei: 'We mogen niet over de zaak praten.'

'We hebben het niet over de zaak,' zei Joy. 'We hebben het alleen over die suffe advocaat.'

'Toch heeft Kate wel gelijk,' zei Rina. 'Maar wie is meneer Grijnslach volgens jullie?'

Ze haalden allemaal hun schouders op.

'Ik hoop dat hij geen stalker is,' zei Ally zachtjes.

'Hij zit er nogal prominent bij voor een stalker,' zei Rina.

Joy zei: 'Ik heb een keer een stalker gehad. Iemand van mijn werk. Hij liet me geen moment met rust.'

'Wat heb je daaraan gedaan?' vroeg Ally.

'Eerst heb ik een paar keer tegen hem gezegd dat hij me met rust moest laten. Toen hij me evengoed bleef lastigvallen, heb ik een beker koffie in zijn gezicht gegooid.' Toen de groep haar onthutst aankeek, voegde ze eraan toe: 'De koffie was lauw. Maar het heeft wel geholpen. Sindsdien heb ik geen last meer van hem gehad.'

'Jij bent een taaie, zeg,' zei Ryan. 'Je bent nog erger dan die klanten van mij.'

Joy gaf een moederlijk klopje op zijn hand. 'Dat ik al oma ben, wil niet zeggen dat ik met me laat sollen.'

'Heb je bij het voir dire iets over de stalker gezegd toen ze vroegen of je ooit met een misdrijf te maken had gehad?'

'Welnee. Het was ook geen echt misdrijf, alleen een kwestie van slecht gedrag. Als ze iedereen zouden afwijzen die wel eens te maken heeft gehad met mensen die zich niet weten te gedragen, houden ze niemand over die jurydienst kan doen.'

5

Je zou bijna denken dat ze waren beland op de set van een van de vele doktersseries die nu al jaren op de televisie werden vertoond. Mannen deelden luidkeels bevelen uit terwijl ze door een gang holden, verontruste verpleegkundigen in hun kielzog. Alleen droegen de mannen geen witte jas of groen operatiepak, maar een gewoon kostuum en riepen de verpleegkundigen boos dat ze moesten blijven staan, wat de mannen negeerden. Iemand zei dat ze de bewaking moesten waarschuwen.

Marge en Decker keken elkaar aan toen de groep langsstoof.

'Familie van de Kaffeys?' zei Marge.

'Misschien moeten we iets doen voordat ze uit het ziekenhuis worden gegooid.'

'Dat zal niet gebeuren, want we bevinden ons in het Kaffey Emergency Services Building.' Marge keek naar de krachtmeting bij de balie van de intensivecareafdeling. 'We zouden een mannetje bij die deur moeten neerzetten, Pete. We weten niet of de familie iets te maken heeft met wat er is gebeurd. Stel dat ze zijn gekomen om het karwei af te maken.'

'Je hebt gelijk.' Decker haalde diep adem. 'Kom.'

Ze liepen naar de groep. De stemmen die opklonken, waren luid en dwingend, en de opstand werd geleid door een jongeman van midden twintig, die de steun had van een man van achter in de vijftig. Decker drong naar voren. 'Kan ik iemand van dienst zijn?'

De jongeman keek hem nijdig aan. Hij was van normale lengte en had dik, zandkleurig haar. Als Decker door zijn oogharen keek, zag hij een vage gelijkenis met Gil.

'Wie bent u?'

'Inspecteur Peter Decker van het LAPD. Dit is brigadier Marge Dunn van Moordzaken.' Hij stak zijn hand uit. 'Bent u Grant Kaffey?'

De man keek argwanend. 'Mag ik uw identiteitsbewijs zien?'

Decker haalde het mapje met zijn penning en identiteitsbewijs uit zijn binnenzak. Zowel de jonge als de oudere man bekeek die zorgvuldig. Toen vroeg de oudste: 'Wat gebeurt er allemaal?'

'Mogen we eerst uw naam? Ik vind het altijd prettig als ik weet tegen wie ik het heb.'

'Mace Kaffey. Ik ben de broer van Guy.' Hij streek met zijn hand over zijn gezicht, dat er betrokken uitzag van verdriet en vermoeidheid. 'Dit is mijn neef, Grant. We willen Gil zien.'

'Gil is amper bij bewustzijn vanwege de pijnstillende middelen die hij krijgt toegediend. Hij is gewond geraakt bij...'

'Hoe ernstig is het?' De jongeman keek erg ontdaan. 'Hebben ze op hem geschoten?'

'Ja.'

'Jezus,' zei Mace.

Decker zei: 'Ik stel voor een rustige kamer op te zoeken en koffie te laten komen, dan zullen brigadier Dunn en ik u op de hoogte brengen van de situatie.'

'Wanneer kan ik mijn broer zien?' vroeg Grant.

'Daar ga ik niet over, meneer Kaffey. Daarvoor moet u bij de behandelende artsen zijn.' Decker wendde zich tot een van de verpleegkundigen. 'Is er ergens een kamer waar wij gebruik van kunnen maken?'

De hoofdverpleegkundige, een forse, streng kijkende vrouw, genaamd Jane Edderly, kwam met grote stappen op de groep af. 'Er zijn hier veel te veel mensen. U verspert de doorgang.'

Grant zei: 'Harvey, zorg dat we koffie krijgen. Engles en Martin, jullie blijven bij ons. De rest kan beneden wachten.' Bij het horen van de bevelen dropen de ondergeschikten af. De jonge Kaffey keek nog steeds boos en zei weer tegen Decker. 'Ik wil mijn broer zien!'

Decker wendde zich tot de hoofdverpleegkundige. 'Zou u dokter Rain kunnen oppiepen?'

'Dokter Rain is aan het opereren,' zei Jane hooghartig.

'Weet u wanneer hij daarmee klaar is?'

'Ik heb geen idee. U blokkeert nog steeds de doorgang.'

Grant wilde iets zeggen, maar Decker hief zijn hand op. 'Mevrouw Edderly, dit zijn Grant en Mace Kaffey. Ze hebben zojuist een enorme schok te verwerken gekregen. Grants vader en moeder zijn vermoord. Ik moet ergens rustig met hen praten. Er zal hier in het Kaffey Building toch wel een kamer zijn waar we kunnen gaan zitten?'

Jane zette grote ogen op. Ze had het eindelijk door. 'Ik zal even gaan informeren.'

'Dank u. Dat stel ik erg op prijs.' En Decker zei tegen de mannen: 'Mijn condoleances. Bij een dergelijke tragedie schieten woorden tekort.'

Mace Kaffey wreef met beide handen over zijn gekwelde gezicht met de vermoeide ogen en diepe rimpels. Hij was een gezette man. 'Wat is er precies gebeurd?'

'We hebben nog geen details. Laten we even op die kamer wachten, dan vertel ik u zo dadelijk wat ik weet.'

'Die kloteranch ook!' Grant begon te ijsberen. 'Er lopen daar veel te veel mensen rond. Die kun je nooit allemaal in de gaten houden. Dat heb ik ook tegen mijn vader gezegd.'

'Hoeveel mensen werkten rechtstreeks voor uw vader?' vroeg Marge.

'Waar?' Grant bleef staan. 'Op de ranch?'

'Ja.'

'Dat weet ik niet! Te veel mensen met te veel sleutels. Het is gewoon belachelijk.'

Decker zei: 'Ik heb gehoord dat het personeel zorgvuldig werd doorgelicht.'

'Wat dat ook wil zeggen! Want wie werken er voor beveiligingsbedrijven? Losers die de politieacademie niet gehaald hebben of voormalige agenten die zijn ontslagen omdat ze corrupt waren. En bij mijn vader waren het gerehabiliteerde misdadigers die op zijn misplaatste gevoel werkten.'

Marge en Decker wisselden een blik.

Jane Edderly kwam terug. 'Ik heb een kamer voor u gevonden. Als u met me wilt meelopen?'

'Dank u wel voor uw hulp,' zei Decker.

Grant zei: 'Ja, dank u wel dat u een kamer hebt gevonden in het gebouw dat mijn eigen familie heeft gedoneerd, nadat ik halsoverkop hierheen heb moeten vliegen omdat mijn ouders zijn vermoord. Dat is echt geweldig, mevrouw Edderly!'

Ze keek naar hem zonder iets te zeggen.

Mace legde zijn hand op Grants schouder, maar hij schudde die van zich af. Het was geen grote kamer, maar er waren zitplaatsen voor vier personen. Grants helpers bleven staan. Binnen een paar minuten had iedereen een kop slechte koffie voor zich. Mace zag er verslagen uit, maar de jonge Grant bleef fel.

'Wanneer kan ik mijn broer zien?'

'Meneer Kaffey...' Decker keek hem aan. 'Mogen we u bij uw voornaam noemen en tutoyeren, mede om verwarring met uw oom te voorkomen?'

'Het interesseert mij geen reet hoe u me noemt. Ik wil alleen maar weten wat er is gebeurd. En over wie ik heen moet lopen om mijn broer te zien te krijgen.'

Marge zei: 'We hebben uw broer daarnet gezien. Hij lijdt veel pijn, dus houden ze hem onder verdoving. Hij is momenteel niet bij bewustzijn. Of u bij hem toegelaten wordt, ligt niet aan ons maar aan de artsen.'

'Laat dan een arts komen!'

'Ik heb gevraagd of ze de behandelende geneesheer kunnen roepen, maar die is aan het opereren.'

'Laten we nou eerst maar even luisteren naar wat de politie ons kan vertellen, Grant,' zei Mace.

Marge wendde zich weer tot Grant. 'Je hebt in zekere zin gelijk wat de bewaking van de ranch betreft. Die heeft duidelijk gefaald. Twee van de bewakers zijn vermoord, maar twee andere bewakers die dienst hadden, worden vermist. We hebben gesproken met Neptune Brady. Ken je hem?'

Mace zei: 'Neptune werkt al een tijd voor Guy, eerst in het bedrijf, later heeft mijn broer hem aangesteld als hoofd van de bewaking op de ranch.'

'Verdenkt u hem?' vroeg Grant.

'Voorlopig verzamelen we alleen informatie,' antwoordde Decker. 'Wat voor werk deed Brady binnen het bedrijf?'

'Dat weet ik niet precies,' zei Mace. 'Ik beheer de zaken aan de oostkust.'

Grant zei: 'Hij is privédetective. Hij deed freelance werk. Er waren problemen op de boekhouding. Iemand probeerde de zaak op te lichten. Pa heeft Neptune ingeschakeld en toen die de zaak had opgelost, heeft pa hem een fulltimebaan en een idioot hoog salaris aangeboden als hoofd van de bewaking op de Coyote Ranch.'

'Was uw vader een gulle man?' vroeg Marge.

'Soms wel, soms niet. Je kon er geen peil op trekken. Neptune kreeg een bom geld, maar pa zei altijd dat je met geld trouw kweekt.'

'Sta je op goede voet met Brady?'

'Op neutrale voet,' antwoordde Grant. 'We hebben niet veel met elkaar te maken.'

'En u, meneer Kaffey?' vroeg Marge aan Mace.

'Ik ken hem amper. Denkt u dat hij het heeft gedaan?'

'We zijn alleen nog maar bezig informatie te verzamelen,' zei Marge. 'Hoe zit het met die misdadigers die je vader in dienst nam, Grant?'

'Wat?'

'Je zei dat je vader gerehabiliteerde misdadigers in dienst nam als bewakers.'

'O die. Ja, dat had Gil me verteld. Krijgen we nog te horen hoe het met mijn broer is of hoe zit het?' Grant keek naar zijn twee ondergeschikten. 'Joe, ga vragen hoe meneer Kaffey het maakt.'

Toen de assistent weg was, zei Decker: 'Kunt u me wat meer inzicht geven in het bedrijf? Hoeveel mensen werken er voor Kaffey Industries?'

'Op het hoogtepunt van de hausse was dat zo'n duizend man,' vertelde Grant. 'Nu is dat aantal teruggebracht tot ongeveer achthonderd. Zeshonderdvijftig hier aan de westkust, en Mace en ik hebben ongeveer honderdvijftig mensen in dienst.'

'Jullie zijn projectontwikkelaars, toch?' vroeg Marge.

'Hoofdzakelijk, ja.'

'Jullie bouwen winkelcentra?'

'Ja.'

Decker zei: 'Hebben jullie tweeën altijd in het oosten van het land gewerkt?'

'Tien jaar geleden besloot pa de zaak uit te breiden. In het begin reisden we heen en weer. Uiteindelijk hebben we besloten daar te gaan wonen.'

'Mijn vrouw is in New York geboren en getogen,' zei Mace. 'Ze was dolblij dat ze terug kon. Guy kwam eens per maand. Niet omdat het nodig was, maar mijn broer is slecht in delegeren. Vraag maar aan Grant.'

'Pa is een workaholic,' zei Grant. 'Hij maakt lange dagen en verwacht van zijn personeel hetzelfde.'

'Veroorzaakt dat problemen?' vroeg Marge.

'Niet voor ons, omdat wij hier vijfduizend kilometer vandaan zitten,' zei Grant. 'Maar mijn broer is de pineut. Pa vindt ons een stelletje slapjanussen omdat wij nog een beetje van het leven genieten. Maar ja, zo is hij.' Hij kreeg tranen in zijn ogen. 'Hij is zelf heel klein begonnen.'

'Wij zijn samen klein begonnen,' zei Mace gepikeerd. 'Mijn vader was zonder een rooie cent uit Europa naar Amerika gekomen en een zaakje begonnen – hij repareerde elektrische apparatuur. Dat was in de tijd dat men die nog liet repareren. Hij was zuinig, heeft gespaard en mocht zich uiteindelijk eigenaar noemen van meerdere flatgebouwen. Guy en ik hebben dat vastgoed uitgebreid tot een imperium.'

Grant keek zijn oom indringend aan en richtte zijn irritatie toen weer op Decker. 'Wat heeft dit te maken met het feit dat hij is vermoord?'

'Ik probeer alleen maar inzicht te krijgen in je familie, Grant. Het is altijd verstandig om zo veel mogelijk achtergrondinformatie te verzamelen. Het spijt me als je de vragen te persoonlijk vindt.'

Marge mengde zich in het gesprek. 'Kampte je vader met problemen? Bijvoorbeeld vanwege die boekhouder die hem probeerde te flessen?'

'Het ging om een accountant, om precies te zijn,' zei Mace. 'Milfred Connors. Ik geloof dat hij met een proces dreigde en dat Guy hem toen heeft afgekocht.'

'Nog zo'n klootzak,' zei Grant. 'Eerst de boel bestelen en dan met een proces dreigen.'

Marge noteerde de naam. 'Waarom heeft meneer Kaffey hem afgekocht?'

'Omdat dat eenvoudiger is dan een langdurig proces te moeten voeren,' antwoordde Mace.

Grant zei: 'We hadden al genoeg rechtszaken lopen.' Hij stelde dat meteen bij. 'Niets bijzonders, hoor. Een deel zijn wij zelf begonnen. Een deel is door anderen tegen ons aangespannen.'

Mace zei: 'Vergeet Cyclone Inc. niet, Grant. Daar waren ze woedend toen wij de vergunningen voor het Greenridge Project kregen.' Hij keek naar Decker. 'Cyclone heeft jaren geprobeerd ons project te dwarsbomen, maar uiteindelijk hebben we alle vergunningen gekregen, dus hebben ze nu geen poot meer om op te staan.'

'Waarom heeft Cyclone Inc. zo'n hekel aan u?' vroeg Decker.

'Cyclone Inc. is de eigenaar van twee winkelcentra, de Percivil Galleria en de Bennington Mall, die inmiddels alweer twintig, dertig jaar oud zijn. Bennington heeft erg te lijden van de Woodbury Commons, een van de best bezochte winkelcentra in het land. Percivil had geen problemen, omdat die aan de overkant van de Hudson zit, waar geen concurrentie is.'

'Toen verschenen wij op het toneel,' zei Mace. 'Kaffey Industries gaat een ultramodern winkelcentrum bouwen waarbij de Percivil Galleria in het niet valt.'

'Er komen niet alleen exclusieve modeboetieks en filialen van alle bekende winkels, maar ook een luxe hotel met twee Tumi Addams-golfbanen,' legde Grant uit.

'Indoor en outdoor.'

'Met andere woorden, je kunt er het hele jaar golfen. Bovendien hebben we de beste chefs van het land al gecontracteerd voor de restaurants.'

'Wauw,' zei Marge. 'Daar zijn de gewone winkelcentra niks bij.'

'Inderdaad,' zei Mace vergenoegd.

Decker vroeg: 'Waar wordt dat winkelcentrum gebouwd?'

'In Clarence County, in de staat New York, in een heel mooie omgeving,' zei Mace. 'Het sterft daar van de ecologische fanatiekelingen, maar we hadden ons goed voorbereid. We hebben rapporten van alle vereiste onderzoeken over de invloed van het project op de omgeving ingediend. Het wordt een groen project.'

'Nu kramen ze bij Cyclone opeens een hoop onzin uit over knoeierij en corruptie,' zei Grant. 'Totaal ongefundeerde aantijgingen. Die hufters hebben ook de belastingdienst op ons afgestuurd, maar die heeft niets gevonden, omdat we niets te verbergen hebben.'

'Wie is de president-directeur van Cyclone Inc.?' vroeg Decker.

'Paul Pritchard,' zei Grant. 'Een uitgesproken hufter, maar moord...?'

Mace zei: 'Ons project gaat zijn laatste winstgevende winkelcentrum de das omdoen, Grant. Pritchard is een schoft en ik acht hem tot alles in staat.' Tegen Decker: 'Neem hem onder de loep.'

'Dat zullen we zeker doen,' zei Marge. 'Maar als ik even op jullie terug mag komen. Woont Gil bij je vader in de buurt?'

'Gil woont in Los Angeles. Pa woont afwisselend op de ranch en in Palos Verde. Het hoofdkantoor van de maatschappij zit in Irvine.'

Decker trok zijn wenkbrauwen op. 'Dat is niet ver van Palos Verde, maar wel ver van de Coyote Ranch.'

'Dat was precies de bedoeling,' zei Grant. 'Toen pa zei dat hij ertussenuit wilde, bedoelde hij dat letterlijk. De ranch was aanvankelijk meer bedoeld voor mijn moeder en haar paarden, maar mijn vader begon er zelf ook steeds meer op gesteld te raken. Hun vrienden ontvingen ze meestal in het huis in Palos Verde, maar af en toe gaven ze ook een feestje op de ranch.' Er kwam een wazige blik in zijn ogen. 'Een keer heeft hij in de winter sneeuwmachines gehuurd en een skipiste laten aanleggen. Dat feest heeft een heel weekend geduurd. Het was ongelooflijk.' Hij lachte.

'Werd de ranch in het weekend extra streng bewaakt?' vroeg Marge.

'Dat neem ik aan. Daarvoor moet u bij Neptune Brady zijn. Hij weet nog beter dan mijn ouders hoe alles in zijn werk gaat. God, wat een eikel! Hoe heeft dit kunnen gebeuren? U zou hem moeten ondervragen in plaats van mij.'

'Dat doen we ook,' zei Decker. 'Tot nu toe werkt hij erg goed mee.'

Grant begon zich weer op te winden. 'Waar blijft die dokter? Ik wil mijn broer zien!'

'Ik ga het wel even vragen,' zei Marge.

'Goed idee,' zei Decker. En tegen de mannen: 'Ik stel het erg op prijs dat u zo openhartig bent, ondanks de moeilijke omstandigheden.'

'Het is een nachtmerrie!' Grant begon te ijsberen, maar er was niet veel ruimte. Toen hij over de business had gepraat en zijn gedachten waren afgeleid, was hij enigszins gekalmeerd. Nu hij weer aan de tragedie dacht, stond hij meteen weer op ontploffen. En dat kon je hem moeilijk kwalijk nemen.

Decker zei: 'Denkt u dat het Greenridge Project nu evengoed zal doorgaan?'

'Natuurlijk,' zei Mace meteen. 'Dat heeft hier niets mee te maken.'

'Ondanks het feit dat Guy de president-directeur van Kaffey Industries was en een project van een dergelijke omvang een gigantische onderneming moet zijn? Uit uw beschrijving maak ik op dat dit het grootste winkelcentrum wordt dat Kaffey Industries tot nu toe heeft gebouwd.'

Grant zei: 'Het zal niet makkelijk zijn, maar wij kunnen Greenridge ook zonder pa bouwen, als Gil tenminste het beheer kan voeren over de rest van het bedrijf.' Hij schudde zijn hoofd. 'Al is dat wel een enorme opgave.'

Mace zei: 'Het zal niet meevallen om het bedrijf draaiende te houden zonder Guy, maar als we samenwerken, moet het lukken. We zijn niet alleen zakenpartners, we zijn familie.'

Decker bekeek Guys broer. Zijn peppraatje klonk geforceerd, alsof hij moeite had zichzelf ervan te overtuigen dat hij het kon. Marge kwam weer binnen. 'Dokter Rain heeft zijn operatie afgerond en zal jullie ontvangen zodra hij zich heeft omgekleed. Mevrouw Edderly zal u naar zijn kantoor brengen.'

Grant sloeg met zijn vuist in zijn handpalm. 'Ik wil niks met dat kreng te maken hebben!'

'Ik kan ook wel even meelopen,' zei Marge.

'Dank u,' zei Mace. 'Blijft u ook bij het gesprek?'

'We moeten terug naar de ranch.' Naar de plaats waar de moorden zijn gepleegd, dacht Decker. 'En ik wil beginnen aan een onderzoek naar de twee mannen die u noemde – Paul Pritchard en Milfred Connors.'

'Connors is een ordinaire oplichter,' zei Grant. 'Een prul.'

'Soms zijn het juist de prullen die kwaad worden,' zei Mace.

'Inderdaad,' zei Decker. 'Hier zijn wat visitekaartjes. Bel gerust.'

'En hier hebt u mijn kaartje,' zei Grant. 'Dit is het kantoornummer. Dat kunt u altijd bellen. Als het belangrijk is, kunt u uw telefoonnummer inspreken, dan word ik opgepiept.'

'Dank je wel,' zei Decker. 'Nog een laatste vraag. Spreken jullie Spaans?'

'Wat?' zei Mace.

'Hoezo?' vroeg Grant.

'Veel van de mensen die op de ranch werken zijn afkomstig uit Midden- en Zuid-Amerika. En in Californië werken veel latino's in de bouw, dus vroeg ik me af of jullie met die mensen kunnen praten.'

'We gaan uiteraard vaak naar de bouwplaatsen,' antwoordde Mace, 'maar we praten niet met de bouwvakkers.'

'Waarom zouden we?' vroeg Grant. 'Daar hebben we voormannen voor.'

6

Marge ging weer achter het stuur zitten en stelde de spiegels bij. 'Ik ben benieuwd hoe Kaffey Industries dat Greenridge Project denkt te gaan financieren in het huidige financiële klimaat. Het klinkt alsof het project op het hoogtepunt van de hausse is geboren, maar nu, in de baisse, zieltogende is.'

'Misschien hadden ze de financiering al rond.'

'Voor zo'n gigantisch project? Met een hotel en al? Dan hebben we het toch minstens over een miljard dollar?'

'Bij te veel nullen raak ik in de war.' Decker draaide de dop van een fles water en dronk hem voor de helft leeg. 'Al had ik hun boeken, dan zou ik nog niet weten hoe ik dergelijke cijfers zou moeten interpreteren.'

Marge startte de motor en reed de ondergrondse parkeergarage uit. 'Denk jij dat het project iets te maken kan hebben met de moorden?'

'Het is de moeite waard om dat uit te zoeken, maar ik verwacht er niet veel van.' Decker schroefde de dop weer op de fles. 'Laten we even nadenken over wat we weten.'

'We hebben vermoorde bewakers en vermiste bewakers. Dat lijkt te wijzen op het werk van insiders.'

'Twee mogelijkheden liggen voor de hand,' zei Decker. 'Een mislukte roofoverval of een huurmoord waarbij ze gebruik hebben gemaakt van de bewakers.'

'In dat geval moeten we de familie nader bekijken.'

'Hoe kwam Grant op jou over?' vroeg Decker.

'Fel. Hij gaf vaak antwoord in plaats van zijn oom.'

'En hoe kwam Mace op je over?'

'Niet erg fel. We hebben Guy Kaffey niet gekend, maar uit de opmerkingen die ik vandaag heb gehoord, concludeer ik dat Mace is opgegroeid in de schaduw van zijn oudere broer.'

Decker zei: 'Grant is ook de jongste van twee broers en je hebt hem zojuist fel genoemd.'

'Ja, hij is agressief. Maar misschien is Gil nog agressiever. Wat ik daarmee wil zeggen, is dat als Guy en Mace een verschil van mening hadden, wij nu wel weten wie er zou hebben gewonnen. Ik vraag me af of Guy Kaffey net zo enthousiast was over het Greenridge Project als Mace en Grant.'

'Guy was van plan het te annuleren en de twee New Yorkers waren daar niet blij mee?'

'Dat denk ik,' zei Marge. 'Maar als dat zo was, zou dat bij Grant dan zo veel woede en vijandigheid hebben opgewekt dat hij zijn ouders erom zou vermoorden?'

Decker zei: 'We weten helemaal niet hoe Grant tegenover zijn ouders stond. Misschien speelden ze daarnet toneel.'

'Wie weet,' zei Marge. 'Interessant dat je niet vraagt of er bij Mace genoeg woede en vijandigheid kan zijn opgewekt om zijn broer te vermoorden.'

'Kaïn en Abel,' zei Decker. 'Het allereerste hoofdstuk. Er lopen vier mensen rond op de kersverse aarde en bam! De ene broer slaat de andere uit pure afgunst zijn hoofd in. Wat zegt dat over het menselijk ras?'

'Het zegt niet veel goeds over ons noch over de grote baas in de hemel,' antwoordde Marge. 'Als een hoofdcommissaris van politie in zijn stad een percentage van vijfentwintig procent aan moorden zou hebben, zou hij allang de laan uit zijn gestuurd.'

De man die naar de getuigenbank werd geroepen was een latino.

En dat verbaasde niemand.

Ze hadden die middag alleen maar latino's gezien, van de eiser – een vlezige vent met tatoeages – tot aan de beklaagde – net zo'n vlezige vent met tatoeages. Rina kon het assortiment aan geweldplegingen met één woord samenvatten.

Alcohol.

Alle betrokkenen waren dronken geweest, zowel de dames als de heren. Normaal gesproken zou men een handgemeen de volgende dag vergeten zijn, maar nu was de politie toevallig net langsgereden toen de knokpartij in volle gang was. De agenten hadden alle mensen die zich niet snel genoeg uit de voeten wisten te maken, in hechtenis genomen, en deze pechvogels beweerden allemaal dat de anderen waren begonnen. Getuigen leden opeens aan door angst veroorzaakt geheugenverlies.

De getuige die nu in de getuigenbank zat was geen uitzondering op deze regel.

In elk geval was de jury er inmiddels achter wie de Tom Cruise met de stralende glimlach was.

Toen de eerste getuige, een latina van midden vijftig in een rode minirok, met getatoeëerde wenkbrauwen en lang, zwart haar, werd opgeroepen, haalde hun Tom Cruise, die op de publieke tribune zat, een elektronisch apparaat tevoorschijn. Hij liep met trage passen naar zijn bestemming met een kleine pda in zijn hand, aandachtig ergens naar luisterend via een oorknopje. Toen hij de getuigenbank bereikte, zette hij de pda uit, haalde het oorknopje uit zijn oor en deed beide in zijn borstzak.

De juryleden keken elkaar tersluiks aan en haalden hun schouders op.

Tom ging pal achter de getuige zitten en stak zijn hoofd naar voren boven de schouder van de overjarige del, die daar zichtbaar van genoot. Ze draaide zich naar hem om en schonk hem een brede, hagelwitte glimlach. Nu lachte Tom echter juist niet.

De rechtszaak werd voortgezet en Toms rol werd geopenbaard.

Hij was een tolk.

De term tolk was een understatement.

Tom beeldde de getuigenis uit. Het was een onemanshow. Zijn stem rees en daalde en legde in elke zin de juiste intonatie en vereiste hoeveelheid emotie. Als er een Oscar was voor tolken, zou Lachende Tom die beslist winnen.

Naarmate de middaguren verstreken, werden de herinneringen van de getuigen vager en vager, en Arturo Gutierrez, die nu genadeloos werd gemangeld door een felle openbare aanklager in een rood mantelpak, was geen uitzondering. Hij herinnerde zich wel dat men met elkaar op de vuist was gegaan, maar wist niet precies wie met wie. Misschien had de eiser de beklaagde geslagen, misschien de beklaagde de eiser. De getuigen spraken aarzelend en de enige die er nog schik in scheen te hebben, was Lachende Tom.

Toen de openbare aanklager eindelijk door haar getuigen heen was en het de beurt was aan de verdediging, was het tijd om naar huis te gaan. Nadat de juryleden opnieuw waren gewaarschuwd met niemand over de zaak te praten, verlieten ze zwijgend de zaal, waarbij ze stuk voor stuk door de parketwachter werden bekeken. Het deed Rina denken aan de metafoor die gebruikt werd op de feestdag van Rosj Hasjana, het joodse nieuwjaar. God oordeelt over alle mensen als ze een voor een voor hem langs lopen – alsof hij een kudde schapen telt.

Op de gang liep de groep onmiddellijk naar de liften.

Joy vroeg aan Rina: 'We gaan iets drinken. Ga je mee?'

'Mijn dochter heeft een zanguitvoering.'

'Om hoe laat?' vroeg Kate.

'Half acht.'

'We gaan maar een uurtje, hoor.'

'Misschien morgen,' zei Rina. 'Het duurt nog wel even voordat ik thuis ben en ik wil iets te eten klaarmaken voor mijn man. Hij komt rechtstreeks naar de school.'

'Wat een voorbeeldige echtgenote ben jij, zeg,' zei Joy.

'Wanneer hij aan een grote moordzaak werkt en vierentwintig uur achter elkaar bezig is, vergeet hij vaak te eten.'

Niemand zei iets tot de liftdeuren opengingen en de groep uit de lift stapte.

Ally zei: 'Wat was Lachende Tom volgens jullie met zijn pda aan het doen?'

'Daar heb ik ook over zitten denken,' zei Rina. 'Misschien nam hij getuigenissen door voordat hij ze vertaalde. Het moet in elk geval iets zijn waarvoor hij toestemming heeft van het hof. Niemand zou het lef hebben naar muziek te luisteren terwijl hij naar de getuigenbank loopt.'

'Goed punt,' zei Ryan.

Joy zei: 'Ik vind hem anders verdomd veel lef hebben.'

'Hij gedraagt zich erg theatraal.' Rina duwde de dubbele deur naar de vrijheid open. 'Ik ga morgen wel weer met jullie lunchen.'

'Gezellig,' zei Kate. 'Tot morgen dan. Wens je man veel succes.'

'Ja, en probeer wat smeuïge informatie van hem los te krijgen,' voegde Joy eraan toe.

'Hij zegt nooit veel, maar ik zal mijn best doen.'

Joy wist dat ze het daarmee moest doen en zei alleen nog: 'En als je toch iets te eten voor hem maakt, maak dan ook iets voor mij. Wat jij tussen de middag hebt gegeten, zag er heel wat beter uit dan die troep van mij.'

Alhoewel Rina vroeg was, was Decker nog vroeger. Alle andere ouders probeerden een plaatsje zo ver mogelijk vooraan te krijgen, maar Peter had een stoel gekozen op de lege achterste rij. Hij zat rechtop met zijn hoofd achterover, zijn ogen gesloten en zijn mond half open. Ze liep tussen de klapstoelen door en schudde zachtjes aan zijn schouder. Hij maakte een snurkend geluid en deed zijn ogen open. 'Wat?'

Rina haalde een broodje uit haar tas. 'Alsjeblieft.'

Decker wreef in zijn ogen en rekte zich uit. 'Dag, schat.' Hij leunde naar voren en zoende haar wang. 'Heb je ook iets te drinken voor me? Mijn tong plakt aan mijn verhemelte.'

'Met of zonder cafeïne?'

'Maakt niet uit. Ik slaap vannacht toch wel.'

Ze gaf hem een blikje cola. 'Het is stokbrood met kalkoen en pastrami.'

'Ik val om van de honger.' Decker nam een hap. 'Heerlijk. Dank je wel.'

'Heb je vandaag niets gegeten?'

'Nee.' Hij trok het blikje open en dronk het in één keer leeg. Rina gaf hem meteen nog een cola, maar nu zonder cafeïne. 'Ik geloof dat ik een beetje uitgedroogd ben.'

'Ik heb ook water, als je dat liever hebt.'

'Zo dadelijk.' Hij dronk het halve blikje leeg. 'Hoe is jouw dag verlopen in de wereld van de misdaad?'

'Goed. En de jouwe?'

'Moeilijk.'

'Het is uitgebreid op het nieuws geweest.'

'Dat heb ik gehoord.'

'Klopt het dat er ook bewakers zijn omgekomen?' vroeg Rina.

Decker knikte en dronk het blikje leeg. 'Ik heb het aan Hannah te danken dat ik nu niet op kantoor zit. Ik ben er zomaar tussenuit geknepen. Het is er een janboel.'

'Ga je nog terug?'

'Dat denk ik wel. Ik wil een deel van de rapporten afwerken en een strategie opstellen.'

Rina wist uit ervaring dat er bij een meervoudige moord ook meerdere verdachten waren. 'Ben je wakker genoeg om te rijden, Peter?'

'Ja, hoor.' Hij glimlachte bij wijze van bewijs. 'Echt, het gaat wel. Ik heb hier een kwartiertje zitten pitten en voel me nu een stuk beter.'

'Een van de juryleden wil smeuïge details over de moord op de Kaffeys.'

'Dan moet ze de krant maar lezen.'

'Dat zal ik zeggen.' Ze pakte zijn hand. 'Ik ben blij dat je er bent. Hannah vroeg speciaal of je zou komen.'

'Al snap ik niet waarom. Ze staat altijd op de achterste rij. Als ze niet zo lang was, zou ik haar niet eens zien. Ze zingt ook nooit een solo. Heeft de juf iets tegen haar?'

'Mevrouw Kent is juist dol op haar.'

'Waarom krijgt ze dan nooit een solo?'

'Volgens mij wil ze dat zelf niet. Het is voor haar genoeg als haar vader in de zaal zit. Dan weet ze dat je van haar houdt.'

Decker schudde zijn hoofd. 'Ik vraag me wel eens af hoe dat moet met onze kinderen, inclusief Cindy, die nu al midden dertig is. Hoe lang moeten we blijven bewijzen dat we van hen houden?'

'Tja, dat weet ik ook niet...' Rina haalde haar schouders op. 'Waarschijnlijk ons hele leven.'

7

Decker sliep als een os van middernacht tot half zeven, toen de wekker ging. Het bed was leeg, maar hij hoorde geluiden in de keuken. Hij ging onder de douche, schoor zich, kleedde zich aan en toen hij om zeven uur de keuken in liep, was de koffie al klaar.

'Dag, lieverd,' zei Rina. 'Hoe is het ermee?'

'Redelijk.' Hij schonk een kop koffie in en nam een slokje. 'Ah, dat doet de mens goed. Zal ik de jongedame wakker maken?'

'Heb ik al gedaan. Ze is in een goede bui vandaag.'

'Hoe komt dat?'

'Dat komt door jou. Ze zei, en ik citeer: "Het was erg lief van abba dat hij is gekomen. Ik weet hoe druk hij het heeft".'

'Geweldig. Hoe lang denk je dat die waardering zal duren?'

'Op korte termijn niet erg lang, maar ze zal het zich jaren later nog herinneren.' Rina gaf hem een zoen. 'Ik breng haar wel naar school vandaag.'

'Graag.' Hij keek op zijn horloge. 'Ik moet gaan. Ik zal mijn hoofd even om de hoek van de leeuwenkuil steken en dan ben ik weg.'

'Vandaag is het eerder een schaapskooi.'

'Mijn dag kan al niet meer stuk.' Hij zette het kopje neer. 'Het is een goed kind. Ze is mijn jongste en ik hou van haar, en als ik een handig doelwit ben voor een deel van haar frustraties, neem ik dat op de koop toe. Zolang God haar beschermt tegen alle kwaad, mag ze haar pijlen op mij afschieten.'

Oliver klopte op de deurpost van Deckers kantoor en kwam binnen zonder op antwoord te wachten. Hij had een mok koffie in zijn ene hand, een stapeltje papieren in zijn andere en zag er moe uit.

'Heb jij helemaal niet geslapen, Oliver?'

'Twee uur, geloof ik, maar dat geeft niet.' Hij gaf Decker een vel papier waarop iets getypt stond wat eruitzag als een stamboom. 'Ik heb de structuur van de bewakingsdienst van Kaffey voor je uitgetekend. Zoals je ziet staat Neptune Brady boven aan de pagina in de hoofdrol van hoofd bewaking, met onder hem de verschillende takken.'

'Mooi werk,' zei Decker.

'Ja, niet gek voor een zombie.' Oliver glimlachte. 'Ik heb het in twee categorieën verdeeld – bewakers van de ranch en persoonlijke lijfwachten. De persoonlijke lijfwachten, die ik heb afgekort tot PL, waren vooral nodig als Guy en Gilliam in het openbaar verschenen, bijvoorbeeld als ze naar een restaurant, een liefdadigheidsbijeenkomst, een zakendiner of een feestje gingen. Dan ging er altijd minstens één PL mee.'

'En als ze ieder afzonderlijk uitgingen?'

'Van Gilliam weet ik het niet, maar Guy had er altijd eentje bij zich. Als ze niet thuis waren, werden de woningen bewaakt door de andere bewakers. Ik heb veertien namen achterhaald, maar zoals je hier kunt zien, hadden sommigen een dubbele functie. Rondo Martin, Joe Pine, Francisco Cortez, Terry Wexford, Martin Cruces, Denny Orlando, Javier Beltran en Piet Kotsky werkten als persoonlijke lijfwacht én bewaker.'

Decker bekeek het schema. 'Je hebt Alfonso Lanz en Evan Teasdale doorgestreept. Dat zijn de vermoorde bewakers?'

'Ja.'

'En de namen die je hebt omcirkeld, van Rondo Martin en Denny Orlando, zijn die van de vermiste bewakers?'

'Ja. We hebben ze nog niet gevonden, maar er wordt aan gewerkt. We zijn bij Orlando thuis geweest. Hij heeft een vrouw en twee kinderen. Marge en ik hebben met zijn vrouw gepraat. Ze beschreef Denny als een goede echtgenoot en een goede vader, en zei dat het niets voor Denny is om zomaar te verdwijnen.'

'Dat zegt niks.'

'Weet ik. We zullen uiteraard een nader onderzoek instellen, maar je voelt soms aan je water met wat voor iemand je te maken hebt. Soms heb je het mis, maar meestal blijk je gelijk te hebben. We hebben niets gevonden dat erop wijst dat Denny een moordenaar zou kunnen zijn. Brady was perplex toen we er iets over zeiden. Hij kent Denny als een volkomen eerlijke jongen. Denny is ook nog diaken van zijn kerk.'

'Ik ken een seriemoordenaar die dat ook was.'

'Weet ik, maar je zult het met me eens zijn dat we hier niet te maken hebben met een seriemoordenaar.'

'Hoe zit het met die andere? Rondo Martin?'

'Brady reageerde net zo perplex, maar dat is logisch. Hij kan moeilijk toegeven dat hij een psychopaat in dienst heeft genomen.'

'Is Martin dan een psychopaat?'

'Hij is een voormalige hulpsheriff uit Ponceville, een kleine stad hier in Californië. Brady weet niet waar Rondo had gehoord dat ze bij de Kaffeys bewakers nodig hadden, maar de man had hem opgebeld om te zeggen dat hij een baan in privébewaking zocht. Dat betaalde beter en hij had zin om iets anders te gaan doen. Ze hebben hem voor een gesprek uitgenodigd en daarna heeft hij een proefperiode gehad en uiteindelijk is hij fulltime aangenomen. Hij is prompt naar Los Angeles verhuisd. Blijkbaar was er niets wat hem aan Ponceville bond.'

'Mmmm...'

'Hij heeft een flat in de North Valley. We zijn er een kijkje gaan nemen. Er was niemand thuis, maar de huisbaas heeft ons de sleutels gegeven. De flat was niet leeggehaald, maar wel erg kaal. Zijn auto was weg. Hij rijdt in een blauw metallic Toyota Corolla, bouwjaar 2002. We hebben een opsporingsbevel uitgevaardigd.'

'Heeft Orlando een auto?'

'Ja, maar zijn vrouw bracht hem altijd naar zijn werk en dan reed hij met Martin mee terug.'

'Wat denk je ervan?'

Scott telde op zijn vingers af. 'Orlando en Martin waren er beiden bij betrokken. Martin was erbij betrokken en heeft Orlando doodgeschoten. Orlando was erbij betrokken en heeft Martin doodgeschoten. Ze zijn er geen van beiden bij betrokken, maar er uit angst vandoor gegaan.'

'Hoe zit het met de vingerafdrukken? Jullie hebben er een heleboel.'

'Daar wordt aan gewerkt.'

'Hebben we de vingerafdrukken van Martin en Orlando?'

'Of we ze van Orlando hebben, weet ik niet. We hebben contact opgenomen met Ponceville voor die van Martin. Die moeten ze daar hebben als hij hulpsheriff was.'

'En de andere bewakers?' vroeg Decker.

'We zijn ze stuk voor stuk aan het bekijken. We hebben telefonisch contact opgenomen met Terry Wexford, Martin Cruces en Javier Beltran, opdat we ze kunnen afvinken. Laat me even voor je samenvatten hoe het systeem in elkaar zit.'

Decker nam een slok van zijn koffie. 'Ik luister.'

'Er zijn altijd vier bewakers op de ranch aanwezig als Gilliam en Guy daar zijn. Twee in het wachthuisje bij de ingang en twee in het woonhuis. De mannen werken in ploegendiensten van vierentwintig uur. Soms komen de bewakers van de nieuwe ploeg een beetje vroeg. Theoretisch is het dus mogelijk dat er acht bewakers tegelijk op het terrein zijn.'

Decker rekende snel. 'Dat wil zeggen dat elke bewaker gemiddeld om de drie dagen werkt.'

'Zo ongeveer, ja.' Oliver dronk de rest van zijn lauw geworden koffie op. 'De bewakers wonen niet op het terrein, maar hebben huisjes met bedden tot hun beschikking, zodat ze kunnen slapen als ze te moe zijn om naar huis te gaan, of als ze te vroeg zijn voor hun dienst.'

'Hoeveel van die huisjes zijn er?'

'Twee, elk met vier bedden en een televisie. Neptune Brady heeft een eigen woning. Kotsky en Brady hebben me allebei verteld dat het vaak voorkomt dat de mannen in die huisjes uitrusten tot hun dienst begint.'

'Hebben de bewakers sleutels om op het terrein te komen?'

'Wel van de toegangshekken, niet van het woonhuis. Brady heeft een beveiligingssysteem met sleutelkaarten.'

'Hoe werkt dat?'

'Elke bewaker die op het terrein komt, moet de sleutelkaart overnemen van de bewaker die hij aflost. Er is per dag een lijst die ze moeten tekenen als ze komen en als ze vertrekken, met het tijdstip erbij. De lijst voor de nacht van de moord wordt vermist, maar dat zegt niet veel. Brady heeft het rooster met de namen van degenen die dienst hadden. We weten wie er vermoord zijn en wie er vermist worden.'

'Een presentielijst... Dat is een systeem van niks.'

'Vind ik ook. Er kan makkelijk mee geknoeid worden, al heeft het op de ranch een paar jaar goed gewerkt. Brady zei dat hij scherp toezicht hield op de sleutelkaarten en dat het vrijwel onmogelijk is er duplicaten van te maken. In de kluis ontbreken geen kaarten, behalve natuurlijk de twee die de vermiste bewakers bij zich hebben.'

'Je moet er maar van houden om zo te leven,' zei Decker. 'Het is erg exclusief, maar het gaat ten koste van je vrijheid.'

'Zeg dat wel,' zei Oliver. 'De Coyote Ranch is een Californische versie van Versailles en we weten allemaal wat er uiteindelijk met Marie Antoinette is gebeurd.'

De tweede dag van de rechtszaak verliep net als de eerste.

Weer werden vergeetachtige mensen ondervraagd en voerde Lachende Tom een schitterende show op. De assistent-officier van justitie zag eruit om door een ringetje te halen in haar donkerblauwe krijtstreeppakje met witte blouse en lage pumps, in tegenstelling tot de pro-Deo-advocaat, die een sloeber was met afhangende schouders en weerbarstig grijs haar dat hij over zijn kale kruin gekamd probeerde te houden. Zijn kostuum had te korte mouwen, terwijl het te wijd was voor zijn magere lichaam. Hij baseerde zijn verdediging op de bewering dat de agenten die de arrestaties hadden verricht, niet hadden kunnen zien wie er door wie was geslagen en dat zijn cliënt daarom moest worden vrijgesproken.

De assistent-officier van justitie riep een jonge agent op voor het kruisverhoor, en alhoewel de agent niet het helderste lichtje aan de kerstboom was, kwam hij geloofwaardig over. Hij had met zijn eigen ogen gezien dat de beklaagde de eiser in zijn gezicht stompte. Heel eenvoudig. Wat Rina betrof was het proces niet zozeer een verkwisting van de tijd van de juryleden als wel een kwestie van niet erg efficiënt benutte tijd. Niemand maakte bezwaar toen er een pauze werd ingelast voor de lunch.

Ryan had met een kennis afgesproken, dus waren de dames vandaag onder elkaar. In de hoop het gesprek van de moord op de Kaffeys af te houden, had Rina extra sandwiches meegebracht van zelfgemaakte chala en ging ze uitgebreid in op het recept daarvoor.

'Ik dacht dat chala gevlochten moest worden,' zei Joy.

'Blijkbaar niet, want dit zijn vierkante sneden,' zei Kate. 'Dit is erg lekker, zeg. Met die olijven en zongedroogde tomaten. Een uitstekende combinatie met de salami.'

'Dank je,' zei Rina. 'En om antwoord te geven op je vraag, Joy, chala hoeft niet gevlochten te worden, al is het wel een traditie om op vrijdagavond gevlochten brood te eten. Op de dag van het joodse nieuwjaar tot en met het Loofhuttenfeest eten we ronde chala. En je hebt ook nog een afbreekchala, die ook rond is.'

'Wat is dat?' Kate was bezig aantekeningen te maken.

'Dan maak je aparte deegballen, ongeveer zo groot als een pingpongbal, en doet die samen in een rond bakblik.'

‘Zelfde recept?’

‘Ja. Tijdens het bakken voegt het deeg zich samen tot één brood, maar kun je de afzonderlijke delen nog goed zien. We maken dergelijk brood omdat je bij het uitspreken van de zegen stukjes van het brood moet afbreken voor je gasten, en dan is het leuk als iedereen zo’n bolletje krijgt.’

Joy zei: ‘Iemand heeft mij verteld dat jullie een deel van het deeg verbranden. Klopt dat?’

‘Ja, dat klopt. We verbranden inderdaad een kleine portie van het deeg. Dat deel is trouwens de eigenlijke chala. We doen dat ter herinnering aan de tijd dat de joden de tempel nog hadden en meelproducten aan God offerden. Maar je kunt dat alleen doen als je een bepaalde hoeveelheid bloem gebruikt. Je verbrandt geen chala als je maar één brood bakt, tenzij dat brood heel erg groot is. Soms maak ik een heleboel deeg en dan vries ik een deel ervan in tussen de eerste en de tweede keer dat het is gerezen, zodat ik chala kan branden, maar dat doe ik dan op een andere dag.’

‘Bak jij die chala dan zelf?’ vroeg Ally.

‘Ja. Voor mij is het een soort therapie.’

Joy zei: ‘En je hebt er zeker tijd genoeg voor, omdat je man altijd bezig is moorden op te lossen.’

‘Minder dan je denkt,’ zei Rina. ‘Peter houdt zich meestal gewoon aan kantooruren.’

‘Maar niet altijd, zoals nu.’ Joy likte bijna aan haar lippen. ‘Hoe staat het met de moord op de Kaffeys?’

‘Ik weet net zo veel als jullie,’ antwoordde Rina. ‘Peter praat nooit over de zaken waar hij aan werkt. Sorry, maar ik weet niets.’

‘Volgens mij hou je iets achter.’ Joy leunde achterover op haar stoel en sloeg haar armen over elkaar.

‘Nee, echt niet. Ik lees het ook maar in de krant.’

‘Hoe lang denk je dat ze erover zullen doen om de zaak op te lossen?’ vroeg Ally.

‘Ik heb geen flauw idee,’ zei Rina. ‘Sommige zaken worden binnen vierentwintig uur opgelost, maar Peter heeft ook wel aan *cold cases* gewerkt die jaren openstonden.’

‘Interessante gevallen?’ vroeg Joy.

‘Wat is dat nou voor vraag?’ zei Kate. ‘Het moeten allemaal erg tragische gevallen zijn.’

Rina glimlachte. 'Weet je, Joy, toen Peter en ik pas getrouwd waren, probeerde ik ook dingen van hem te weten te komen, omdat ik net zo nieuwsgierig was als jij. Nu beschouw ik zijn werk gewoon als zijn werk. Hij krijgt ervoor betaald en soms kunnen we vanwege een zaak bepaalde dingen niet doen die we gepland hadden. Jij bent zelf ook getrouwd, Joy. Waar praten je man en jij over?'

'Mijn man is accountant, maar we praten echt niet over aftrekposten.'

Rina's ogen flonkerden ondeugend. 'Ik heb onlangs een paar schilderijen geërfd die misschien aardig wat waard zijn. Moet ik daar weeldebelasting over betalen of hoeft dat alleen als ik ze zou verkopen?'

'Hoe moet ik dat nou weten? Ik ben ademhalingstherapeut.'

'Dat is precies wat ze bedoelt, Joy,' zei Kate. 'Rina is onderwijzeres. Wat weet zij nou over moordzaken?'

'Nou, dat is toch wel iets anders,' zei Joy. 'Als Albert over belastingen begint, val ik in slaap.'

Rina zei: 'Voor mij is het precies het tegenovergestelde. Als Peter begint over hoe slecht de mensen zijn, kom ik juist niet meer in slaap.'

8

Tegen de muur geleund pelde hij langzaam de wikkel van een energiereep en absorbeerde de kakofonie van geluiden. Omdat de rechtszaken zo dadelijk zouden worden hervat, kwam er van alle kanten lawaai op hem af. Aan de overkant van de gang hadden twee vrouwen het over broodrecepten. De ene kwam uit Michigan. Een wat oudere vrouw, in de zestig, te oordelen naar het ritme van haar bedaarde manier van spreken. De andere was een jonge vrouw uit de Valley met een licht cowboyaccent, wat hem eraan herinnerde dat Californië ooit het wilde Westen was.

Het lawaai nam toe naarmate er meer mensen binnenkwamen.

Rechts van hem stond een vrouw van het Fernandez-proces. Hij had haar stem gehoord toen de jury de zaal verliet, ook al had ze fluisterend gesproken. Toen hij haar in haar mobiel had horen praten, had hij meteen geweten dat ze het tegen haar man of vriend had. De woorden waren onschuldig, maar haar toon zat vol seksuele toespelingen. De manier waarop ze lachte en haar gevatte antwoorden. Hij stelde zich haar voor als een landschap vol sensuele rondingen. Ze klonk alsof ze geboren en getogen was in Los Angeles.

Hij nam een hap van de reep en wachtte tot de rechtszaak hervat zou worden. Het geluidsvolume zwol aan naarmate meer mensen zich in de hal van het gerechtshof verzamelden en geluidsgolven afketsten tegen harde oppervlakten. De hal had een betonnen vloer en houten wanden zonder tapijten of gestoffeerd meubilair dat een deel van de herrie had kunnen absorberen. De enige zitplaatsen waren harde banken. Hij wilde niet zitten. Hij zat de hele dag al.

Als hij zich concentreerde kon hij veel verstaan.

Links van hem stonden twee latino's: een uit Mexico en een uit El Salvador. Ze spraken naar hun idee op gedempte toon, maar zijn oor was zo gewend aan de verschillende toonhoogten van stemmen dat ze net zo goed door een luidspreker hadden kunnen schreeuwen. Ze praatten in rad Spaans over het nieuws, in het bijzonder over de wrede moorden in de West Valley. Hij had al een aantal verschillende versies gehoord van het verhaal over de multimiljonair die samen met zijn vrouw en zoon was neergeschoten op hun ranch.

Wat een ironie. Zo veel geld en toch was die arme man er niet in geslaagd betrouwbare lijfwachten te krijgen. Dat was het probleem met geld. Het werkte als een magneet op allerlei uitschot en gespuis, al waren doodgewone oplichters meestal geen mensen die moorden pleegden. Zijn beperkte ervaringen hadden hem geleerd dat moorden op belangrijke personen meestal werden gepleegd door andere belangrijke personen, achtenswaardige mensen die in de problemen waren gekomen en veel te verliezen hadden.

Hij bleef het Spaanse gesprek afluisteren en grinnikte inwendig. Die twee sukkels noemden Guy Kaffey, de vermoorde multimiljonair, señor Café. Alsof de man een espressoapparaat was. Ze lieten hun stemmen nog iets dalen. Hij vond het vreemd dat ze probeerden juist hier een vertrouwelijk gesprek te voeren, maar het was blijkbaar dringend. Hij hoorde hoe gejaagd hun stemmen klonken. Ze waren zeker verplicht om in het gerechtshof te blijven – als getuigen, eisers of beklaagden. Niemand kwam hier omdat de koffie van de cafetaria zo geweldig was.

Er waren strenge regels voor gevallen waarin een jurylid een gesprek opving dat te maken had met de zaak waarin hij zitting had. Afgeluisterde gesprekken konden de uitspraak van de jury beïnvloeden. Hij vond echter dat hijzelf gerust naar andere gesprekken mocht luisteren.

De vrouw rechts van hem was uitgebeld. Ze had haar mobieltje dichtgeklapt en het klonk alsof ze nu in haar tas rommelde. Het Spaanse gesprek werd door haar gerommel bijna overstemd, zodat hij zich moest inspannen om nog iets te kunnen verstaan. Niet dat hij het gezeur van die kerels belangrijk vond, maar het was nu een principekwestie geworden.

Ze hadden het nog steeds over de moord op de Kaffeys en spraken zo heftig dat zijn belangstelling opnieuw gewekt werd. Hij draaide zijn hoofd onmerkbaar in de richting van het geluid om iets meer decibellen op te vangen en spitste zijn oren toen duidelijk werd dat de mannen informatie uit de eerste hand over de moorden hadden.

De Mexicaan had het over ene José Pinon die vermist werd en over *el patrón*, de baas, die in Mexico naar hem op zoek was.

'Omdat hij met de zoon de mist in is gegaan,' zei de Mexicaan tegen de man uit El Salvador.

'*¿Que pasa?*' vroeg de El Salvadoraan. Wat is er gebeurd?

De Mexicaan antwoordde vol minachting: 'Zijn kogels waren op.'

'*Ay... ?estúpido!*' zei de El Salvadoraan. 'Waarom heeft iemand anders hem dan niet afgemaakt?'

'Omdat José een debiel is. Hij zegt dat hij aan Martin heeft gevraagd of hij het kon doen, maar daar heb ik niks over gehoord. Volgens mij probeert hij gewoon zijn eigen hachje te redden, maar dat kan hij dus wel vergeten. Martin is hels.'

De El Salvadoraan zei: '*Martin es malo.*'

Martin is slecht.

'*Muy malo,*' zei de Mexicaan, '*pero no tan malo como el patrón.*'

Maar niet zo slecht als de baas.

De El Salvadoraan was het daarmee eens. Hij zei: '*José es un hombre muerte.*'

José is zo goed als dood.

'*Realmente absolutamente muerte,*' vulde de Mexicaan aan. '*Hora para que el diga sus rezos.*'

Morsdood. Zijn laatste uurtje heeft geslagen.

Hij hoorde dat een parketwachter een jury naar binnen riep. De twee mannen hielden op met praten. De vrouw met de sensuele stem had haar tas dichtgedaan en liep bij hem vandaan. Hij zette het zendertje aan dat hij in zijn hand had en liep achter haar aan door de hal. Na een paar ogenblikken, toen hij vond dat ze ver genoeg bij de twee latino's vandaan waren, deed hij een grote stap naar voren en tikte haar op haar schouder.

Rina draaide zich om en zag dat het Lachende Tom was. 'Ja?'

'Neemt u me niet kwalijk,' zei hij. 'Mijn naam is Brett Harriman en ik ben gerechtstolk. Ik meen dat u in de jury zit van een van mijn zaken.' Toen ze geen antwoord gaf, zei hij: 'Ik geef u de verzekering dat de vraag die ik u ga stellen niets te maken heeft met die zaak.'

Rina staarde naar hem en wachtte tot hij zou doorgaan.

'Eh... dit is een beetje moeilijk.' Hij zweeg even. 'Ik weet dat het heel gek klinkt, maar zou u me een plezier willen doen?'

Eindelijk reageerde ze. 'Het hangt ervan af wat u wilt.' Rina nam hem aandachtig op. Brett Harriman, alias Tom Cruise, zag er nerveus uit.

Ze kon zijn ogen niet onderscheiden achter de zonnebril, maar zijn houding was gespannen.

Hij ging door op fluistertoon, maar klonk ook nu alsof hij toneelspeelde. 'Ik wil u vragen iets voor me te beschrijven, maar wat u ook doet, kijk alstublieft niet nadrukkelijk naar die plek. Dat is heel belangrijk. En spreekt u in godsnaam zachtjes. Goed?'

'Wat is er aan de hand?' vroeg Rina.

'Dat zal ik u zo dadelijk uitleggen. Vlak bij de plek waar u daarnet stond te telefoneren staan twee mannen van Hispaanse afkomst met elkaar te praten... kijk alstublieft niet naar hen.'

'Dat doe ik ook niet.'

'Kunt u die mannen voor me beschrijven zonder opvallend naar hen te kijken? En kunt u zich daarbij heel normaal blijven gedragen?'

Onwillekeurig keek Rina naar de mannen en wendde meteen haar blik weer af. Toen ze weer keek, waren ze nog steeds diep in gesprek en ze letten helemaal niet op haar. Ze keek heimelijk nog een paar keer en richtte haar vragende blik toen weer op Tom, Brett, die daar echter niet op reageerde.

Eindelijk drong het tot haar door waarom hij zich zo stoïcijns gedroeg en ze kon zichzelf wel voor de kop slaan. Dat hij binnen een zonnebril droeg, zei eigenlijk genoeg, maar ja, hij liep zo zelfverzekerd en zonder hulp.

De Tom Cruise die Brett Harriman heette was blind.

Ze wilde hem ernaar vragen, maar dat zou onbeleefd zijn. In plaats daarvan fluisterde ze: 'Waarom wilt u weten hoe die mannen eruitzien?'

Hij fluisterde terug: 'Beschrijft u ze nu maar gewoon voor me. Alstublieft.'

Rina nam de mannen snel op. Ze zagen eruit als begin twintig en hadden een normaal postuur, al was de man rechts iets groter dan de man links. De langere man droeg een zwart poloshirt. De kleinere man, die het meeste aan het woord was, droeg een T-shirt met het logo van de Lakers. Ze waren allebei kaalgeschoren en hadden tatoeages op hun armen, maar die waren niet deskundig aangebracht. De zelfgemaakte inkt die in hun huid was gebrand zag er meer uit als een verkleuring dan een kunstwerk – een slang, een tijgerkop, B12. Was hij verslaafd aan vitaminen?

Rina zei zachtjes: 'Ik heb begrepen dat u visueel gehandicapt bent, maar waarom wilt u weten hoe die mannen eruitzien?'

'Dat vertel ik u liever niet.'

'Sorry, maar als u mijn hulp wilt, moet u me eerst vertellen waar dit om gaat.'

'Het is iets persoonlijks.' Harriman hoorde dat de parketwachter groep 23 riep. 'Laat maar. Dat is mijn zaak, ik moet gaan.' En hij voegde er op een mildere toon aan toe: 'Het heeft waarschijnlijk toch niets te betekenen.'

Hij deed zijn zendertje aan, stopte het oorknopje in zijn oor en liep weg, Rina verward en nieuwsgierig achterlatend. Ze wierp nog een zijdelingse blik op de mannen. Het deel van hun armen dat zichtbaar was, was niet overdreven gespierd, maar ze hadden sterke handen. Ze droegen allebei een spijkerbroek en liepen op schoenen met rubberzolen. Ze vermoedde daarom dat ze in de bouw werkten.

Toen haar zaak werd afgeroepen ging Rina bij de rest van haar groep voor de deur van de rechtszaal staan en zeiden ze om beurten hun nummer om te controleren of ze er allemaal waren. Nummer zeven, die altijd te laat kwam, ontbrak en de groep zuchtte gefrustreerd. Ally, Joy en Kate kwamen bij Rina staan.

'Waarover stond jij te babbelen met Lachende Tom?'

'Niks bijzonders,' loog Rina gladjes.

'Volgens mij heeft hij een oogje op je,' zei Ally.

'Vind je het gek?' zei Kate. 'Als je zo mooi bent als Rina.'

'Hij is blind.' Toen de drie vrouwen haar aanstaarden, zei ze: 'Of slechtziend. Hij gebruikt dat radiootje als een zendertje, een soort elektronische blindenstok.'

'O,' zei Kate. 'Ja, nu je het zegt. Je kunt zien dat er iets vreemds aan hem is.'

'Heeft hij je verteld dat hij blind is?' vroeg Ally.

'Nee, maar van dichtbij kun je het zien.'

'Waaraan?' vroeg Joy.

'Aan de manier waarop hij zijn hoofd beweegt als hij tegen je praat... en omdat hij een beetje staat te wiegen.' Dat was helemaal niet waar, maar het klonk als iets wat blinden misschien deden. 'Ik heb hem maar heel even gesproken.'

'Waarover?' wilde Joy weten.

'Hij vroeg hoe laat het was. Daarna vroeg hij of dit de eerste keer was dat ik iets met het rechtsstelsel te maken had. Toen heb ik hem verteld dat mijn man bij de politie zit. En toen herinnerde hij zich mij en mijn stem van het voir dire, waar ik had verteld dat mijn man inspecteur van politie is. Toen werd zijn jury afgeroepen, dus moest hij gaan. Dat was alles.' Rina glimlachte geforceerd. 'Ik had hem nog mijn chalarecept willen geven, maar daar was geen tijd voor.'

Niemand lachte.

Jurylid nummer zeven kwam buiten adem aan en bood zijn verontschuldigingen aan. Nu iedereen er was, opende de parketwachter de deur van de rechtszaal en liepen ze achter elkaar naar binnen. Haar nieuwe vriendinnen bleven verwonderd en wantrouwig naar haar kijken.

Misschien had ze niet zo goed gelogen als ze had gedacht.

Decker gaf Neptune Brady een kopie van Olivers lijst met de namen van de bewakers. Scott had niet alleen de taak van elke man erbij gezet, maar was er ook in geslaagd uit te zoeken wie van hen een strafblad had. Dat waren er verrassend veel. In de meeste gevallen ging het om lichte vergrijpen, maar achter zes van de tweeëntwintig namen – aan de oorspronkelijke veertien waren er acht toegevoegd – stond een heus misdrijf vermeld.

Decker bekeek Brady eens goed. Het hoofd van Kaffeys bewakingsdienst had duidelijk al heel lang niet echt geslapen en kamde met zijn vingers door zijn vette haar, dat een nest van dikke krullen was.

'Bekijk deze lijst even. Als u er iets aan toe te voegen hebt, hoor ik dat graag.'

Brady's blauwe ogen jojoden over het papier. 'Ziet er goed uit.'

'Waarom hebben jullie zo veel mensen met een strafblad in dienst?'

'Dat ligt niet aan mij, inspecteur.' Brady zuchtte. 'Kaffey had een zwak voor zwakkelingen.'

'Ik heb al van Grant Kaffey gehoord dat zijn vader ex-misdadigers in dienst nam, maar ik snap niet waarom u zich daarbij neerlegde.' Decker wees naar een van de namen. 'Dit gaat niet over kwajongensstreken. Deze hier, Ernesto Sanchez, is tweemaal veroordeeld voor zware mishandeling.'

'Maar kijk eens naar de data. Het zijn zaken van heel lang geleden. Sanchez is jaren geleden gestopt met drinken en een nieuw leven begonnen. Er is niemand zo clean als een ex-alcoholist. Guy was een groot fan van sentimentele hulpprogramma's voor sociaal minderbedeelden. Een hoop gelul, als je het mij vraagt, maar als Guy iets wilde, deed ik wat me werd opgedragen.'

Brady's ogen waren bloeddoorlopen. Hij had zijn kleding van gisteren verwisseld voor een donkerblauw overhemd en een spijkerbroek van een duur merk. Hij frunnikte aan de boord van het overhemd.

'Het kwam gedeeltelijk door die sociale betrokkenheid van hem en gedeeltelijk doordat hij erg op de centen was en ik daarom met een zeer krap budget moest werken. Dergelijke werkkrachten zijn goedkoop.'

'Wilt u mij vertellen dat de multimiljonair Guy Kaffey ex-misdadigers in dienst nam omdat die bereid waren voor weinig geld te werken?'

'*Exactamente, mi amigo!*' Hij zuchtte weer en wreef over zijn gezicht. 'De ranch beslaat een enorm terrein dat grenst aan openbare paden en wegen. De bewaking kost veel geld. Ondanks de omheining, het prikkeldraad en het alarmsysteem zijn er tientallen manieren om op het terrein te komen. Er zou een klein leger nodig zijn om elke in- en uitgang hermetisch af te sluiten, en Kaffey was niet bereid dat te financieren. Hij gaf me namen en telefoonnummers en ik zei: "Ja, baas."'

'Er staan tweeëntwintig namen op deze lijst. Dat is een redelijk grote ploeg.'

'Maar ze werkten nooit allemaal tegelijk,' legde Brady uit. 'En er was veel verloop. Eigenlijk had ik alleen al zo'n ploeg nodig om het systeem draaiende te houden. Kaffey zei altijd dat we geen hersenen huurden, maar lichamen. Meestal waren er per dienst slechts vier bewakers aanwezig. Over het algemeen vond Guy dat genoeg.'

'En wanneer vond hij het niet genoeg?'

Brady aarzelde. 'Soms voelde hij zich kwetsbaar. Als hij in zo'n bui was, haalde ik soms wel twaalf man naar de ranch.'

'Hoeveel waren er in de nacht van de moord?'

'Toen zouden er gewoon vier werken. Ik weet niet of Kaffey om meer bewakers heeft gevraagd, maar hij heeft mij daarover in elk geval niet gebeld.'

'Misschien wist hij dat u het druk had met uw zieke vader en wilde hij u niet storen.'

Brady lachte bitter. 'Denkt u dat Kaffey iets gaf om de persoonlijke problemen van zijn personeel?'

'Hij heeft u naar Oakland laten gaan om uw vader te verzorgen.'

'Mijn vader lag op sterven. Hij kon me dat niet weigeren. Ik zou evengoed zijn gegaan, zelfs als het me mijn baan had gekost.'

'Toch mocht u een extra week in Oakland blijven.'

'Dat heb ik niet aan Guy Kaffey te danken, maar aan Gil Kaffey. Niet dat Gil geen fielt is, maar die gedraagt zich soms nog wel als een mens. Guy was een veeleisende bullebak met een gore bek. Aan de andere kant kon hij opeens' – hij knipte met zijn vingers – 'zo aardig en gul zijn dat ik hem niet terugkende. Ik wist nooit in welke stemming ik hem zou aantreffen. Daar was geen peil op te trekken.'

'Ik heb een paar recente artikelen over Gil opgezocht. Negen maanden geleden was hij ongehuwd. Klopt dat?'

'Gil is homoseksueel.'

'Aha.' Decker bladerde in de artikelen en liet zijn blik over de teksten gaan. 'Daar heb ik hier niets over gelezen.'

'Waar hebt u die artikelen vandaan?'

'Uit de *Wall Street Journal*... *Newsweek*... *U.S. News & World Report*.'

'Waarom zou daar in staan dat Gil homoseksueel is? Hij is een geslepen zakenman, niet het hoofd van een vereniging voor homo's en lesbo's. Hij houdt zijn privéleven privé.'

Decker vroeg: 'Heeft hij een partner?'

'Nee. Hij heeft er vijf jaar lang een gehad, maar ze zijn een half jaar geleden uit elkaar gegaan.'

'Hoe heet die man?'

'Antoine Resseur. Hij woonde in West Hollywood. Ik weet niet wat hij nu doet.'

'Waarom zijn ze uit elkaar gegaan?'

'Dat weet ik niet. Dat is mijn zaak niet.'

'Laten we het dan nog even over uw werk hebben. Was u ook verantwoordelijk voor de beveiliging van Gil?'

'Nee, omdat Gil dat niet wilde. Hij heeft in Trousdale een reusachtige villa met een ultramodern beveiligingssysteem. Ik zie hem een enkele keer wel met een lijfwacht, maar meestal vliegt hij onder de radar.'

'Werkte u alleen voor Guy en Gilliam Kaffey?'

'Ja. Het is een fulltimebaan, meer dan fulltime. Ik slaap misschien nog minder dan artsen.' Brady wreef over zijn voorhoofd en schudde zijn hoofd. 'Ik vroeg Guy constant om meer geld, niet voor mezelf maar om een beter slag bewakers te huren. Hoe vaak heb ik niet tegen Kaffey gezegd dat je met iets meer geld veel betere kwaliteit krijgt. Al die miljoenen... waar heb je dat geld anders voor?'

'Misschien had hij te lijden onder de crisis.'

'Er is juist veel werkloosheid. Hij had het neusje van de zalm van de goede bewakers kunnen krijgen. Waarom koos hij met opzet losers?'

'Ja, vreemd,' zei Decker.

'Ik begrijp het niet, maar zo was Guy. Soms deed hij heel nonchalant over zijn persoonlijke veiligheid, soms werd hij opeens paranoïde. Dat laatste kon ik wel begrijpen. Wat ik niet begreep was die nonchalante houding. Je bent een doelwit. Waarom beknibbel je dan op veiligheidsmaatregelen?'

Decker kreeg een idee. 'Slikte hij psychiatrische medicijnen?'

Brady zei: 'Dat moet u aan zijn arts vragen.'

'Was hij manisch-depressief?'

'Dat heet tegenwoordig een bipolaire stoornis.' Brady begon met de neus van zijn schoen op de vloer te tikken. 'Hiervoor kunnen ze me ontslaan...' Toen lachte hij. 'Maar ach, ik zit toch al in de problemen.'

Decker wachtte af.

Brady ging door. 'Als Guy in een... mededeelzame bui was, vertelde hij iedereen die er maar naar luisteren wilde over zijn aandoening, en dat zijn vrouw wilde dat hij lithium zou slikken en dat hij dat niet wilde.'

'Waarom niet?'

'Guy zei dat lithium hem weliswaar zijn evenwicht teruggaf en hem uit zijn depressies haalde, maar dat het ook de pieken van zijn hoogtepunten afsneed. Hij zei dat hij het zich niet kon veroorloven dat de pieken van zijn hoogtepunten werden afgesneden. Die pieken stelden hem in staat risico's te nemen. Hij had het aan die pieken te danken dat hij multimiljonair was.'

9

De persconferentie was goed verlopen, al kreeg Strapp weinig tijd om na te genieten van zijn close-up. Hij liep zonder kloppen bij Decker naar binnen en deed de deur iets te hard dicht. Decker keek op. Strapp trok een stoel naar achteren en ging zitten.

'Van hogerhand is besloten dat deze zaak te omvangrijk is voor één enkel team van Moordzaken.'

'Dat vind ik ook.'

Strapp keek hem bevreemd aan. 'Dat vind jij ook?'

'We hebben een speciale eenheid nodig.' Decker keek naar Strapp, die vandaag een donkerblauw kostuum droeg met een lichtblauw overhemd en een rode das. De hoofdinspecteur had een hoekig gezicht en zijn lichaamstaal was zo gespannen dat hij Decker deed denken aan een kurk die op het punt stond uit de flessenhals te knallen. 'Wat is het probleem? Willen ze de zaak naar het hoofdkantoor halen en er een van hun eigen mensen op zetten?'

'Dat wilden ze, ja, maar ik heb me uit alle macht voor jou ingezet. Ik dacht dat je dat wilde.'

Met andere woorden, dat wilde Strapp zelf. Hun politiebureau was een paar maanden in de belangstelling geweest toen Decker en zijn team een cold case hadden opgelost die was heropend omdat een multimiljonair een smak geld in het vooruitzicht had gesteld. Strapp hoopte nu natuurlijk dat de nog in leven zijnde Kaffeys ook over de brug zouden komen als ze de moordenaars wisten te vinden.

'Dat stel ik erg op prijs en ik wil best aan het hoofd staan van een fulltimeteam.'

'Hoeveel mensen heb je nodig en hoeveel mensen kunnen we hier missen als we Moordzaken evengoed draaiende willen houden?'

'Voor een zaak van deze omvang heb ik een ploeg van acht man nodig.

Dat is voldoende om alle invalshoeken te dekken, niet te groot en dus goed te overzien.'

'Begin met zes en geef een gil als je er meer nodig hebt.' Strapp trommelde met zijn vingers op Deckers bureau. 'Ik heb het bij de commissaris voor elkaar gekregen dat West Valley de zaak mag doen, maar je moet dagelijks rapport aan mij uitbrengen, zodat ik aan hém rapport kan uitbrengen. Hoeveel rechercheurs hebben we op Moordzaken?'

'Zeven fulltime, onder wie Marge Dunn en Scott Oliver, die al aan de zaak werken. Als ik Marge, Oliver en Lee Wang fulltime kan krijgen, is dat alvast een goed begin.'

'Lee voor het computerwerk?'

'Ja, en voor de financiën. Hij is de enige die genoeg geduld heeft om cijferkolommen door te nemen. Dan houden we hier vier rechercheurs over voor andere zaken.' Decker bekeek de dienstroosters. 'Van CAPS wil ik graag Brubeck, Messing en... Pratt. Die hebben allemaal al eens eerder op Moordzaken gewerkt. Dat zijn er dan bij elkaar zes.'

'Met jou erbij zeven.'

Decker zei: 'En als u mij ook fulltime wilt, moet iemand mij helpen met mijn eigen administratieve werkzaamheden.'

'Daar kunnen we een secretaresse voor laten komen.'

'Het gaat niet alleen om typewerk, er zit ook een psychologisch aspect aan vast. Ik moet iemand hebben die mijn mensen kent. Ik zit te denken aan Wanda Bontemps. Ik heb al eens met haar gewerkt, ze is goed met computers en kan de notulen verzorgen van de vergaderingen van het team.'

'Met Wanda erbij zijn het er acht.'

'Precies wat ik nodig heb,' antwoordde Decker glimlachend.

Strapp stond op. 'Hier houden we het voorlopig op, Decker. Naderhand zien we wel weer. Stuur me een lijst met de namen van de teamleden en hun taken. Ik wil korte samenvattingen van alle besluiten die worden genomen, in drievoud – een kopie voor jou, een voor mij en een voor de commissaris. Je mag smokkelen met je andere administratieve bezigheden, maar voor het hoofdkantoor zal ik een en ander op schrift moeten hebben.'

'Dat spreekt vanzelf.' Decker glimlachte weer. 'We zijn zo goed als ons laatste rapport.'

Het duurde langer dan verwacht om de ploeg bij elkaar te krijgen, want Brubeck was de deur uit vanwege een zaak waar hij aan werkte en Pratt zat bij de tandarts. Toen Decker ze uiteindelijk allemaal bij elkaar had, had hij zeven enthousiaste rechercheurs. Marge had voor de nieuwelingen een samenvatting van de zaak gemaakt en toen ze die voorlas zaten de rechercheurs ijverig te pennen, behalve Lee Wang en Wanda Bontemps, die daar hun laptop voor gebruikten.

Wynona Pratt leek alles wat ze zei woord voor woord te noteren. Ze was een lange, magere vrouw van begin veertig met tien jaar ervaring op de recherche. Ze had een lang gezicht en haar stroblonde haar was nog korter dan dat van Decker. Ze had op het bureau Pacific Divison op Moordzaken gewerkt en de feedback over haar was positief. Twee jaar geleden was ze overgeplaatst naar West Valley, waar ze terecht was gekomen bij CAPS, Crimes Against Persons, tot er een plaats zou vrijkomen op Moordzaken. Ze deed haar werk goed en efficiënt.

Willy Brubeck was begin zestig en zei al tien jaar dat hij met pensioen wilde, maar elke keer dat de dag aanbrak dat hij zijn penning kon inleveren, besloot hij er nog een jaartje aan te plakken. Decker was blij met hem. Brubeck zat al vijfendertig jaar bij de politie en had daarvan twintig jaar op Moordzaken in South Central gewerkt. Toen de laatste van hun vijf kinderen het huis uit was, hadden Willy en zijn vrouw Daisy besloten kleiner te gaan wonen in een minder drukke wijk in de San Fernando Valley.

Brubeck had een rond gezicht, scherpe ogen en een mokkakleurige huid waar tegen het eind van de dag een witte stoppelbaard op verscheen. Hij lachte graag en eten was een van zijn favoriete hobby's. Hij was één meter vijfenzeventig lang, woog honderdtwintig kilo en had een te hoge bloeddruk. Hij had echter een filosofische kijk op het leven: je leefde voor je plezier, niet om jezelf uit te hongeren.

Andrew Messing was vijf jaar geleden bij het LAPD gekomen vanuit Mississippi, waar hij vijf jaar op Moordzaken had gewerkt. Drew had een jongensachtig gezicht en een ondeugende lach. Hij was twee keer gescheiden en Decker wilde hem in zijn team, omdat hij geen persoonlijke verplichtingen had. En omdat Oliver goed met hem overweg kon. De laatste tijd waren ze regelmatig samen gaan stappen, waarbij Scott zijn collega als lokaas gebruikte. Dat Messing gezegend was met dikke krullen, een vlotte glimlach en een vertederend zuidelijk accent was uiteraard erg gunstig.

Lee Wang bezat het geduld dat nodig was om details te zeven en cijferkolommen te bekijken. Hij was een derdegeneratie-Amerikaan en een derdegeneratie-politieman. Hij sprak geen woord Chinees, maar wel vloeiend Spaans, wat goed uitkwam nu het aantal latino's in de West Valley zo toenam.

Decker kende Wanda Bontemps nog van haar prille begin bij de politie. Hij vermoedde dat ze liever speurwerk deed dan notulen maken, maar ze vond het fijn dat hij haar had gekozen als zijn rechterhand, want dat gaf haar een mate van autoriteit. Decker wist dat ze daar geen misbruik van zou maken. Ze was inmiddels de vijftig gepasseerd, een forse zwarte vrouw met kort blond haar en een indringende blik. Net als Wang was ze goed met computers en een van haar vele verdiensten was dat ze vastgelopen computersystemen weer aan de praat wist te krijgen.

Na de samenvatting van Marge had het team veel vragen, waardoor de bespreking langer duurde dan de geplande twee uur. Decker laste een koffiepauze van tien minuten in en toen de groep weer bijeenkwam, stond hij voor het whiteboard waarop hij een lijst met opdrachten had genoteerd.

Hij zette zijn koffiekop neer en zei: 'Punt een. We moeten alle bewakers ondervragen die in het heden en het verleden voor Guy Kaffey hebben gewerkt. Zoek uit waar ze waren in de nacht van de moorden en trek hun achtergrond nogmaals na.' Decker deelde kopieën uit. 'Op deze lijst ontbreken de namen van de twee bewakers die worden vermist. Die behandelen we apart. Als jullie tijdens het onderzoek nog meer namen horen, geef je die door aan mij en het team. Duidelijk?'

Iedereen knikte.

'Scott Oliver is al nagegaan wie er een strafblad heeft. Zoals jullie zien, staan er een paar veroordeelde misdadigers op de lijst. Neptune Brady en Grant Kaffey hebben ons verteld dat Guy Kaffey gewend was gerehabiliteerde misdadigers in dienst te nemen.'

Dat lokte verbaasde opmerkingen uit.

'Daarom moeten we ze allemaal goed aan de tand voelen en moeten hun alibi's waterdicht zijn. Sommigen van deze figuren kunnen best huurmoordenaars zijn. Ik heb hier twee mensen voor nodig.'

Brubeck stak als eerste zijn hand op, gevolgd door Messing.

'Oké, Drew en Willy, jullie staan genoteerd.'

Decker deelde opnieuw kopieën uit, ditmaal een paar velletjes, bij elkaar gehouden met paperclips.

'Hierin staat informatie over alles wat de mensen van de technische recherche op de plaats van het misdrijf hebben verzameld. De patholoog-anatoom is bijna klaar met de autopsies op de slachtoffers. In dit pakketje zit een lijst van aangetroffen sporen, waaronder gedeeltelijke en onduidelijke vingerafdrukken, haren, speeksel, vloeistoffen en huidcellen. Drew en Willy, als jullie mensen gaan ondervragen, neem dan een vingerafdrukkenkit mee voor degenen die bereid zijn hun vingerafdrukken te laten nemen. Neem ook een DNA-kit mee. DNA is duurder om te onderzoeken maar makkelijker te verkrijgen.'

Messing stak zijn hand op. 'Ik heb een vraag.'

'Ja?'

'Ik heb begrepen dat de slachtoffers zijn doodgeschoten,' zei Messing. 'Waar heeft de technische recherche speeksel en vloeistoffen gevonden?'

'Het gaat om een paar sigarettenpeuken en een tandenstoker. We proberen daar DNA vanaf te halen.'

'Gebruikte koffiebekertjes zijn handig om DNA af te halen als iemand het wattenstokje weigert,' zei Messing. 'Krijgen we een koffiebudget?'

'Zolang jullie niets bestellen met schuim of chocola.' Decker keek naar Wanda. 'Dat hoef je niet op te schrijven.'

Wanda glimlachte. 'Dat snap ik.'

'Volgende punt...' Decker bladerde in de paperassen. 'Zo te zien hebben we te maken met twee soorten vuurwapens: een Smith and Wesson Night Guard .38, waarschijnlijk model 315, en een Beretta 9mm. Ik wil weten welke vuurwapens de bewakers hebben. Vragen?'

'Nee,' zei Brubeck.

'Ik ook niet,' zei Messing.

Decker zei: 'Dit is wat we tot nu toe hebben. Dunn en Oliver zijn bezig verder bewijsmateriaal te verzamelen uit de andere gebouwen op het terrein, dus kan deze lijst nog groeien. En dat brengt ons bij punt twee.'

Hij tikte op het whiteboard.

'Het terrein is nog niet uitgekamd. Het beslaat ongeveer dertig hectare. We hebben iemand nodig die een grondige zoekactie kan organiseren. Het terrein moet meter voor meter worden afgezocht en dat moet binnen vierentwintig tot achtenveertig uur gebeuren. Wie wil zich daarvoor beschikbaar stellen?'

'Ik,' zei Wynona.

'Prima,' zei Decker. 'Op de dag van de zoekactie krijg je acht agenten tot je beschikking. Laten we het overmorgen doen, vanaf zes uur 's ochtends. Je zult van elke foton daglicht moeten profiteren. Ik kom zelf ook, maar ik kan maar tot vijf uur blijven, omdat het een vrijdag is. Je zult het vermoedelijk ook niet in één dag af krijgen. Heb je er bezwaar tegen om het weekend door te werken?'

'Ik niet, maar ik weet niet hoe het zit met de agenten die me worden toebedeeld.'

Decker zei: 'Overleg met inspecteur Hammer en zeg dat je acht mensen nodig hebt die in het weekend moeten doorwerken.'

'Zodra we hier klaar zijn, bel ik hem.'

'Zoek het terrein eerst systematisch af. Daarna wil ik een schematische tekening van het hele landgoed waarop alle hekken, poorten en omheiningen duidelijk staan aangegeven. De ranch is omheind, maar zo'n groot terrein heeft altijd zwakke plekken.'

Wynona schreef zo snel als ze kon. 'Komt voor elkaar.'

'Laten we zondagochtend om zes uur bij de hoofdingang afspreken, dan kun je me laten zien hoe ver jullie zijn gekomen. De resultaten van jullie werk kan ik maandag tijdens de volgende bespreking aan het team bekendmaken.'

Hij wendde zich tot Marge en Oliver.

'Ik heb begrepen dat jullie toestemming hebben gekregen het huis van de Kaffeys en de woningen van het personeel te doorzoeken.'

Marge zei: 'We hebben toestemming van Grant en Gil om het huis te doorzoeken...'

'Hebben jullie met Gil zelf gesproken?'

'Met zijn advocaat,' antwoordde Oliver. 'Die gaat ervan uit dat de zonen de ranch zullen erven, al weet nog niemand iets specifieks.'

'Interessant. Zijn jullie iets over de erfenis te weten gekomen?'

'Nee, we zijn er nog mee bezig,' zei Marge.

'Wanneer krijgen jullie Gil zelf te spreken, denk je?'

'De dokter zei dat iemand morgen een paar minuten met hem mag praten.'

'Om hoe laat?'

'Als hij wakker is,' zei Marge.

Oliver zei: 'We hebben het woonhuis al doorzocht en nu is de woning van Neptune Brady aan de beurt. Paco Albanez, de tuinman, en Riley Karns, de stalknecht, hebben ons ook toestemming gegeven hun woningen te doorzoeken. Er zijn nog meer gebouwen die we moeten uitkammen, maar dat krijgen we vermoedelijk dit weekend wel af en dan kunnen we maandag verslag uitbrengen aan het team.'

'Hoeveel huizen zijn er op de ranch?' vroeg Pratt.

Marge keek naar Oliver. 'Acht?'

'Negen.'

'Nog meer vragen?' Toen niemand reageerde, zei Decker: 'Het volgende punt op de lijst is voor jou, Lee. Ik had graag dat je zo veel mogelijk informatie over de familie boven water haalt, zowel privé als zakelijk, ook over de echtgenotes, kinderen en zakenpartners. Verder wil ik informatie over Kaffey Industries en het Greenridge Project in de staat New York. En tot slot moet je zo veel mogelijk te weten zien te komen over Cyclone Inc. en de president-directeur van die maatschappij, Paul Pritchard.'

Decker schreef de namen op het whiteboard en gaf uitleg over het mammoetproject waar Mace en Grant Kaffey mee bezig waren.

'Je moet alles bekijken, ook wat onbeduidend lijkt: krantenartikelen, analyses, negatieve en positieve reportages, ingezonden brieven, publicaties van de firma zelf...'

'Alles wat een beeld voor ons kan schetsen van de familie en haar zaken,' zei Wang.

'Precies,' zei Decker.

'Ik heb ze al gegoogeld en kreeg meer dan twee miljoen treffers. Ik zou dus wel wat hulp kunnen gebruiken.'

'Wie biedt zich aan?' vroeg Decker.

Wanda stak haar vinger op. 'Ik ben geen expert, maar ik kan wel naar artikelen zoeken.'

'Ik ook,' zei Messing.

'Uitstekend.' Decker ging door: 'Ik wil ook informatie over een voormalige employé die mogelijk een wrok koesterde, te weten Milfred Connors.' Decker schreef de naam op het bord. 'Connors werkte als accountant voor Kaffey Industries en is door niemand minder dat Neptune Brady betrapt op verduistering. Meer informatie heb ik niet. Ik zal met Brady gaan praten; wie wil Connors?'

'Die neem ik wel,' zei Brubeck.

'Goed,' zei Decker. 'Marge en ik hebben al een eerste onderhoud gehad met Grant en Mace Kaffey. We zullen dat een follow-up geven, want voorlopig schrappen we niemand van de verdachtenlijst.'

Oliver zei: 'Heel goed. Rijke mensen willen altijd alleen met hoge omes praten.'

'In dat geval zullen ze waarschijnlijk proberen de commissaris te spreken te krijgen,' zei Decker. 'Maar dat maakt niet uit. Ik kan ze wel aan. Ik kan heel diplomatiek zijn als het nodig is.'

Iedereen barstte in lachen uit.

'Hé, zeg,' riep Decker. 'Zo grappig is dat nou ook weer niet.'

Wanda vroeg: 'Dit hoeft zeker ook niet in de notulen?'

'Nee.' Decker glimlachte. 'Ik zal ook contact opnemen met Gils voormalige partner, een man genaamd Antoine Resseur. Lee, ik zou het fijn vinden als je een en ander over hem kon opduikelen voordat ik met hem ga praten.'

'Komt voor elkaar. Zou je de naam even op het bord willen schrijven?'

Dat deed Decker. 'Nog één interessant weetje over de familie. Het is mogelijk dat Guy Kaffey manisch-depressief was, wat tegenwoordig bipolaire stoornis heet. Ik weet niet of het relevant is, maar het is niet ondenkbaar dat hij in een manische bui mensen heeft bedreigd. Hou dat in je achterhoofd, Lee, als je naar die artikelen gaat zoeken. Ik zal zijn huisarts ernaar vragen. Is alles aan iedereen duidelijk? Zijn er nog vragen?'

Toen niemand zijn vinger opstak zei Decker tegen Marge en Oliver: 'Zodra jullie klaar zijn met het doorzoeken van de huizen, had ik graag dat jullie Brady, Kotsky, Riley Karns, Paco Albanez en het overlevende dienstmeisje, Ana Mendez, nogmaals gingen ondervragen. Voel hen goed aan de tand. Als jullie denken dat ze een loopje nemen met de waarheid, laat me dat dan weten. Is er al iets bekend over de vermiste bewakers?'

Marge zei: 'We onderhouden nauw contact met de vrouw van Denny Orlando en zijn nog niets te weten gekomen over Rondo Martin. We hebben de sheriff van Ponceville al een paar keer gebeld. Misschien moeten we er uiteindelijk zelf naartoe...'

Brubeck kwam tussenbeide: 'Zei je Ponceville?'

'Ja,' antwoordde Marge. 'Hoezo? Wat is er, Willy?'

'Daar wonen de ouders van mijn vrouw. Ze hebben een boerderij ongeveer vijftien kilometer bij Ponceville vandaan.' Willy glimlachte. 'Kijk niet zo verbaasd. Afro-Amerikanen werken al eeuwen op het land. Het enige verschil is dat we er nu voor betaald krijgen.'

Wanda zei: 'Dit hoeft niet in de notulen. Ik weet het.'

'Wat kun je ons over Ponceville vertellen, Willy?'

'Het is een van de weinige agrarische streken in Californië die nog niet zijn opgekocht door de landbouwindustrie. Hardwerkende mensen... hoofdzakelijk blanken, maar ook wat zwarten en veel Mexicaanse immigranten. De Mexicanen hebben een soort stad gebouwd aan de rand van de landerijen. De naam Rondo Martin zegt me niks, maar als hij in Ponceville heeft gewerkt, kan ik met een paar telefoontjes van alles over hem te weten komen.'

'Uitstekend.'

'Al ga ik er natuurlijk nog liever zelf even naartoe.'

'Dat kunnen we waarschijnlijk wel vergoed krijgen, maar laten we het eerst telefonisch proberen.'

Decker wees naar het volgende punt op het bord.

'Iemand moet een onderzoek instellen naar het vermoorde dienstmeisje, Alicia Montoya. Het lijkt logisch dat de moordenaars het op de Kaffeys hadden voorzien en dat het dienstmeisje de pech had op de verkeerde plek te zijn, maar daar mogen we niet klakkeloos van uitgaan. Toen Dunn en ik Gil spraken, gaf hij aan dat de moordenaars mogelijk Spaans spraken. Misschien dacht een jaloers vriendje van het dienstmeisje dat ze hem ontrouw was en hebben de Kaffeys gewoon pech gehad.'

Het team haalde de schouders op. Niemand geloofde in die theorie.

'Ik heb wel vaker voor verrassingen gestaan,' zei Decker. 'Lee, jij spreekt Spaans. Ga jij maar met Alicia's ouders praten.'

'Dan wil ik graag een partner die kan controleren of mijn Spaans goed genoeg is.'

Pratt stak zijn hand op. 'Je moet me geen Cervantes laten lezen, maar ik spreek een aardig mondje Spaans.'

Decker zei: 'Goed, jullie gaan samen naar de familie van Alicia Montoya. En dan het laatste punt van mijn lijst: de kliklijn. Tot nu toe zijn er zo'n twintig telefoontjes binnengekomen, maar dat aantal zal nog wel stijgen, vooral als de familie een beloning in het vooruitzicht stelt.'

Oliver kreunde. 'Dan worden dat er duizenden.'

'Hebben ze het over een beloning gehad?' vroeg Marge.

‘Dat weet ik niet, maar ik denk dat ze dat wel zullen doen, al was het maar omdat dat een goede indruk maakt. En dan zullen we alle tips moeten natrekken, ongeacht hoeveel het er zijn.’

Oliver zei: ‘En de binnenlopers? Die heb je ook altijd.’

‘De binnenlopers neem ik wel voor mijn rekening,’ antwoordde Decker. ‘Ik wil jullie er graag aan herinneren dat we in dienst staan van het publiek. We moeten iedereen beleefd behandelen. Als iemand je iets vertelt, luister dan niet met een half oor, maar let goed op, want je weet maar nooit wie of wat een doorbraak in een zaak teweegbrengt. Vragen?’

Niemand zei iets.

‘Dan sluit ik deze bespreking hierbij af. Jullie hebben lijsten, notitieboekjes en pennen. Belangrijker is dat jullie ogen, oren en benen hebben. Laten we samen deze moorden oplossen.’

10

Decker keek vreemd op toen hij voor de kamer van Gil Kaffey op de intensivecareafdeling twee mannen op wacht zag staan, omdat hij er maar één had gestuurd. Toen hij dichterbij kwam, zag hij dat de tweede een privébewaker was. De mannen staakten hun gesprek en gingen rechtop staan met hun benen licht gespreid en hun handen op hun rug. Ze bekeken hem argwanend. Decker toonde zijn penning aan de agent van het LAPD, een man van in de vijftig met grijzend haar en een beginnend buikje genaamd Ray Aldofar. Op de badge van de privébewaker stond dat hij Pepper heette. Hij was jong, fit, klein van stuk en had een strijdlustige blik in zijn ogen.

'Heren,' zei Decker.

'Goedemorgen, inspecteur,' antwoordde Aldofar. Hij stelde hem voor aan Pepper, die hij Jack noemde.

Decker vroeg, op zijn beurt wantrouwig: 'Wie heeft u ingehuurd om deze kamer te bewaken, meneer Pepper?'

'De heren Kaffey stonden erop dat iemand van hun privébewaking hier de wacht zou houden.' Hij klonk overgedienstig.

'Welke heren Kaffey?'

'Grant, Mace en Gil.'

Decker keek door de ruit van de afdeling. Gil sliep en was nog steeds via slangetjes verbonden aan allerlei apparaten. 'Is Gil Kaffey helder genoeg om zijn eigen bewaking te regelen?'

Aldofar nam het woord. 'Ik was hier toen ze met Jack kwamen, inspecteur.'

'Wie zijn *ze*?'

'Grant Kaffey en een grote kerel, Neptune Brady genaamd, het hoofd van de bewakingsdienst van de Kaffeys.'

'Ik weet wie Neptune Brady is.'

Aldofar deed er het zwijgen toe. Pepper zei: 'Meneer Brady en meneer Kaffey hebben mij ingehuurd. Het is afgestemd met de bewakingsdienst van het ziekenhuis.'

'Maar niet met mij.' Toen Pepper een verontwaardigd gezicht trok, zei Decker: 'U bent ongetwijfeld goed in uw werk, maar ik leid het onderzoek naar de moorden. Ik moet weten wie toegang heeft tot Gil Kaffey en als u niet met mij in contact staat, bestaat de kans dat u feiten over het hoofd ziet die voor mij belangrijk zijn.'

Pepper bleef in de verdediging. 'De Kaffeys hebben er recht op mij in te huren.'

'Behalve als dat ons onderzoek hindert.' Met andere woorden: ik weet nog helemaal niet of Mace en Grant Kaffey niets met de moorden te maken hebben. Decker zei tegen Aldofar: 'Waar is de bezoekerslijst?'

De agent haalde zijn notitieboekje uit zijn zak en bladerde erin. 'Alstublieft... iedereen die in de kamer is geweest, zoals u had verzocht.'

Decker bekeek de lijst. De meeste bezoekers waren verplegend personeel: dokter Rain, andere artsen, verpleegkundigen. Van de familie stonden Grant en Mace op de lijst, en die waren vier keer samen op bezoek gekomen. Grant was ook nog vier keer in zijn eentje gekomen. Tweemaal had Grant Neptune Brady bij zich gehad, en Brady was ook nog twee keer alleen gekomen. Antoine Resseur, Gils voormalige partner, was twee keer geweest. Aangezien er alleen mensen toegelaten werden die van tevoren toestemming hadden gekregen, had Gil geen ander bezoek gehad. Er waren meer dan tien pogingen gedaan om boeketten af te geven op de intensivecareafdeling, maar alles was doorgestuurd naar het huis in Newport.

Decker gaf het notitieboekje terug aan Aldofar. 'Hou je ogen goed open en zet mij op die lijst. Ik ga naar binnen.'

Hij keek naar Pepper.

'Ik weet dat u uw werk moet doen, maar dat geldt voor mij ook. Laten we proberen niet op elkaars tenen te trappen. Ik zou daarbij bovendien in het voordeel zijn, want ik heb erg grote voeten.'

Gils gezicht vertrok van de pijn en hij kreunde toen hij langzaam zijn ogen opende. Een jonge, blonde verpleegkundige, Didi volgens haar badge, liep onmiddellijk naar zijn bed om iets in zijn infuusslang te injecteren. 'Demerol,' zei ze tegen Decker.

‘Valt hij daarvan weer in slaap?’

‘Misschien.’

Decker wachtte. Gil deed zijn ogen een paar keer open en dicht. Na ongeveer tien minuten slaagde hij erin ze open te houden. ‘Wie bent u?’ vroeg hij.

‘Inspecteur Peter Decker van het LAPD, meneer Kaffey. Ik stel een onderzoek in naar de gebeurtenissen op de ranch. Hoe voel je je, Gil?’

‘Belazerd.’

‘Dat spijt me.’

Toen Decker een stoel naar het bed trok, vroeg Didi: ‘Hebt u hiervoor toestemming van dokter Rain?’

Gil zei: ‘Hij mag... blijven.’

‘Een paar minuten dan,’ zei Didi tegen Decker. ‘Dat hij in staat is te praten, wil niet zeggen dat hij zou móéten praten.’

‘Ik zal hem niet vermoeien,’ zei Decker.

‘Bent u... de baas?’

‘Ik sta aan het hoofd van het rechercheteam. Er werken veel mensen aan de zaak en als je ons iets kunt vertellen, zou dat fijn zijn.’

‘Ik voel me... zo belazerd.’ Hij knikte vaag. ‘Belazerd.’

‘Ja, kogelwonden zijn niet fijn.’

Zijn ogen gingen verder open. ‘Bent u wel eens...’

‘Neergeschoten? Ja. Dat doet verrekte veel pijn.’

‘Het brandt.’

‘Klopt.’

Gil knikte weer. ‘Ze zeiden *sí, sí*... Ik heb het gehoord.’

Decker pakte zijn notitieboekje. ‘De mannen die op je hebben geschoten spraken dus Spaans?’

‘Ja... *sí, sí* zeiden ze.’

‘Heb je nog meer woorden herkend?’

‘Het gebeurde... zo snel.’

‘Je zult enorm geschrokken zijn. Met hoeveel waren ze?’

Stilte.

Decker zei: ‘Soms helpt het als je je ogen sluit en doet alsof je het ziet als een film, of foto’s.’

Hij sloot zijn ogen. ‘Ik zie er een... twee...’ Hij telde ze in zijn wazige hoofd. ‘Drie...’ Zijn bleke gezicht kreeg een grauwe teint. ‘Een flits... toen een knal... Beng, beng, beng!’

Piep, piep, piep deed de monitor. Gils hart begon sneller te kloppen.
'Harde knallen! Deed pijn in mijn hoofd.'
Didi zei: 'Hij windt zich te veel op. U moet gaan.'
Gil praatte door en zijn ogen bewogen onder zijn gesloten oogleden. 'Het gebeurde...' Hij probeerde met zijn vingers te knippen en zijn ogen gingen opeens wijd open. 'Mijn hart... bonkte. Ik holde weg... ik voelde brandende pijn... ik viel.'
Didi wilde hem nog meer Demerol inspuiten, maar hij zei: 'Laat dat!'
Didi en Decker keken geschrokken naar hem. 'Zorg dat u... die schoften... krijgt.'
'Dat is onze bedoeling, Gil,' zei Decker. 'Heb je hun gezichten gezien? Kun je de mannen beschrijven?'
Gils ogen gingen weer half dicht. 'Een... twee... drie mannen.'
'Je herinnert je drie aanvallers.'
'Drie mannen...'
'Hoe zagen ze eruit?' vroeg Decker.
Gil kreeg tranen in zijn ogen. 'Vuile... schoften... die ene... met het pistool... had tatoeages... op zijn arm.'
'Wat voor tatoeages?'
'Bexel...' Hij knipperde met zijn ogen. Tranen biggelden over zijn wangen.
'Wat?'
'Letters... B... X... L... L.'
Decker dacht na. 'Kan dat ook B-X-I-I zijn geweest met een hoofdletter I?'
'Kan.'
De Bodega 12th Street-bende bestond uit bijzonder ongure kerels, hoofdzakelijk uit El Salvador en Mexico. De bende was jaren geleden opgericht in de Ramparts, maar had als een kankergezwel uitzaaiingen gekregen in alle staten van de Verenigde Staten. Bodega 12th telde inmiddels zo'n vijftigduizend leden, die min of meer georganiseerd werkten. Er was wel een soort leiderschap, maar de meesten van die ploerten waren drugssmokkelaars en bikkelharde criminelen. Het was een van de gewelddadigste benden in het land.
Gil had ontzettend geboft.
'Op zijn arm stond dus B-X-I-I getatoeëerd,' zei Decker. 'Weet je nog welke arm het was?'

Gil ademde oppervlakkig. 'Zijn rechter. Hij was rechts.'
'Zijn rechterarm was dus onbedekt?'
Gil gaf geen antwoord.
'Droeg hij korte mouwen?'
'Zwart T-shirt.'
'Goed,' zei Decker. 'Had hij nog meer tatoeages?'
'Zwarte kat... met Spaanse woorden. *Negro* of zoiets.'
'*Negro* is Spaans voor zwart. Kun je die arm weer zien als je je ogen sluit... en me vertellen wat het andere woord is?'
Gil sloot zijn ogen. 'G... A...' Hij schudde zijn hoofd.
'Kan het G-A-T-O zijn? Dat betekent kat. *Gato negro* zou zwarte kat zijn.'
Geen antwoord. Gils ogen bewogen onder de oogleden.
'Zie je het gezicht van de man?'
'Ik zie... tatoeages...' Hij bracht zijn hand naar zijn nek. 'Een slang... B... 1 of zo.'
'B12?'
Gil deed zijn ogen open. 'Zegt dat... u iets?'
'Ik ken de tatoeages van veel misdadigersbenden. Onder andere B12 en BXII.'
'Een bende? Waarom?'
Het meest voor de hand liggende antwoord was dat iemand moordenaars had gehuurd bij de Bodega 12th Street-bende. Daar mocht hij echter niet klakkeloos van uitgaan. 'Dat zullen we onderzoeken. Hadden je ouders veel waardevolle spullen in dat huis?'
'Er waren... bewakers.'
'Er worden er twee vermist.'
'Wie?'
'Rondo Martin en Denny Orlando. Misschien nog meer.'
'Niet Denny.' Een lange pauze. 'Pa mocht Rondo graag.'
'Kende je die mannen?'
'Denny is een goeie jongen... Rondo is kil.' Gil hief zijn hand met slangetjes en al naar zijn gezicht. 'Kille ogen.'
'Dat is goed om te weten.' Decker probeerde hem aan de praat te houden. 'Met die tatoeages ben ik erg geholpen. Je hebt dus de arm van de man gezien... kun je je misschien ook zijn gezicht herinneren?'
Gil sloot zijn ogen en zweeg zo lang dat Decker dacht dat hij in slaap

was gevallen. Toen zei hij heel zachtjes. 'Donkere ogen... een doek op zijn hoofd.' Hij haalde diep adem en bracht zijn hand naar zijn kin. 'Een sikje...' Weer een stilte. Tranen rolden over zijn wangen. 'Toen de flits. Mijn vader...' Meer tranen. 'Ik probeerde te vluchten... Ik ben nu erg moe.'

Decker legde even zijn hand op zijn arm. 'Ik kom wel terug als je je iets beter voelt.'

Hij sloot zijn ogen. Decker wachtte tot Gil sliep. God mocht weten waar hij van zou dromen.

De deur van de lift ging open en dokter Rain stapte eruit. 'Inspecteur Decker.'

'Dokter Rain.' Decker liet de lift gaan. 'Ik heb zojuist met Gil Kaffey gesproken. Hij was een stuk helderder dan de vorige keer.'

'Ik hoop dat u hem niet hebt vermoeid. Gil heeft zijn energie nodig om beter te worden.' Hij keek op zijn horloge. 'Probeer het gesprek de volgende keer korter te houden.'

'Heeft Didi u gebeld?'

'Ja, en terecht.'

'Ik zal erop letten,' zei Decker. 'Weet u wie de huisarts van Guy Kaffey is?'

'Voor medische informatie moet u bij de familie zijn. Die mag ik u niet verstrekken.'

'Ik heb gehoord dat hij medicijnen gebruikte voor bipolaire stoornis.'

'Dat zou ik niet weten. Guy Kaffey is nooit mijn patiënt geweest, dus kan ik daar niets over zeggen.' Ze hoorden dat zijn naam werd omgeroepen. 'Ik moet gaan, maar inspecteur, wat kunnen dergelijke dingen nu te maken hebben met het oplossen van een moordzaak?'

'Het is goed om zo veel mogelijk over het slachtoffer te weten te komen.' Decker drukte op de knop van de lift. 'Ze zeggen dat doden niet praten, maar als je goed luistert, kun je ze toch horen.'

De map bevatte samenvattingen over elk van de leden van de Kaffeyclan. Wang zei: 'Dit leek me voor onszelf wel handig en hopelijk houdt het de hoge omes zoet tot we alle informatie op internet hebben bekeken. Als ik alle artikelen zou printen, zouden we een volledig Zuid-Amerikaans land ontbossen.'

'Laten we dat maar niet doen. We moeten groen én politiek correct blijven.' Decker las de kop boven de eerste samenvatting: Guy Allen Kaffey. Wang had beknopte biografieën over Guy, Gil, Grant, Gilliam en Mace samengesteld.

'Alle hoofdrolspelers van Kaffey Industries.' Wang gaf hem een andere map. 'Mace heeft een zoon, Sean genaamd, die rechten heeft gestudeerd. Ik weet niet waarom hij niet in het familiebedrijf zit – misschien is hij een onafhankelijk type – maar juist omdat hij een buitenbeentje is, trok hij mijn aandacht.'

'We zullen het buitenbeentje nader bekijken.' Decker knikte. 'Bedankt. Dit is een goed begin. Stuur twee kopieën naar Strapp. Wat ga je nu doen?'

'Terug naar mijn Mac.' Hij rekte zich uit. 'Hoe ergonomisch je computer ook is, je krijgt evengoed pijn in je rug vanwege de verkeerde zithouding, pijn in je polsen van het typen en brandende ogen van het staren naar het computerscherm. De mens is niet geschapen om de hele dag aan een bureau te zitten.'

'Ik weet er alles van. Sinds mijn promotie zes jaar geleden heb ik hoofdzakelijk aan een bureau gezeten. Niet dat ik klaag.'

'Ik ook niet. Het is lang geleden dat ik me in een vuurlinie bevond. Soms denk ik dat ik het mis, maar volgens mij mis ik het helemaal niet.'

Decker zei: 'Als ik weer eens echt politiewerk doe, voelt dat heel goed. Maar als er dan op me wordt geschoten, en als ze nog raak schieten ook, ben ik daar weer een poosje van genezen.'

'Ja, de laatste keer was kantje boord. Waar zit die vent nu?'

'Veilig en wel achter de tralies.'

'Hij heeft de man neergeschoten die achter je stond, hè?'

'Ja. Die had hij ook op het oog. Hij was niet goed bij zijn hoofd, maar gelukkig voor mij kon hij goed richten.'

Met een kop koffie in zijn hand ging Decker aan zijn bureau zitten. Hij pakte de samenvattingen van Lee Wang, begon te lezen en met zijn onleesbare handschrift aantekeningen te maken in de kantlijn.

De geboortedatum van Guy Allen Kaffey vertelde hem dat de man zestig jaar was geworden. Hij was geboren in St. Louis, Missouri, als zoon van immigranten. Zijn ouders waren lang geleden overleden. Guy had niet goed kunnen leren en was op zijn zestiende van school gegaan zonder dat hij specifieke talenten had, behalve, zoals hij in *Business Acumen Monthly* was geciteerd: 'Dat ik een vlotte babbel had en dus diskjockey of verkoper kon worden'.

Hij koos voor onroerend goed. Zonder dat hij ook maar één cent op zijn eigen naam had staan, begon hij in huizen te handelen en binnen een jaar had hij voldoende geld bij elkaar om zijn eigen makelaardij te beginnen. Hij vertelde in hetzelfde interview: 'Mijn eerste employé was mijn zestienjarige broer, Mace. Die kon op school ook niet meekomen en toen hij er de brui aan gaf, had hij meteen een baan. Mijn ouders hebben nooit begrepen wat ze verkeerd hadden gedaan, maar je kunt beter vragen wat ze góéd hebben gedaan.'

Vijf jaar later trok Guy Kaffey van het Midwesten naar Californië, waar hij zich niet meer bezighield met de handel in huizen, maar in bedrijfsvastgoed. Op zijn tweeëntwintigste had hij zijn eerste miljoen op de bank staan. Drie jaar later was hij multimiljonair. *Forbes* nam Kaffey voor het eerst op in de lijst van miljardairs toen hij de rijpe leeftijd van dertig had bereikt.

Op zijn eenendertigste ontmoette hij zijn vrouw, Jill Sultie, aan de speeltafels in Las Vegas, toen hij aan een mooie vrouw die naast hem stond vroeg of ze op de dobbelstenen wilde blazen. Die avond won hij honderdduizend dollar en nodigde hij de mooie vrouw uit met hem te gaan dineren. Die nacht spatten de vonken eraf. Na een intense romance van vier maanden traden ze in het huwelijk.

'Het was kismet,' aldus Kaffey in een artikel in e-zine Corporations-USA.com. 'Ze was net gescheiden en onze paden kruisten elkaar precies op het juiste moment.'

Op verzoek van Guy veranderde Jill haar naam in Gilliam zodat ze voortaan G en G waren en zich konden voorstellen als 'two grand'. Ze kregen twee kinderen: Gil, die zeven maanden na de bruiloft ter wereld kwam en Grant, die twee jaar daarna werd geboren. Ze heetten een hecht gezin te zijn, al noemden Gil en Grant hun vader vaak een 'slavendrijver'.

De financiële weg naar de miljarden was niet altijd even vlak. Er waren hobbels en kuilen geweest, zelfs grote scheuren. Guy Kaffey was vijftien jaar geleden bijna failliet gegaan door een baisse in de onroerendgoedmarkt, gecombineerd met wanbeheer en een aantijging inzake fraude tegen de adjunct-directeur van het bedrijf, Mace Kaffey.

Decker zette grote ogen op, onderstreepte de zin en moest meteen aan

Milfred Connors denken, de accountant die door Neptune Brady was beticht van verduistering. Was er een verband tussen Connors en Mace Kaffey?

De broers waren jarenlang in een rechtszaak verwikkeld geweest, maar Mace noch Grant had daar iets over gezegd. Misschien hadden ze het niet belangrijk gevonden, omdat alles uiteindelijk met een sisser was afgelopen. Mace was in de zaak gebleven, maar niet meer als adjunct-directeur. Hij had de nieuwe titel van commercieel directeur van de afdeling Oostkust gekregen, de sector die uiteindelijk onder beheer kwam van Guy's jongste zoon Grant.

De rest van de samenvatting ging over het Greenridge Project. Sommige analytici waren van oordeel dat het de laatste kans voor Mace was om zich opnieuw waar te maken binnen het bedrijf.

Als dat het geval was, had Mace het niet makkelijk. Van het begin af aan had Greenridge met problemen gekampt. De locatie had tientallen onderzoeken over de invloed van het project op de omgeving noodzakelijk gemaakt en een groot deel van de plannen had gewijzigd moeten worden. Uiteindelijk waren ze met een ontwerp gekomen dat ieders goedkeuring had kunnen wegdragen, maar door de vertragingen, de onvoorziene onkosten, de economische crisis en financieringsproblemen was het oorspronkelijke budget vijfmaal zo hoog geworden. Het *Journal of News and Business* had over het Greenridge Project geschreven:

> Is het niet de hoogste tijd dat Guy Kaffey doet wat hij jaren geleden had moeten doen? Zijn nutteloze broer Mace de laan uit sturen? Broederlijke trouw is bewonderenswaardig, maar een bedrijf – zelfs een privébedrijf – kan niet op sentimenten draaien.

En als Mace aan het Greenridge Project ten onder ging, gold dan niet hetzelfde voor Grant? Het was toch ook zíjn project? Waarom zou alleen Mace ervoor moeten opdraaien als er problemen waren, en mocht Grant vrijuit gaan?

De laatste alinea van de samenvatting kwam uit 'Guy Kaffey onder de loep' van PropertiesInc.com, een artikel dat meer over Guy de mens ging dan over Guy de zakenman. Guys vrienden hadden het over zijn uitbundigheid, zijn vijanden beschreven hem als een driftkop. Hij stond bekend om woede-uitbarstingen en abrupte gemoedswisselingen. Hij werd beschreven als doortastend en moedig, maar ook als iemand die op alle slakken zout legde en overdreven nauwgezet was.

Decker vroeg zich af in hoeverre die uitbarstingen te maken hadden met de bipolaire stoornis waar hij vermoedelijk aan had geleden. Had hij zijn broer in een vlaag van woede aangeklaagd of had hij er gegronde redenen voor gehad? In elk geval zag het ernaar uit dat de aantijging niet gerechtvaardigd was geweest, anders had Guy er nooit in toegestemd Mace in het bedrijf te houden.

Decker legde de samenvatting over Guy opzij en begon aan die over Mace. Er stond niet veel nieuwe informatie in. Mace had de middelbare school niet afgemaakt. Hij werkte voor zijn broer. Hij was met zijn vrouw Carol naar het zonnige Californië verhuisd om samen met zijn broer Kaffey Industries op te bouwen. Hij had een zoon genaamd Sean. Alles was dik in orde geweest tot hij van verduistering was beticht.

Ditmaal was Lee Wang in details getreden. Mace Kaffey was ervan beschuldigd vijf miljoen dollar te hebben gestolen. Decker floot zachtjes. Er stond niet bij hoe het geld was verduisterd, alleen dat Guy er lucht van had gekregen bij een normale accountantscontrole en na nader onderzoek gedwongen was geweest zijn broer ermee te confronteren. Mace had de beschuldiging in alle toonaarden ontkend en zelfs aangeboden een privédetective te huren om uit te zoeken wie de ware schuldige was, maar Guy had zijn eigen bronnen. De strijd tussen de broers had een aantal jaren geduurd en gedurende die tijd waren de aandelen van het bedrijf aanzienlijk in waarde verminderd. De beschuldigingen over en weer waren gelijk opgegaan, tot Guy het uiteindelijk had gewonnen. Een maand later was de zaak beslist. Guy behield de titel van CEO, Gil Kaffey werd adjunct-directeur, Grant werd de manager van het filiaal aan de oostkust en Mace werd naar New York gestuurd als commercieel directeur van Kaffey Industries.

Decker begreep het niet goed. Als Mace schuldig was aan die onbeschaamde verduistering, waarom had Guy hem dan in het bedrijf gehouden? Had Milfred Connors Mace laten opdraaien voor de diefstal die hij had gepleegd? Of was het juist omgekeerd en had hij moeten opdraaien voor de diefstal van Mace? Misschien hadden ze onder één hoedje gespeeld. En waar was het geld gebleven? Was het, desnoods gedeeltelijk, teruggestort?

Hij maakte aantekeningen in de kantlijn en pakte de samenvatting over de volgende generatie: Gil was tweeëndertig, Grant dertig, Sean achtentwintig. Grant was de enige die getrouwd was. Zijn vrouw heette Brynn en ze hadden één kind, een jongetje. Gil was homoseksueel. Sean was nog vrijgezel. De jongens waren alle drie afgestudeerd aan de University of Pennsylvania. Gil en Grant waren meteen opgenomen in Kaffey Industries, maar Sean was zijn eigen weg gegaan.

Slim van hem, dacht Decker.

De laatste biografie was die van Gilliam Kaffey, geboren Jill Sultie. Ze was in armoe opgegroeid in een trailerkamp, maar was van een knokige tiener uitgegroeid tot een mooie vrouw en had op haar achttiende een baantje gekregen als showgirl in Las Vegas. Een jaar later schoof haar eerste man, Renault Anderson, een ring met een grote diamant aan haar vinger en kocht ze voor haar moeder, Erlene, een huis met een fundering in plaats van wielen.

Een poosje zag het ernaar uit dat Jill de kip had gevonden die de gouden eieren legde waar ze omeletten van vierentwintig karaat van kon bakken. Haar wereld stortte echter in toen bleek dat Renault niet van andere vrouwen kon afblijven. Volgens de berichten werd de echtscheiding aimabel geregeld. Niet lang daarna ontmoette ze Guy. Het klikte meteen en de rest is geschiedenis, zoals men in de film zegt.

Decker wreef in zijn ogen, keek op de klok en zag dat hij meer dan een uur had zitten lezen. Hij stond op, rekte zich uit en keek door de glazen wand van zijn kantoor. Hij zag dat Wang aan zijn computer zat en deed de deur open.

'Lee?' Wang keek op. 'Heb je even?'

'Tuurlijk.'

Decker verzocht hem naar zijn kantoor te komen en te gaan zitten. 'Ik heb je samenvattingen gelezen. Het kon een script zijn voor een soap.'

'Zeg dat wel. Al moet ik nog zien wie er een naam als Renault Anderson zou verzinnen.'

'Ik heb een paar vragen over Mace Kaffey. Hij is aangeklaagd wegens verduistering, maar na een aantal jaren werd het rechtsgeding nogal abrupt beëindigd.'

'Ja, dat vond ik ook eigenaardig.'

'Het is niet alleen eigenaardig, er moet iets achter zitten. Ik vraag me af of de beschuldigingen te maken hadden met de aantijgingen tegen Milfred Connors.'

'Ja, daar heb ik ook aan gedacht. Misschien is de zaak daarom in de doofpot gestopt. Misschien wilde Connors Mace ervoor laten opdraaien en heeft Guy van de rechtszaak afgezien toen hij daarachter kwam.'

'Maar als Mace onschuldig was, waarom is hij dan gedegradeerd? En als Mace niet onschuldig was, waarom heeft Guy hem dan in het bedrijf gehouden?'

'Misschien hoorde dat bij de deal.'

'Maar uit mijn gesprek met Mace en Grant heb ik begrepen dat Mace de leiding heeft over het Greenridge Project, waar ettelijke miljoenen mee gemoeid zijn. Waarom zou Guy hem zo'n kostbaar project toevertrouwen als hij dacht dat Mace hem bestal?'

'Misschien had Grant het geld verduisterd en heeft Mace de schuld op zich genomen, en heeft Guy Mace naar New York gestuurd om Grant in de gaten te houden.'

Decker fronste. 'Dat lijkt me een beetje vergezocht, maar ik sluit niets uit. Het Greenridge Project lijkt een enorme geldverkwisting. Je hebt Guy beschreven als een keiharde zakenman. Volgens mij zou hij niet aarzelen een project te schrappen als het hem alleen maar geld kostte.'

'Wel als het een project van Mace was, maar misschien niet als het van Grant was. Misschien kon hij zijn zonen niets weigeren. Ik heb een interview gevonden met Sean, de zoon van Mace, over Kaffey Industries. Sean zei daarin van alles, maar één ding is me bijgebleven. Ik citeer: "Mijn oom is niet alleen dol op zijn zonen, maar is blind voor wat ze doen."'

11

Ze stonden met z'n twintigen op een rij, politieagenten en vrijwilligers die getraind waren in dit eentonige aspect van het speurwerk. Ieder van hen had een fluitje en een plattegrond van het terrein. Ze wachtten tot Wynona Pratt het teken zou geven – één lange fluittoon om te beginnen, twee korte om te stoppen. Wynona was een paar uur eerder dan de anderen naar de Coyote Ranch gegaan om de omgeving te verkennen. Het terrein rond de gebouwen en de manege bestond uit harde grond begroeid met pollen gras, stekelige planten, zilverachtige struiken, paarse salie, wilde madeliefjes, gele dille en groene chaparral, en strekte zich uit tot de uitlopers van het gebergte. Daar kroop de flora omhoog tussen de geurige pijnbomen, eucalyptussen en Californische dwergeiken die ervoor zorgden dat de heuvels altijd groen waren en schaduw gaven op de rijpaden die er kriskras doorheen liepen.

Wynona trok haar zonnehoed wat verder naar voren en keek door haar zonnebril met uv-protectie naar de plattegrond. Ze had het terrein verdeeld in vijf sectoren en met een beetje geluk zouden ze die vandaag allemaal kunnen uitkammen. Ze droeg makkelijke kleding – een cargobroek met veel zakken waarin ze van alles kwijt kon, een katoenen T-shirt en sportschoenen. Ze had haar blanke huid extra dik ingesmeerd met zonnebrandcrème en hoopte dat de invloed van de zon beperkt zou blijven tot een paar extra sproeten. Ze stak haar hand omhoog en liet hem met een snelle beweging naar beneden komen terwijl ze op haar fluit blies. De rij liep als één man naar voren, ogen op de grond gericht. Ze hadden een lange lijst van de dingen waarnaar ze moesten uitkijken: voetafdrukken, bandafdrukken, sleepsporen, kleding en stukjes textiel, knopen, bloedvlekken, etenswaren en de verpakking daarvan – elke vorm van bewijsmateriaal dat erop wees dat mensen zich op het terrein hadden opgehouden.

De ochtend was nog koel, maar het zou snel warm worden. De zon stond ongehinderd in de blauwe lucht en vond zijn weerschijn op de rode rotsen. In de lucht zoemden de insecten die in de warmte goed gedijden – muggen, vliegen, bijen en horzels. Kraaien krasten loom terwijl een havik hoog boven hen cirkelde, op zoek naar zijn ontbijt.

Voor de eerste sector hadden ze iets meer dan twee uur nodig en de opbrengst stelde niet veel voor – wat draadjes en metalen voorwerpen zoals de lipjes van blikjes en doppen van flesjes. Voor de rest hadden ze voornamelijk hoefafdrukken en opgedroogde paardenpoep gezien. Een van de vrijwilligers had een schoenafdruk gevonden waar een gipsafdruk van gemaakt kon worden, maar verder had hun speuren niet veel opgeleverd. Ze begonnen aan sector twee en tegen de tijd dat ze daarmee klaar waren, was iedereen moe en hadden ze het warm, dus kregen ze twintig minuten pauze om uit te rusten en iets te eten en te drinken. Wynona belde Marge.

'Hoe staan de zaken in het huis?'

'TVI,' antwoordde Marge. Te veel informatie. 'Waar we ook kijken, overal zien we bloed, voetafdrukken, haren en kogelhulzen.'

'Wij lijden juist aan TWI.' Te weinig informatie.

'Hoe ver zijn jullie?'

'We beginnen zo dadelijk aan sector drie. Ik bel je daarna wel weer.'

Om twee uur hervatte de ploeg het zoeken. Om veertien over twee blies iemand twee maal kort op zijn fluit en kwam de rij tot stilstand. De man die op zijn fluit had geblazen was een jonge agent, Kyle Groger. Hij wachtte tot Wynona bij hem was.

'Kijkt u even naar dat stuk terrein ongeveer zeven meter verderop.' Hij wees de plek aan. 'Het ziet er wat vreemd uit.'

Wynona nam haar zonnebril af en liet haar blik over de grond gaan tot ze zag wat Groger bedoelde. Op afstand zag het terrein er precies zo uit als de rest. De grond had dezelfde kleur, er groeiden dezelfde planten en het was net als de rest bezaaid met stenen. Maar toch was het anders.

Het ging om een lapje grond van ongeveer drie bij drie meter. Om te beginnen lag het ongeveer drie centimeter lager dan de omliggende grond. Bovendien lagen er twee grote rotsblokken op. Het hele terrein was weliswaar bezaaid met rotsblokken, maar nergens lagen er twee zo dicht bij elkaar. Verder gedijden de planten op het bewuste lapje grond niet erg goed. De salie hing er slap bij, het gras was geel en de weinige madeliefjes lieten hun kopjes hangen. Je zou kunnen denken dat de planten verlept waren vanwege de hitte, ware het niet dat de flora eromheen er fris bij stond.

Ze liep ernaartoe en trok een salieplant uit de grond. Hij liet vrij makkelijk los en de wortels waren zacht en verdroogd. Ze ging op haar hurken zitten en wroette met haar wijsvinger in de grond. De aarde was compact. Van dichtbij zag ze allemaal kleine streepjes op de grond, die in willekeurige richtingen liepen. Ze bekeek ze aandachtig. Het leek wel alsof iemand de grond met een spade had platgeslagen.

Zou het een graf zijn?

Ze kwam overeind en zocht naar afdrukken van schoenen of autobanden, maar zag niets. Ze belde Marge en vroeg weer hoe het binnen ging.

'We zijn nog steeds bezig ons door de rijstebrijberg heen te werken. Hoe gaat het bij jullie?'

'We hebben iets gevonden waar je even naar moet komen kijken.'

Terwijl ze wachtten op extra scheppen en emmers, stelde Marge een van de agenten van de technische recherche aan als politiefotograaf.

'Maak foto's van al die lijntjes,' zei ze.

Het was een lange, vruchtbare dag geweest. Te vruchtbaar bijna. De zoekactie in het woonhuis had veel opgeleverd: diverse schoenafdrukken, een paar bloederige vinger- en handafdrukken, kogelhulzen, textielvezels en haren, dat alles nog afgezien van de opgedroogde plassen bloed, bloedspatten en de grote hoeveelheden huid, vlees en ander menselijk weefsel. Wat er aan wie toebehoorde zouden ze later uitzoeken. Marge had ernaar gesnakt om het knekelhuis even te kunnen verlaten en het telefoontje van Pratt was een mooi excuus om een luchtje te gaan scheppen.

Oliver, daarentegen, was waarschijnlijk liever binnen gebleven vanwege de airconditioning. Hij zei: 'Het is al echt zomer.'

'Je mag wel weer naar binnen gaan. Ik regel dit wel.'

'Nee, ik blijf er wel even bij.' Hij streek met de rug van zijn hand langs zijn voorhoofd. 'We kunnen de hele nacht nog binnen werken, want daar hebben we licht.'

Ze keken naar de verzonken grond. Marge zei: 'Deze grond is uitgegraven geweest. Dat is duidelijk.'

‘Een nogal groot graf voor één persoon,’ zei Oliver.

‘Misschien is het voor meer dan één persoon,’ zei Marge. ‘Ik denk dat het van tevoren is gegraven. Het zou te veel tijd hebben gekost om het spontaan te graven.’

‘Tenzij het ondiep is.’

‘Er worden twee bewakers vermist. Als ze hier liggen, kan het niet erg ondiep zijn. Bovendien heeft iemand er de tijd voor genomen om al die struiken er opnieuw in te zetten. Dit was gepland, Scotty.’

‘Maar niet al te lang van tevoren, anders zou zo’n kuil zijn opgevallen.’

Marge zei: ‘Het is vrij ver van het woonhuis.’

Oliver zei: ‘Ik weet het niet... misschien.’

‘We komen er gauw genoeg achter.’ Marge hield haar hand boven haar ogen en bekeek het weidse landschap. Wynona’s zoekploeg had zich verspreid maar bevond zich nog binnen gehoorsafstand van de fluitjes. De meesten hadden de schaarse schaduwplekken opgezocht, waar ze op de warme grond zaten, lauw water dronken en zich met hun handen of hoeden koelte toewuifden. Ze draaide haar pols en zag dat het bijna vijf uur was. Om half acht ging de zon onder.

Oliver vroeg: ‘Denk je dat we dit in tweeënhalf uur kunnen opgraven?’

‘Het hangt ervan af wat er in zit. Als we iets vinden, moeten we het meteen behandelen als een plaats delict. Dan is er van alles mogelijk.’ Marge pakte haar mobieltje. ‘Ik zal maar vast doorgeven dat ze schijnwerpers moeten laten komen.’

Wynona kwam naar hen toe. Ze had haar hoed afgenomen. Haar korte, blonde haar zat tegen haar hoofd geplakt. Ze haalde een tube zonnebrandcrème uit haar zak en smeerde haar wangen in. ‘Hoeveel mensen hebben jullie nodig voor het graven?’

‘Acht zou prettig zijn. Hoeveel heb jij er nodig?’

‘Ik moet nog anderhalve sector uitkammen. Ik denk niet dat we de laatste sector af krijgen, maar als we een beetje voortmaken, krijg ik sector vier nog wel af voordat het donker wordt.’

‘Als ik zes van jouw mensen neem, hoeveel heb je er dan over?’

‘Twaalf. Dat is wel genoeg, maar dan had ik graag dat daar een paar agenten bij zitten.’

‘Hoeveel agenten heb je?’

‘Acht.’

Marge zei: ‘Vier voor jou, vier voor mij.’

‘Goed.’ Wynona stopte de tube weer in een van haar broekzakken. Nu de taakverdeling was vastgelegd, zei ze: ‘Dan ga ik maar weer door. Jullie bellen wel als jullie iets vinden, hè?’ Ze blies op haar fluit en haar team stond op en klopte het stof van hun kleren.

Net toen de emmers en scheppen werden gebracht, ging Marge’ mobieltje. Het was de baas, die wilde weten wat er aan de hand was. Toen ze hem dat had verteld, zei hij dat hij naar de ranch kwam.

Hij zei: ‘Laat dat stuk terrein van alle kanten fotograferen voordat jullie er een spade insteken.’

‘Is al gebeurd,’ zei Marge. ‘Wil je dat we wachten met graven tot je er bent?’

‘Nee, begin liever nu jullie nog daglicht hebben. Ik moet hier op het bureau nog iets afmaken, maar kom straks in elk geval.’

Zijn stem klonk gespannen. ‘Doet Strapp vervelend?’

‘Was het dat maar.’

‘Jezus, Pete, dan moet het wel heel erg zijn. Wat is er aan de hand?’

‘Dat vertel ik je straks wel. Het is niet zozeer erg, het is eerder ingewikkeld.’

Marge keek op haar horloge. ‘We zitten al dicht bij de sabbat, Pete. Als we niks vinden, zou het jammer zijn als jij je sabbatmaal hiervoor moest mislopen. Ik kan je altijd bellen als ik je nodig heb.’

‘Dat is aardig aangeboden, maar deze zaak is zo belangrijk dat ik niet zomaar naar huis kan gaan. God kon na zes dagen op zijn lauweren gaan rusten, maar de mens heeft zich die kunst helaas nog niet eigen gemaakt.’

De timing was allerbelabberdst.

Alhoewel Decker het nooit prettig vond als hij op vrijdagavond te laat thuiskwam voor de maaltijd, wachtte Rina altijd tot hij er was. Maar omdat ze vanavond een aantal bevriende echtparen had uitgenodigd, had hij haar nu opgebeld om te zeggen dat ze vast aan tafel moesten gaan. Hij had een sterk vermoeden dat de opgraving op de Coyote Ranch tot diep in de nacht zou voortduren.

Maar de opgraving was niet het enige waar hij mee zat.

Zijn moeder had hem geleerd dat het niet netjes was om naar mensen te staren, maar in dit geval maakte het niets uit. Dus staarde Decker naar de gesoigneerde man die tegenover hem in zijn kantoor zat.

Brett Harriman zag er goed uit. Hij droeg een linnen jasje op een blauw overhemd en een spijkerbroek van een duur merk. Zijn sandalen lieten zijn gemanicuurde tenen bloot, die pasten bij zijn gemanicuurde handen. Zijn haar was dik en donker, zijn gezicht lang en mager. Hij droeg een donkere bril waarachter niet alleen zijn ogen maar ook zijn wenkbrauwen schuilgingen. Het enige wat verried dat hij blind was, was dat hij zijn hoofd steeds heel licht draaide opdat hij met beide oren stereoscopisch geluiden kon opvangen.

Decker tikte met zijn pen op het bureaublad. 'Ik wil u allereerst graag bedanken, meneer Harriman, dat u hierheen bent gekomen om me van deze informatie op de hoogte te stellen.'

'Zegt u maar gewoon Brett, en uw dank is overbodig. Het is mijn plicht. Als mensen geen jurydienst zouden doen, zou ik geen werk hebben.' Een paar seconden verstreken. 'Nee, dat is overdreven. Als je zo veel talen spreekt als ik, heb je altijd werk.'

'Hoeveel talen spreek je dan?'

'Veel. Hoofdzakelijk Romaanse en Angelsaksische talen.'

'Hoe heb je die geleerd?'

Harriman haalde zijn schouders op. 'Sommige via cursussen, andere via bandjes. Voor Fins en Hongaars heb ik les gehad. Ik reis ook veel. De enige manier om een taal te leren is door die te horen en te spreken.' Een korte stilte. 'Stelt u me deze vragen om hoogte van me te krijgen, of om een band te scheppen of omdat u me interessant vindt?'

'Ik denk alle drie,' zei Decker.

'Ik ben geen zonderling. Ik werk al vijf jaar voor het gerechtshof.'

'Hoe ben je aan die baan gekomen?'

'Nog een persoonlijke vraag?' Harriman lachte zijn witte tanden bloot en hield zijn hoofd iets naar rechts. 'Ik dacht dat u probeerde een moord op te lossen.'

'Meerdere moorden, om precies te zijn. Hoe ben je aan je baan bij het gerechtshof gekomen?'

'Ik hoorde van een kennis die in de stad werkt dat er een vacature was voor een gerechtstolk. Hoofdzakelijk voor Spaans, maar ook voor andere talen. Ik heb gesolliciteerd en ben aangenomen.'

'Vonden ze het geen probleem dat je blind bent?'

Harriman grinnikte. 'Ik droeg die dag een bril met getinte glazen. Ik geloof dat ze er pas later achter zijn gekomen. En nu zullen ze me niet ontslaan. Ik ben goed voor het quotum aan gehandicapten dat ze in dienst moeten nemen. En ik ben erg goed in mijn werk.'

'Waar werkte je voorheen?'

'Ik heb in zes ziekenhuizen als patiëntentolk gewerkt, maar dat werd een beetje monotoon. Als je steeds weer "neem twee van deze pillen voor een betere stoelgang" moet vertalen, wil je wel eens iets anders.' Er viel een wat geladen stilte. 'Maar er kwam nog meer bij. Het is niet makkelijk als je elke dag mensen slecht nieuws moet brengen.'

'Ja, dat is niet fijn.'

'Ronduit deprimerend. En dan bof ik nog dat ik nooit de ogen hoefde te zien van de patiënten die zulk nieuws te horen kregen. Maar ik hoorde het wel aan hun stem. En ik had al snel door of een arts de patiënt of zijn familie valse hoop gaf terwijl ik aan de nuances in zijn stem kon horen dat tante Anabel niet lang meer te leven had.'

Decker zei: 'In Nederland is er een blinde politierechercheur die wordt ingezet voor de herkenning van accenten. Bijvoorbeeld van terroristen. Hij weet precies waar degene die spreekt vandaan komt, zelfs als die persoon vloeiend en accentloos Nederlands spreekt.'

'Niemand spreekt accentloos.' Harriman bewoog zijn hoofd naar de andere kant. 'Men verraadt zich altijd, maar je moet natuurlijk wel weten waar je op moet letten.'

'Ben je altijd blind geweest of heb je ooit kunnen zien?'

'Ik kan nog steeds zien. Je kijkt met je hersenen, niet met je ogen. Maar ik heb ooit kunnen zien, ja. Ik heb op mijn vijfde mijn gezichtsvermogen verloren wegens rhabdomyosarcoma, een tumor in beide ogen.' Hij tikte met zijn voet op de vloer. 'Bent u geïnteresseerd in wat ik u heb verteld of denkt u nog steeds dat het niets waard is?'

'Je verwart gebrek aan waarde met een gezonde dosis scepticisme. Ik ben erg geïnteresseerd in wat je me hebt verteld, Brett. Als je het niet vervelend vindt, zou ik de informatie graag nog een keer met je doornemen.'

De blinde man slaakte een gefrustreerde zucht. 'Ik heb u verteld wat ik weet. Aan het verhaal zal niets veranderen.'

'Maar aan mijn kijk erop misschien wel.'

Brett wachtte even en zei toen: 'Ik stond in de grote wachtkamer van het gerechtshof een energiereep te eten. Twee latino's hadden het over de moorden op de Coyote Ranch. De ene kwam uit Mexico, de andere uit El Salvador. Ze noemden het slachtoffer señor Café. Ze hadden het over een man genaamd José Pinon die vermist werd, en zeiden dat de baas in

Mexico naar hem op zoek was. Schrijft u dat allemaal nog een keer op? Ik hoor uw pen krassen.'

Decker zei: 'Ik vergelijk alleen wat je de eerste keer hebt gezegd met wat je nu zegt. De eerste keer zei je dat de Mexicaan het meest aan het woord was.'

'Dat klopt. De Mexicaan zei dat de baas op zoek was naar José. Hij – de baas – was erg kwaad op José omdat die het verknald had. Hij had het verknald omdat zijn kogels op waren geraakt. Zegt dat u iets?'

Zeker weten. José Pinon was Joe Pine. Decker zei: 'Zou kunnen. Ga door.'

'José had dus niet genoeg kogels,' zei Harriman. 'Toen vroeg de man uit El Salvador aan de Mexicaan waarom iemand anders hem dan niet had afgemaakt. En toen zei de Mexicaan: omdat José een kluns is. Hij zei ook dat Martin erg kwaad was. Ze waren het met elkaar eens dat Martin een erg slechte kerel is, maar niet zo slecht als de baas, wie dat ook moge zijn. Ze waren het ook met elkaar eens dat José's laatste uurtje heeft geslagen. Toen ze zover waren gekomen, kreeg ik het een beetje benauwd dat ik dit allemaal stond af te luisteren. De manier waarop ze spraken klonk authentiek. Die avond heb ik thuis informatie over de moorden opgezocht op mijn computer. Die is spraakgestuurd, voor het geval u zich dat afvraagt.'

'Ja, zoiets dacht ik al.'

'De zoon... Gil Kaffey... is neergeschoten maar heeft het overleefd. Misschien veronderstel ik te veel, maar ik vermoed dat ze het over Gil Kaffey hadden en dat José had verzuimd ervoor te zorgen dat Gil werd afgemaakt.' Harriman bewoog zijn hoofd naar de andere kant. 'Ik geef u alleen de informatie door. Misschien hebt u er iets aan.'

'En dat stel ik erg op prijs. U zei dat José voluit José Pinon heet. Hoe heet Martin verder?'

'Die werd alleen Martin genoemd.'

'Zei hij niet *Rondo* Martin?'

'Alleen maar Martin, voor zover ik me kan herinneren.'

'Goed,' zei Decker. 'Als je deze mannen weer zou horen praten, zou je ze dan herkennen te midden van andere El Salvadoranen en Mexicanen?'

'Een vocale verdachtenrij?'

'Zoiets.'

'Doet u zoiets wel vaker?'

‘Nee, dit zou de eerste keer zijn. Het is voor het gerechtelijke proces vermoedelijk een primeur. Denk je dat je de stemmen zou herkennen?’

‘Uiteraard.’ Harriman keek beledigd. ‘Hebt u dan een verdachte?’

‘We zijn bezig een onderzoek in te stellen naar een heleboel mensen.’

‘Maar er zijn nog geen arrestaties verricht.’

‘Als we iemand hadden gearresteerd zou jouw spraakgestuurde computer dat geweten hebben. Wil je er nog iets aan toevoegen?’

Harriman dacht na. ‘De man uit El Salvador klonk alsof hij rookte. Niet dat u daar veel aan hebt.’

‘Alle informatie is welkom.’

‘Maar hebt u hier iets aan?’

Nou en of! ‘Zou kunnen.’ Decker herlas een deel van Harrimans verklaring. ‘Hoe kan ik het beste contact met je opnemen als ik je nogmaals wil spreken?’

Harriman pakte zijn portefeuille en haalde een kaartje uit een van de vakjes. Hij gaf het aan Decker. ‘Hier hebt u het nummer van mijn werk en mijn mobiel. En hoe kan ik u bereiken als me nog iets te binnen mocht schieten?’

Decker dicteerde het nummer en Harriman voerde het mondeling in zijn pda in. Toen zei Decker: ‘Nogmaals bedankt. Mensen als jij, die hun burgerplichten serieus nemen, maken het leven voor ons een stuk makkelijker. Ik loop wel even met je mee.’

‘Dat is niet nodig.’ Harriman zette zijn zendertje aan. ‘Ik ben hier in mijn eentje gekomen en ik kom er ook wel weer uit.’

Op weg naar de Coyote Ranch dacht Decker na over wat hij met deze informatie moest doen. Zonder signalement bestonden deze mannen niet, maar dat wilde niet zeggen dat hij niets kon doen. Hij belde allereerst Willy Brubeck. ‘Hallo, Willy.’

‘Hallo, Pete. Hoe gaat het?’

‘Ik ben op weg naar een opgraving op de Coyote Ranch.’ Decker legde uit wat hij bedoelde. ‘Wat stond er vandaag op jouw agenda?’

‘Ik heb vijf bewakers ondervraagd en hoop er morgen nog vijf te spreken te krijgen. Een van hen moest afzeggen, maar de rest werkt mee. Ik heb vandaag geen onraad geroken. Vier waren nogal ontdaan over de moorden, de vijfde heeft de pest in omdat hij zijn baan kwijt is. Ze hebben allemaal vrijwillig DNA afgestaan.’

'Mooi zo. Hebben jullie Joe Pine al gevonden?'

'Joe staat op mijn lijst, maar ik ben nog niet aan hem toegekomen.'

'Zet hem dan bovenaan, alsjeblieft. En hoe zit het met de geldverduisterende accountant Milfred Connors? Heb je hem al gesproken?'

'We lopen elkaar aldoor mis.'

'Regel zo spoedig mogelijk een gesprek met hem, en daar wil ik bij zijn.'

'Wat is er dan met hem?'

Decker vertelde hem over de aantijgingen over verduistering die tegen Mace Kaffey waren gedaan door diens broer. 'Ik vraag me nu af of Connors misschien als zondebok heeft gediend.'

'Interessante theorie. Ik zal hem nog een keer bellen.'

'Goed. Heb je van je bronnen in Ponceville al iets gehoord over Rondo Martin?'

'Nee, ze hebben nog niet teruggebeld.'

'Blijf er achterheen zitten.' Decker vertelde hem over zijn gesprek met Brett Harriman. 'Ik zal je uiteindelijk waarschijnlijk naar Ponceville sturen, maar je kunt eerst alle voorbereidende telefoontjes afwerken.'

'Maar we gaan af op informatie van een blinde man?' zei Brubeck.

'Hij kan niets zien, maar hij hoort des te meer. De lijst van de bewakers die voor de Kaffeys werkten is niet openbaar gemaakt, maar deze man noemde twee van de namen. Dat is voor mij een veeg teken. En al waren de namen openbaar gemaakt, dan nog noemde hij die ene José Pinon, niet Joe Pine. Marge en Oliver zijn voorlopig nog wel even bezig met de opgraving. Neem Rondo Martin van hen over en geef Joe Pine aan Andrew Messing. We moeten zo snel mogelijk hun vingerafdrukken zien te krijgen.'

'Ik zal sheriff T achter zijn vodden zitten. Dat is de sheriff van Ponceville. Hij heet Tim England, maar iedereen noemt hem T.'

'Hoe ze hem noemen, interesseert me niet. Als je hem maar opbelt en zorgt dat hij ons die vingerafdrukken stuurt. Laat Drew aan Neptune Brady vragen of ze vingerafdrukken van Joe Pine in hun archief hebben en stuur die dan meteen door naar het NCIC.'

'Oké.'

'Jullie moeten evengoed met alle bewakers gaan praten, maar laten we eerst deze twee nader bekijken. Vooral Rondo Martin, omdat hij dienst had en nu vermist wordt.'

'Veel succes op de ranch. Misschien boffen jullie.'

'Bedankt.' Decker hing op en dacht over die laatste woorden na. Dat zou zeggen dat er iets werd opgegraven wat te maken had met de moorden. Dat zou dan een lijk zijn. En dan was 'boffen' niet het juiste woord. Misschien hoopte hij gewoon dat de opgraving niet zonde van hun waardevolle tijd zou blijken te zijn.

12

De zon stond zo laag dat het terrein leek te zijn veranderd in glanzend koper. Zelfs met een zonnebril op moest Decker zijn ogen tot spleetjes knijpen. Mannen waren bezig de kurkdroge grond uit te graven en elke schep aarde werd voorzichtig langs de rand van de kuil gedeponeerd. Onder de eerste paar centimeter, hoorde hij van Marge, was de aarde vrij zacht en het was inmiddels duidelijk dat er iets in begraven lag. Oliver en Marge doorzochten alle bergjes aarde om zich ervan te vergewissen dat er niets belangrijks over het hoofd werd gezien. Tot nu toe was de oogst beperkt gebleven tot doppen van bierflesjes, lege blikjes, snoepwikkels en sigarettenpeuken.

'We verzamelen alles,' zei Marge. 'Als het nodig mocht zijn, kunnen we de peuken laten onderzoeken op DNA, om te zien wie hier is geweest.'

Oliver voegde eraan toe: 'We hebben de peuken onder de oppervlakte gevonden, dus ze zijn niet door de wind hierheen geblazen. Iemand heeft deze kuil gegraven.'

'En hij stinkt,' zei Marge. 'Voornamelijk naar paardenpoep.'

Decker was dat met haar eens, maar voor hem was die geur vooral nostalgisch, omdat die herinneringen opriep aan de tijd dat hij als vrijgezel een boerderij had gehad. Niet dat hij naar die tijd terug zou willen, maar het was prettig om eraan te denken. Hij rook trouwens ook de geur van een stinkdier. Hij keek op en zag een zwerm kraaien die luidruchtig protesteerden tegen de aanwezigheid van zo veel mensen op hun terrein. Er cirkelden ook een paar roofvogels en de opwaartse stand van hun vleugels leek erop te wijzen dat het aaseters waren, in tegenstelling tot haviken, die jagers waren en vers vlees aten.

Kraaien, daarentegen, waren niet vies van kadavers.

Weten die vogels iets wat wij nog niet weten? vroeg hij zich af.

De zon zakte langzaam achter de heuvels en gaf de toppen ervan een rode gloed. De schemering begon het te winnen van het laatste daglicht. Marge had een zestal schijnwerpers laten neerzetten, die door een generator van stroom werden voorzien. Ze zou ze weldra nodig hebben, nu het daglicht een zoete herinnering aan het worden was.

Omdat hij niks beters te doen had dan naar de buizerds kijken, besloot Decker zich nuttig te maken. Hij trok een paar latexhandschoenen aan, ging op zijn hurken zitten en begon een bergje aarde te doorzoeken. Hoewel het belangrijk was dat hij zich op het werk concentreerde, dwaalden zijn gedachten af zodra de eentonigheid van het werk de overhand kreeg.

Het was sabbat en hij had thuis moeten zijn om samen met Rina te genieten van een feestelijke maaltijd, vrolijkheid, gezelschap en goede wijn. Hij had thuis moeten zijn bij Hannah, die over een jaar al ging studeren. Er restte hem zo weinig tijd met haar, want hij wist uit ervaring dat wanneer je kinderen eenmaal de deur uit waren, ze als andere mensen terugkwamen. De liefde bleef, maar de relatie veranderde onherroepelijk. Ze waren dan jonge volwassenen op de snelweg van het leven.

Cindy was al jaren financieel onafhankelijk en sinds ze getrouwd was, hield Decker zich minder bewust met haar bezig. Koby was nu voor haar verantwoordelijk. En zo zou het ook gaan met de andere kinderen.

Met zijn oudste stiefzoon, Sammy, was het al bijna zover. Hij was tweedejaarsstudent medicijnen en verloofd met een van zijn studiegenoten, een snoezig meisje, Rachel, dat hij had leren kennen in een restaurant. Jacob, zijn jongste stiefzoon, studeerde neurologie op Johns Hopkins en had plannen om door te studeren. Hij had nu al twee jaar verkering met Ilana.

Hannah Rose was de laatste halte voordat de voortdenderende locomotief van zijn intensieve vaderschap tot stilstand zou komen. Hannah was het enige biologische kind van hem en Rina, haar opmars naar de volwassenheid vertegenwoordigde niet alleen de onvermijdelijke mijlpaal van het lege-nestsyndroom, maar gaf ook betekenis aan de jaren van hun hechte huwelijk. Alhoewel hij ernaar uitkeek meer tijd voor zichzelf te hebben, wist hij dat hij haar vreselijk zou missen en dat hij zich na elk telefoontje dat hem duidelijk maakte dat haar leven niet helemaal op rolletjes liep, zorgen zou maken.

De eerste sterren verschenen aan de hemel toen Wynona Pratt met haar zoekploeg terugkeerde uit het veld. Ze zag Decker, gaf hem een plattegrond van de sectoren die ze hadden afgewerkt en bracht rapport uit.

'Morgenochtend om negen uur doen we de laatste sector. Dan ga ik ook alle toegangshekken tot het terrein bekijken.' Wynona schopte zachtjes wat stof op. 'Als je het goed vindt, blijf ik nog even om te zien wat er tevoorschijn komt.'

'Pak een paar handschoenen, dan kun je ons helpen de uitgegraven grond te doorzoeken.'

Toen het donker begon te worden, deed Marge de schijnwerpers aan, die een wit licht wierpen op het opgravingsterrein. De ploeg werkte een vol uur door en naarmate de kuil dieper werd, kwam er meer stank vrij.

De kraaien hadden hun nest opgezocht, maar de buizerds cirkelden nog rond.

De stank, die aanvankelijk vrij licht was geweest, werd steeds sterker tot iedereen hem herkende als de stank van verrotting. Een stortplaats voor afval? Op afgelegen plaatsen als deze kwam de vuilniswagen niet wekelijks langs.

Twintig minuten later hief iemand zijn spade op met de mededeling dat hij op iets hards was gestuit. Terwijl een groepje mensen zich rond hem verzamelde, zei iemand anders dat hij ook iets had geraakt. Meteen gingen ze veel voorzichtiger te werk, met troffels in plaats van spaden, opdat ze geen schade zouden aanrichten aan wat zich onder de aarde bevond. In plaats van pijn in hun rug van het spitten, kregen ze nu pijn in hun knieën toen ze de grond systematisch begonnen weg te scheppen.

De hemel was nu bezaaid met twinkelende lichtjes. Krekels tsjirpten, kikkers kwaakten en in de verte riep een uil. Knoestige bomen werden inktzwarte, stille toeschouwers.

Nog steeds cirkelden de buizerds in de lucht.

Het duurde nog een uur voordat de grond zijn buit prijsgaf. Decker zag een aantal langwerpige schedels, grote, gekromde ribben en meerdere lange botten.

Een reliquiarium vol beenderen.

Zo te zien hadden ze een paardengraf gevonden.

De dieren hadden zo lang begraven gelegen dat het grootste deel van het vlees was vergaan, al zag Decker nog wat spierweefsel, haar, vacht en half vergane hoeven. De stank was echter onevenredig groot voor de geringe hoeveelheid weefsel en werd steeds erger naarmate ze meer aarde wegschepten.

Decker stond de ploeg toe te blijven graven tot de geur bijna giftig werd. Toen gaf hij hen bevel te stoppen en zich van de kuil te verwijderen om frisse lucht in te ademen. Hij riep zijn rechercheurs bij zich. 'Het is duidelijk dat dit een paardengraf is. Het is niet ongebruikelijk om een dier te begraven als je zo veel land hebt, maar er zit iets niet goed. Voor zo weinig overgebleven weefsel is de stank veel te sterk. Wat denken jullie?'

Oliver zei: 'Het zijn verscheidene paarden.'

'Ik schat drie, gezien de hoeveelheid beenderen,' zei Wynona.

'Wel eigenaardig,' zei Oliver. 'Om drie paarden tegelijk te begraven. Hoe zou dat gegaan zijn? Hebben ze dode paarden in een vrieskist gelegd tot ze er genoeg hadden om deze kuil te vullen?'

'Weet je wat nog veel vreemder is?' zei Marge. 'Als je een dood paard begraaft, moet het eruitzien als het skelet van een paard als je het weer opgraaft. Dan moet het min of meer in dezelfde positie liggen als toen je het begroef. Maar deze botten liggen kriskras door elkaar.'

Decker zei: 'Misschien heeft iemand de skeletten van de paarden opzij geschoven, omdat er iets *onder* de paardenbeenderen begraven moest worden.'

Marge zei: 'De lijken van onze vermiste bewakers?'

Decker zei: 'Stel dat een van de moordenaars op de hoogte was van het bestaan van dit graf, omdat hij had gezien dat het werd gegraven. Dan wisten ze dat ze een mooi plekje hadden om zich van de lijken van die vermiste bewakers te ontdoen.'

Oliver zei: 'Het ruikt in de kuil in elk geval naar verse lijken.'

Decker zei: 'Laat iedereen nieuwe handschoenen aantrekken en een mondmasker voordoen. Wie heeft er een fototoestel?'

'Ik,' zei Marge.

'Ik ook,' zei Wynona.

'Mooi zo. Voordat we de beenderen van de paarden verwijderen, moeten we er foto's van maken. Daarna gaan we al het biologische materiaal weghalen, bot voor bot. Van elk bot dat we weghalen, maken we een foto. Als de stank te erg mocht worden, en ik vrees dat dat zal gebeuren, stoppen we en waarschuwen we de forensische dienst, want dan zullen we de rest moeten overlaten aan experts.'

'U mag degene die hem onder de grond heeft gestopt, dankbaar zijn.' De lijkschouwer heette Lance Yakamoto. Hij was midden dertig, één meter drieënzeventig, woog zeventig kilo en had een langwerpig gezicht met lichtbruine ogen die een licht schuine stand hadden. Hij droeg een blauw operatiepak en een zwart jack met op de rug het logo van het forensisch laboratorium. 'Als ze het lijk open en bloot hadden gedumpt, zou de ontbinding veel sneller zijn verlopen en gezien de hoeveelheid buizerds hier, zou er voor ons niet veel over zijn geweest om mee te werken.'

Decker zei: 'Ik zal de dader hartelijk bedanken als ik hem heb gevonden.'

Yakamoto zei: 'Ik zei het alleen maar.'

'Weet ik,' zei Decker. 'Wat kunt u me vertellen?'

'Geen rigor mortis, wel wat lijkvlekken, grote mate van aanvreting door insecten. Als we het lijk hebben uitgegraven, zullen we wat van die beestjes in zakjes doen voor de entomoloog. Die kan ons waarschijnlijk meer vertellen over hoe lang het hier heeft gelegen. Naar mijn mening is dat een paar dagen. Dat zou overeenstemmen met de datum van het misdrijf, niet?'

'Ja.' Decker keek naar de helder verlichte kuil. Vier mannen in gaspakken stonden in de kuil te overleggen hoe ze het lijk het beste in de lijkenzak konden tillen. Aangezien het al een paar dagen had liggen verrotten, liet de huid hier en daar los. Er was nog enige zwelling vanwege de lichaamsgassen, maar dat stelde niet veel voor. De rechercheurs hadden dankzij de voorzichtige behandeling een blik kunnen werpen op het gezicht, ook al was dat zwart, verwrongen en half weggevreten. Marge en Oliver waren allebei van mening dat het wel een beetje leek op de foto's die ze van Denny Orlando hadden.

'Is het al zeker dat er maar één lijk in de kuil ligt?' vroeg Decker aan Yakamoto.

'Nee, nog niet,' antwoordde de assistent van de patholoog-anatoom.

Oliver zei: 'De stank is erg genoeg voor twee lijken.'

Decker zei: 'Als Rondo Martin er ook in ligt, moet ik een zojuist ontvangen tip negeren.' Hij vertelde de drie rechercheurs over het bezoek van Brett Harriman.

Oliver vroeg: 'Geloof je hem dan? Ik bedoel... het is al moeilijk genoeg om duidelijke informatie te krijgen van *oog*getuigen, Deck.'

'Dat hij blind is en hen niet kon zien, wil niet zeggen dat hij het gesprek niet heeft kunnen horen,' zei Decker. 'Daar is hij zelfs voor opgeleid. Hij is erin getraind zijn oren te gebruiken. En hoe had hij kunnen weten dat Rondo Martin erbij betrokken is?'

'Rondo Martin is een van de vermiste bewakers,' merkte Marge op. 'Misschien heeft zijn naam in de krant gestaan.'

Wynona vroeg: 'Hoe kan hij kranten lezen als hij blind is?'

'Hij heeft een spraakgestuurde computer die het nieuws voorleest,' antwoordde Decker. 'Ik geef toe dat hij iets over Rondo Martin gelezen of gehoord kan hebben. Maar Joe Pine? Die hij consequent José Pinon noemde? Hoe had hij dat kunnen weten?'

Oliver had daar geen antwoord op. Marge vroeg: 'Heb je hem nagetrokken?'

'Hij kwam vanmiddag, toen de rechtbanken al dicht waren. Ik zal maandag wat mensen bellen.'

'Weet je zeker dat hij blind is?' vroeg Oliver.

Decker grinnikte. 'Bedoel je of ik iets naar zijn hoofd heb gegooid om te zien of hij zou wegduiken? Nee, Scott, dat heb ik niet gedaan.'

'Dan herhaal ik mijn vraag. Hoe weet je dat hij echt blind is? Weet je hoeveel vreemde vogels Wanda Bontemps al aan de lijn heeft gekregen, vooral nu Grant Kaffey een beloning van twintigduizend dollar heeft uitgeloofd?'

'Twintigduizend? Is dat alles?' vroeg Decker.

'Blijkbaar was Guy niet de enige krent in de familie.'

Decker zei: 'Misschien is Harriman een wat vreemde vogel, maar voorlopig kies ik ervoor hem op zijn woord te geloven. Willy Brubeck probeert via zijn bronnen in Ponceville meer over Rondo Martin te weten te komen. Joe Pine staat ook op Brubecks lijst, maar hij heeft hem nog niet gevonden. Drew Messing is ook naar hem op zoek. Genoeg over Martin. Hoe staan de zaken in het woonhuis?'

'Er moet een heleboel bewijsmateriaal onderzocht worden,' zei Marge.

'Vingerafdrukken?'

'Veel uitgesmeerde afdrukken, al heeft de technische recherche er ook een paar gevonden waar we misschien iets aan hebben,' zei Oliver. 'We moeten de andere gebouwen nog doen. Daar gaat nog heel wat tijd in zitten.'

Marge zei: 'Nog even over Brett Harriman. Wist hij niet hoe *el patrón* heet?'

'Nee,' zei Decker. 'Een van die mannen zei alleen dat die nog slechter was dan Martin, die erg slecht was.'

Vanuit de kuil werd geroepen dat het lijk in de zak zat. Het probleem was nu hoe ze het uit de kuil moesten hijsen. De kuil was ongeveer anderhalve meter diep. Je kon er makkelijk uit klimmen, maar het was moeilijk om dat te doen terwijl je een lijk droeg.

Decker hurkte aan de rand van het gat. Daar was de stank aanmerkelijk sterker. 'Als jullie met drie man de lijkenzak boven jullie hoofden kunnen tillen, kunnen onze mensen hem van jullie overnemen en op de brandcard leggen.'

De mannen overlegden even en zeiden toen dat ze het wel wilden proberen. Ze moesten de lijkenzak voorzichtig manoeuvreren, maar uiteindelijk lukte het om hem hoog genoeg op te tillen. De ploeg boven stond klaar. Zes mannen grepen de randen van de zak en legden hem op de brancard. Yakamoto ritste hem open. 'Wat denkt u?'

Marge keek naar het verkleurde, verminkte gezicht. Maden krioelden in de openingen van de ogen, oren, neus en mond. Een deel van het vlees zat niet meer aan de botten; een deel was opgevreten. 'Het is moeilijk met zekerheid te zeggen, maar het zou Denny Orlando kunnen zijn.' Ze keek naar Oliver.

'Ik denk dat hij het is, maar misschien denk ik dat omdat ik het verwacht.'

Yakamoto trok de rits weer dicht. 'We hebben nu DNA, dus zijn we er gauw genoeg achter.'

De zon verscheen net boven de horizon toen het laatste biologische materiaal uit het graf werd verwijderd. Ze hadden uiteindelijk maar één lijk gevonden. Rondo Martin werd dus nog steeds vermist. Het was vier minuten voor half zes. Als Decker binnen een uur vertrok, was hij op tijd thuis om te ontbijten, zich te douchen en aan te kleden en naar de sjoel te gaan. Dan was hij daar vast de eerste.

Hij kon ook naar huis gaan en in bed kruipen.

Alhoewel zijn lichaam totaal uitgeput was, waren er dagen dat het opladen van de geest belangrijker was dan slapen. Vandaag leek zo'n dag te zijn.

'We zijn klaar,' zei Marge uiteindelijk. 'Ik ga.'

'Als jij gaat, ga ik ook,' zei Oliver. 'Ik ben met je meegereden, weet je nog?'

'Ik ga heus niet weg zonder jou, Scotty.'

'Ik wil wel iets eten, maar mijn koelkast is leeg. Zullen we onderweg ergens een hapje eten? Ik heb opeens zin in pannenkoeken en cholesterol.'

'Mij best.' Marge keek naar Wynona. 'Kom je ook?'

'Ja, ik moet ook maar iets eten, en vooral koffie drinken. Ik moet hier om negen uur alweer zijn.'

Decker zwaaide hen na. Het kostte hem nog twintig minuten om de nodige formulieren in te vullen. Om kwart over zes zat hij in zijn auto, alleen met zijn gedachten. Hij startte de motor en keek of er op zijn mobieltje berichten waren binnengekomen.

Drie stuks.

Het eerste was van Rina, om twee minuten over zeven gisteravond. Vlak voordat ze de sabbatkaarsen zou aansteken, wilde ze hem een goede sjabbes wensen. Ze hield van hem en hoopte dat hij snel thuis zou komen. Hij glimlachte bij het horen van haar stem.

Het tweede telefoontje was van vier voor half negen.

'Dag inspecteur Decker. Met Brett Harriman. Ik weet niet waarom ik u dit niet meteen heb verteld… misschien was ik zo ontdaan door het hele geval dat ik er doodgewoon niet aan heb gedacht. Wat ik bedoel is, dat ik de mannen die naast me stonden te praten weliswaar niet heb kunnen zien, maar dat ik een vrouw die bij me in de buurt stond heb verzocht ze op een discrete manier aan me te beschrijven. Ze wilde echter eerst weten waarom ik dat wilde en ik wilde haar dat niet vertellen. Uiteindelijk voelde ik me een beetje dwaas, dus heb ik gezegd dat het niet hoefde. Maar de kans is groot dat zij naar hen heeft gekeken en u een signalement kan geven. Het probleem is dat ik niet weet hoe ze heet, maar ik herkende haar stem van het voir dire en ik weet dat ze bij een van mijn zaken in de jury zit. Ik weet niet of u een lijst kunt krijgen van de juryleden van die zaak, maar u zou het kunnen proberen. Ik weet zeker dat ze zich mij herinnert, omdat het geen alledaags gesprek was. We kunnen hier nog verder over praten als u wilt. Bel me gerust.'

Decker sloeg het gesprek op. Harriman klonk een beetje als een aandachttrekker, door hem stukje bij beetje informatie te verstrekken. Of misschien was hij op de beloning uit. Decker besloot zijn referenties te controleren voordat hij hem terugbelde, om te zien of de man wel de waarheid sprak.

Het laatste telefoontje was van acht over half elf.

'Nog een keer met Brett Harriman. Die vrouw over wie ik het had. Ik herinnerde me opeens dat ze bij het voir dire tegen de rechter had gezegd dat ze getrouwd is met een inspecteur van politie. Ik weet niet of ze probeerde onder de jurydienst uit te komen, maar ze hebben haar evengoed geaccepteerd. Ik geloof niet dat ze iets over het LAPD heeft gezegd, het kan net zo goed een andere stad zijn, maar hoeveel echtgenotes van politie-inspecteurs hebben de afgelopen week jurydienst gedaan? Misschien kent u haar dus. Dat was het. Goedenavond.'

Een klikje.

Seconden tikten weg.

Had ze hen gezien?

Hadden zij haar gezien?

Het duurde heel lang voordat Decker de auto in de versnelling zette en toen hij dat deed, merkte hij dat zijn handen trilden.

13

De hele weg naar huis vervloekte hij Brett Harriman.

Had je niet iemand anders kunnen vragen die kerels te beschrijven? Moest het per se mijn vrouw zijn?

Hypocriet van hem, want als het iemand anders was geweest, zou hij al in de telefoon zijn geklommen om de namenlijst van de juryleden te bemachtigen.

Dacht hij werkelijk dat ze in gevaar verkeerde? Denk logisch na, zei hij tegen zichzelf.

Om te beginnen maakten die mannen zich er waarschijnlijk niet erg druk om als ze de moord op de Kaffeys openlijk bespraken. In de tweede plaats had Rina misschien alleen maar een vluchtige blik op hen geworpen. En zelfs als ze daar iets van gemerkt hadden, waren ze haar misschien al lang weer vergeten.

Verdomme nog aan toe, Harriman.

Toen hij de hoek om kwam, zag hij zijn vrouw de krant oprapen. Ze droeg een badjas, liep op pantoffels en had een mok koffie in haar hand. Haar lange haar hing los en zijn hart sloeg een slag over.

Niks zeggen.

Ze lachte stralend naar hem toen hij de oprit naast het huis opreed.

Diep ademhalen.

Toen hij uitstapte, probeerde hij ook te glimlachen, maar hij vreesde dat het niet helemaal lukte, want zijn mond voelde aan zoals na een behandeling bij de tandarts als de verdoving nog niet is uitgewerkt.

'Dag lieverd.' Rina gaf hem haar mok. 'Dit is koffie met melk. Heb je liever zwart?'

Decker nam een slokje. 'Nee, dit is prima. Dank je wel.' Hij gaf haar een kuis kusje. 'Hoe was het gisteravond?'

'Iedereen laat je groeten. Ik heb een lamskotelet voor je bewaard.'

'Ik had gedacht dat je kwark en fruit voor me had klaarstaan, maar lamskotelet klinkt niet slecht. Staat de kookplaat aan?'

'Ja. Zal ik die kotelet voor je opwarmen?'

Decker sloeg zijn arm om haar schouders toen ze naar de voordeur liepen. 'Welja, waarom niet. Men moet van het leven genieten.'

'Met of zonder aardappelen?'

'Met.' Ze gingen naar binnen en Decker liep met Rina mee naar de keuken. 'Toen Randy en ik nog op school zaten, bakte mijn moeder 's ochtends altijd eieren, aardappelen en saucijsjes voor ons. Op het sinaasappelsap na is het dus net zoiets als wat ik als kind kreeg.'

'Zo zie je maar weer.'

'Als je het niet erg vindt, ga ik eerst onder de douche. Ik stink naar dode mensen.'

'Dode mensen, meervoud?'

'Eén dood mens.'

'Eén is meer dan genoeg.' Ze haalde de kotelet uit de koelkast en legde hem in een pan op de kookplaat. 'Een is al te veel. Weet je wie het is?'

'We vermoeden Denny Orlando, een van de twee vermiste bewakers.'

'Ach, wat triest.' Ze zocht tussen de bakjes met kliekjes in de koelkast naar dat met de overgebleven aardappelen. 'En hoe zit het met die andere?'

'Rondo Martin wordt nog steeds vermist. We hebben het hele landgoed afgezocht, maar verder niets gevonden. Ik ga me even douchen en aankleden. Dan kunnen we samen ontbijten en daarna kunnen we naar de sjoel.'

Rina keek hem verbaasd aan. 'Wil je naar de sjoel?'

'Ja. Ik heb behoefte aan wat godzaligheid.'

'Dan ga ik ook. Ik zal Hannah vragen of ze mee wil. Al kan ik haar nog wel even laten liggen, want het is nog vroeg.'

'Laat haar maar slapen. Ze hoeft niet te gaan omdat wij gaan.'

'Normaal gesproken zou ze waarschijnlijk ook niet meegaan, maar ze heeft met Aviva afgesproken voor de lunch. Weet je heel zeker dat je niet liever gaat slapen, Peter?'

'Heel zeker. Is er deze week een gastrabbijn?'

'Ja.' Rina trok haar donkere wenkbrauwen op. 'En ik heb gehoord dat hij nogal lang van stof is.'

'Hoe langer hoe beter. Dan kan ik tijdens zijn preek mooi een dutje doen.'

Het was toch wel ergens goed voor dat hij zo vaak van huis was, want tijdens de wandeling naar de synagoge bracht Hannah hem tot in de kleinste details op de hoogte van alles wat de afgelopen week in haar leven was voorgevallen. Ze babbelde erop los en na een poosje kwam Decker ongemerkt op de automatische piloot te staan, met goed gemikte ja's en nee's als zijn dochter even stopte om adem te halen. De verhalen deden er niet veel toe, maar haar stem klonk hem als muziek in de oren. Het kon hem niet schelen waar ze het over had, zolang ze maar bleef praten. Toen ze bij de kleine synagoge aankwamen, gaf ze hem een zoen en liep al op een vriendin af voordat hij afscheid van haar kon nemen. Hij zag hoe de meisjes elkaar omhelsden alsof ze elkaar jaren niet hadden gezien en was jaloers.

Rina zei: 'Niet te geloven.'

'Wat?' vroeg Decker.

'Dat ze helemaal niet heeft gemerkt dat je al die tijd met open ogen liep te slapen.'

'Ik heb er geen woord van gemist.'

'De woorden waren voor jou slechts achtergrondmuziek, lieverd.' Rina kuste hem op de wang. 'Vogelgezang. Je bent een fantastische vader. Probeer niet te snurken. Tot straks.'

De gastrabbijn sprak bijna een uur en Decker deed een heerlijk dutje. Toen Barry Gold hem na de preek in zijn ribben porde, was hij zelfs in staat op te staan en zich op de moessaf te concentreren. Ter ere van de gastrabbijn werd de kiddoesj gezegd. De meeste gelovigen mopperden dat het allemaal veel te lang had geduurd, maar Decker vond het niet erg.

'Ik heb zelden tijdens een preek zo lekker geslapen,' zei hij tegen Rina toen hij wat tsjolent – het traditionele sabbatgerecht van vlees en witte bonen dat na de dienst gratis werd verstrekt – van een plastic bordje at.

'Bofkont.' Rina stak een druif in haar mond. 'De Millers wilden ons uitnodigen voor de lunch. Ik heb gezegd dat we niet kunnen omdat je te moe bent.'

'Dat is niet gelogen. Zullen we?'

'Graag.'

Zodra ze de synagoge hadden verlaten, begon Deckers hart sneller te kloppen vanwege zijn verontruste gedachten. Ze liepen hand in hand naar huis. Hij wist dat hij veel te stil was, maar had te veel aan zijn hoofd om over koetjes en kalfjes te kunnen praten.

Hoe kan ik het onderwerp het beste aansnijden? Voor of na de lunch? Eerst slapen of eerst praten?

Toen ze thuis waren, had hij nog steeds geen strategie. Misschien kon hij er maar beter gewoon mee voor de dag komen. 'Zal ik de tafel even dekken?'

'Heb je nog trek na die kotelet en de tsjolent?'

'Nee, maar jij zult wel honger hebben.'

'Ik mag nog geen vlees en heb aan een bakje yoghurt en een kop koffie ruimschoots genoeg.' Ze pakte zijn hand. 'Zal ik je instoppen?'

Decker ging op de bank zitten. 'Ik moet even met je praten.'

'O jee.'

'Maak je niet ongerust.' Hij klopte naast zich op de bank. 'Kom even bij me zitten.'

'Oké.' Ze nestelde zich tegen hem aan. 'Wat is er?'

Decker haalde diep adem. 'Gisterenmiddag is er iemand bij me gekomen op het politiebureau. Een man die zei dat hij misschien relevante informatie had over de moord op de Kaffeys. Wij vatten alle tips die we krijgen serieus op, ook als ze van tante Fien komen die beweert dat marsmannetjes haar iets hebben doorgeseind. Zelfs krankzinnige dingen kunnen een kiem van waarheid bevatten.'

'En?'

'Hij zei dat hij een gesprek had afgeluisterd tussen twee Spaans sprekende mannen. Hij vertelde me wat ze hadden gezegd en noemde namen die outsiders niet kunnen weten. Ik spitste dus meteen mijn oren.'

'Uiteraard.'

'Hij kon me precies vertellen wat die twee latino's hadden gezegd, maar er is een probleem. De man kon hen alleen maar horen. Hij kon die mannen niet voor me beschrijven, omdat hij blind is.'

'Dat is inderdaad een probleem,' zei Rina.

'Maar hij had door dat het gesprek wel eens belangrijk kon zijn, dus heeft hij een vrouw die naast hem stond verzocht de twee mannen voor hem te beschrijven. Ze vroeg waarom, maar dat wilde hij niet zeggen. Ze drong erop aan dat hij haar dat eerst moest vertellen en uiteindelijk voelde hij zich een beetje dwaas en heeft hij gezegd dat het niet meer hoefde. Maar het gesprek liet hem niet los, dus is hij met zijn verhaal bij mij gekomen.'

'Ik denk dat ik weet wie je bedoelt.'

'Ja?'

'Ja.'

'Daar was ik al bang voor.'

'Zijn naam is Brett Harriman en hij werkt daar als gerechtstolk. Hij is midden dertig, heeft krullend haar, een lang gezicht en kleedt zich erg goed.'

'Klopt.'

'Hoe is hij erachter gekomen wie ik ben?'

'Daar is hij niet achter gekomen, maar hij heeft je stem herkend van het voir dire en zei dat je in de jury zat van een van de zaken waarin hij moest tolken. Hij herinnerde zich dat je aan de rechter had verteld dat je man politie-inspecteur is. Ik heb twee en twee bij elkaar opgeteld en hoopte dat ik op vijf zou uitkomen.'

'Maar helaas is twee en twee nog steeds vier.'

Decker liet zijn hoofd tegen de rugleuning zakken en wreef over zijn gezicht. 'Heb je naar die mannen gekeken, Rina?'

'Ik heb gekeken naar de twee mannen die hij volgens mij bedoelde.'

'Heb je ze goed bekeken?'

'Goed genoeg, al drukte hij me op het hart het zo onopvallend mogelijk te doen.'

'O ja?'

'Ja, hij zei tot twee keer toe dat ik niet nadrukkelijk naar hen mocht kijken.'

Decker slaakte een diepe zucht. 'Goddank. Hadden ze iets in de gaten?'

'Volgens mij niet. Hebben die mannen iets met de moorden te maken?'

'Zo te horen zijn ze in het bezit van informatie die alleen insiders kunnen weten. Dus jij denkt niet dat je hen bent opgevallen?'

'Dat betwijfel ik ten zeerste. Het was vlak voordat de rechtszittingen werden hervat en het was erg druk in hal.' Rina wachtte even en vroeg toen: 'Wil je een signalement van die mannen?'

'Dat is niet nodig.'

'Waarom niet?'

'Zelfs al kon je ze aanwijzen in een boek met politiefoto's, dan heb ik daar niets aan. Harriman heeft het gesprek afgeluisterd, niet jij.'

'Nou en?'

'Dat wil zeggen dat jij er niet bij betrokken hoeft te worden.'

'Waarom ben je er dan over begonnen?' vroeg Rina.

'Om erachter te komen of die vent de waarheid spreekt.'

'Dat hij als gerechtstolk werkt, is zeker.'

'Hoe betrouwbaar is hij volgens jou?'

'Ik heb geen idee. Ik weet alleen dat hij veel talen spreekt en goed kan toneelspelen. Wij noemen hem Lachende Tom, naar Tom Cruise, omdat hij een zonnebril draagt en zo'n tandpastaglimlach heeft. Toen we hem eenmaal hadden zien tolken, waren we het er allemaal over eens dat hij acteur had kunnen worden.'

'Vind je dat hij overdrijft?'

'Dat weet ik niet. Ik weet alleen dat hij zijn stem gebruikt als een instrument. Je hebt goede en minder goede solisten. Ik wist niet eens dat hij blind was tot hij me aansprak. Hij heeft een elektronisch zendertje om rond te lopen en dat doet hij zo knap dat je helemaal niet kunt zien dat hij blind is.'

Decker probeerde nonchalant te blijven kijken. 'Oké. Dank je wel.'

'Is dat alles?'

'Ja. Ik wilde alleen maar iets meer over hem te weten komen.'

'Ik wil best foto's bekijken, hoor.'

'Waarom zou je? Al zou je die kerels eruit pikken, dan kan ik hen nog niet zomaar oppakken. Zoals ik al zei is het Harriman die het gesprek heeft afgeluisterd. Niet jij.'

'Je zou kunnen vragen of ze vrijwillig willen komen. Als ze dat weigeren, wil dat iets zeggen. En als je ze eenmaal op het bureau hebt, zal Harriman hun stemmen misschien herkennen.'

'Harriman zei dat hij hun stemmen in elk geval zou herkennen, maar ik weet niet of zoiets later, bij de rechtszaak, als bewijslast kan gelden.'

'Je zei dat Harriman namen noemde die alleen insiders kennen. Dan wil je die mannen toch op zijn minst aan de tand voelen?' Toen Decker geen antwoord gaf, zei ze: 'Laat me naar foto's kijken, Peter. Wie weet herken ik ze niet of staan ze niet in jullie boeken.'

Hij bleef zwijgen.

Rina zei: 'Deze moordenaars mogen niet op vrije voeten blijven. Als het om iemand anders dan Cindy, Hannah of mij ging, zou je er al op af zijn gegaan.'

'Daar heb je waarschijnlijk gelijk in.'

'Ik zou alleen maar naar foto's hoeven te kijken.'

'Dat vind ik ook niet erg. Waar ik nerveus van word, is wie je zult herkennen.'

Ze legde haar hoofd op zijn schouder. 'Maak je geen zorgen. Ik heb een grote, sterke echtgenoot die me zal beschermen. Hij heeft een pistool en weet ermee om te gaan.'

Hij werd wakker omdat er ergens een telefoon rinkelde. Toen de deur openging en er kunstlicht binnenstroomde, zei hij dat hij wakker was en ging hij rechtop in bed zitten. Rina zei dat ze Willy Brubeck aan de lijn had en dat het belangrijk leek te zijn.

'Zeg het eens, Willy,' zei Decker.

'Ik heb zojuist Milfred Connors aan de lijn gehad. Hij is bereid met ons te praten.'

'Mooi.' Decker deed de lamp op het nachtkastje aan. 'Wanneer?'

'Vanavond. Ik heb gezegd dat we zo snel mogelijk komen. Hij woont in Long Beach, dus moeten we opschieten. Zal ik je afhalen?'

Deckers hersenen waren nog niet helemaal op gang gekomen. Hij keek op de wekker. Het was kwart voor acht, dus had hij zeven uur geslapen. 'Eh, ja, dat is goed.'

'Heel fijn, want ik sta al voor je deur.'

'O ja?' Decker stapte uit bed en rekte zich uit. 'Ik heb tien minuten nodig om me te douchen en aan te kleden. Kom dus maar even binnen.'

'Graag zelfs. Bakt je vrouw nog steeds allerlei lekkers, rabbi?'

Decker lachte. 'We hebben nog wat millefeuille over. Daarvan mag je net zo veel eten als je wilt.'

'Eén portie is meer dan genoeg.'

'Ik zal vragen of ze koffie zet. Wij galeislaven leven op cafeïne en suiker.'

In tegenstelling tot andere kustplaatsen hadden de prijzen van het onroerend goed in Long Beach nooit zulke spectaculaire hoogten bereikt als in de meeste andere Californische badplaatsen, en dat kwam vermoedelijk doordat het in feite een industriestad was. Vanaf Highway 405 had Decker een panoramisch uitzicht op rookspuwende raffinaderijen en de parkeerterreinen van de automobielindustrie. Dat wilde echter niet zeggen dat het geen aardige stad was. Het oude centrum met de hotels en het beroemde aquarium was in elk geval helemaal opgeknapt om toeristen te trekken. De woonwijken bestonden echter uit bescheiden huizen, zeker vergeleken met andere kustplaatsen.

Milfred Connors woonde in een kleine, typisch Californische bungalow met gestuukte muren en een rood pannendak waar precies een straatlantaarn op scheen. Aan de voorzijde was een lapje hobbelig gras, maar een tuin kon je het niet noemen. Een betonnen pad vol barsten liep naar de sjofele veranda. Decker drukte op de bel. De man die opendeed was een jaar of zeventig. Hij was broodmager, had afhangende schouders, vlassig grijs haar en een lang, somber gezicht. Hij deed een stap opzij om de rechercheurs binnen te laten.

De spaarzaam ingerichte woonkamer zag er netjes uit. Er stonden een gebloemde bank, een leren televisiestoel en een eenvoudig dressoir met daarop een flatscreentelevisie. De parketvloer had veel krassen, maar was van goede kwaliteit, zag Decker.

'Neemt u plaats.' Hij maakte een gebaar naar de bank. 'Wilt u misschien een kopje koffie of thee?'

'Nee, dank u,' antwoordde Decker.

'Ik ook niet,' zei Brubeck.

'Dan haal ik alleen voor mezelf een kopje thee. Een ogenblikje, alstublieft.' Hij liep de kamer uit en kwam even later terug met een dampende mok. Hij ging in de televisiestoel zitten, maar liet die niet kiepen. 'Gaat dit over de moord op de Kaffeys?'

'In zekere zin.'

'Afschuwelijke zaak.'

'Ja,' zei Decker. 'U hebt erg lang voor dat bedrijf gewerkt.'

'Dertig jaar.'

'Hebt u gedurende die tijd de interactie kunnen waarnemen tussen Guy en zijn broer en zonen?'

'Ja, zo vaak.'

'Wat kunt u ons daarover vertellen?'

'Tja...' Connors nam een slokje thee. 'Guy was soms streng en soms erg aardig.'

'Kon u goed met hem overweg?'

'We zaten niet op hetzelfde niveau. Guy Kaffey zat hier.' Connors hief zijn hand op. 'En ik hier.' Hij liet zijn hand zakken.

'Maar u zag hem vaak.'

'Hij kwam aldoor de boekhouding controleren. Niet alleen bij mij maar bij iedereen. We werkten daar met zo'n twintig man.' Daarop volgde een lange stilte. 'U wilt met me praten omdat ik ben ontslagen wegens verduistering.'

'We willen met een heleboel mensen praten, maar u staat inderdaad hoog op onze lijst.'

'Bof ik even.' Connors nam een slokje thee. 'Het is niet wat u denkt. Ik ben ontslagen, maar er is nooit een aanklacht tegen me ingediend.'

'Maar u hebt ook geen protest aangetekend tegen het ontslag, noch hebt u een tegenbeschuldiging gedaan tegen de maatschappij.'

Toen Connors geen antwoord gaf, haalde Brubeck zijn pen en notitieboekje tevoorschijn. 'Zou u ons willen vertellen wat er is gebeurd?'

'Het is een ingewikkelde kwestie.'

'Dat zal best.' Decker pakte ook een notitieboekje. 'Begint u maar bij het begin.'

Connors nam nog een slokje thee. 'Ik heb dertig jaar voor Kaffey gewerkt. Ik heb nooit iets van hem verlangd, maar hij verlangde wel veel van mij. Ik moest dag en nacht voor hem klaarstaan, vooral in de tijd dat de belastingaangiften ingediend moesten worden, en ik kreeg overuren nooit uitbetaald. Ik heb alles gedaan zonder ooit te klagen. Maar toen werd mijn vrouw ziek.'

Decker knikte.

'We waren maar met ons tweetjes,' vertelde Connors. 'We hebben geen kinderen. Lara was kleuterjuf, dus had ze via haar werk dagelijks genoeg met kinderen te maken. En ik, ik ben een man voor cijfers, niet voor mensen. Lara regelde dan ook ons hele sociale leven.'

'Zo gaat het bij de meeste getrouwde stellen,' zei Brubeck.

'Nou, bij ons dus ook.' Hij verwarmde zijn handen aan de mok. 'Ik ging 's ochtends naar mijn werk en kwam 's avonds weer thuis. Wat Lara ook voor plannen had gemaakt, ik vond alles best.' Er welden tranen op in zijn ogen. 'Ze is vijf jaar geleden overleden aan de grote K. En sindsdien ben ik niets meer waard.'

'Mijn condoleances,' zei Brubeck.

'U hebt een erg moeilijke tijd gehad,' voegde Decker eraan toe.

'Het was een hel, inspecteur. Ze heeft erg geleden. Ondanks de medicijnen leed ze altijd pijn. Het was een langdurig, slopend ziekbed. We hadden een ziekteverzekering, maar die dekte niet alles. Toen de gewone medicijnen niet meer hielpen, hebben we het met experimentele dingen geprobeerd, die niet door de verzekering gedekt werden. Mijn hele salaris ging eraan op en toen ons spaargeld. Het enige wat er toen nog op zat, was het huis te verkopen. Dat kon ik haar niet aandoen, maar ik wilde de behandelingen ook niet staken.'

Decker knikte en verzocht hem door te gaan.

'Ik heb mijn trots opzijgezet en Mace Kaffey gevraagd of hij een lening voor me kon regelen. Ik kende Mace beter dan Guy en iedereen wist dat Mace makkelijker was dan Guy.'

'Hoe lang geleden was dat?' vroeg Decker.

'Een jaar of zes – aan het begin van het einde.' Connors slaakte een diepe zucht. 'Mace zei dat ik de lening moest afschrijven als inventariskosten. En hij zei dat ik een cheque moest uitschrijven voor dertigduizend dollar, dat hij iets meer had genomen voor het geval dat ik het nodig had. Kaffey Industries doet zaken met honderden leveranciers, dus was het niet moeilijk om het bedrag weg te moffelen. Ik wist dat het verkeerd was, maar ik heb het evengoed gedaan. Twee dagen later ontving ik twintigduizend dollar. Ik praatte het goed door mezelf voor te houden dat ik alleen maar had gedaan wat de baas had gezegd. Ik was in elk geval van plan het terug te betalen.'

'Hoe had u dat voor elkaar willen krijgen?' vroeg Decker.

'Met freelance werk. Ik zei tegen Mace dat ik het tot op de laatste cent zou terugbetalen, maar hij zei dat ik me daarover geen zorgen hoefde te maken, dat mijn vrouw eerst maar eens beter moest worden en dat we daarna verder zouden praten. Het klonk te mooi om waar te zijn, maar ik stribbelde niet tegen. Twintigduizend dollar is een hoop geld, maar ik wist dat ik er goed voor was. Het probleem was alleen...'

Hij zette de mok op een bijzettafeltje.

'Dat het niet bij twintigduizend bleef. Het begon met twintig, toen werd het veertig en toen zestig. Tegen de tijd dat ze overleed, zat ik voor honderdvijftigduizend in de schulden. Dat is heel veel geld als je bedenkt dat ik mijn spaargeld, mijn hele pensioenregeling en het pensioengeld van mijn vrouw er al doorheen had gejaagd. Ik had niets meer over, behalve het huis.'

Connors wreef in zijn ogen.

'Ik ben naar Mace gegaan om te zeggen dat ik het huis zou verkopen om het geld terug te betalen, maar hij zei dat ik moest wachten en geen overhaaste beslissingen nemen. En weer ben ik er niet tegenin gegaan.' Hij zweeg even. 'Hij zei ook dat ik nog even moest doorgaan met geld lenen van de firma. Hij zei dat er nog meer mensen in de problemen zaten. Ik moest er nog even mee doorgaan. Als tegenprestatie zou hij me een deel van het geleende geld kwijtschelden.'

'En u hebt dat gedaan,' zei Decker.

'Ik zat in de schulden en hij was mijn baas. Als hij zei dat ik ermee door moest gaan, dan deed ik dat. Ik heb nog wel de moed weten op te brengen om hem te vragen of Guy er niets op tegen had.'

'En wat zei hij toen?' vroeg Brubeck.

'Dat Guy zelf ook de winst afroomde. Al met al heb ik ongeveer tweehonderdduizend dollar aan valse cheques uitgeschreven.'

'En daar zat u helemaal niet mee?' vroeg Decker.

Connors keek de rechercheurs beurtelings aan. 'Ik had twee jaar in een hel geleefd en zat tot mijn nek in de schulden, dus deed ik wat Mace zei en zette ik nergens vraagtekens bij. Maar de zaak kwam uit toen de firma werd onderworpen aan een accountantscontrole. De verduistering kwam aan het licht, de belastingdienst diende een aanklacht in tegen Kaffey Industries en tussen de broers kwam het tot een rechtszaak. Ik dacht dat ik samen met het schip ten onder zou gaan, maar Mace, God zegene hem, heeft me opnieuw de hand boven het hoofd gehouden.'

'Hoe?' vroeg Brubeck.

'Hij heeft tegen Guy gezegd dat de tekorten te maken hadden met de verhoogde kosten van de grondstoffen of zoiets. Guy trapte daar echter niet in. Vandaar de rechtszaak. Maar hoe erg het er ook uitzag voor Mace, hij heeft me niet aangegeven bij de autoriteiten en daarvoor was ik hem ongelooflijk dankbaar.'

'Meneer Connors, Mace is ervan beticht vijf miljoen dollar te hebben verduisterd. Dan was uw aandeel in het complot niet erg groot.'

Connors haalde zijn schouders op. 'Misschien had hij net zo'n regeling met een paar van de andere boekhouders. Misschien was ik een van de velen.'

'U was geen boekhouder, maar accountant,' merkte Brubeck op.

'Ja, en zoals ik al zei, heeft de maatschappij ongeveer twintig accountants. Ieder van hen gaat over een bepaald project.'

'Als Mace geld van de firma verduisterde, waarom heeft Guy hem dan niet de laan uit gestuurd?'

'Ik weet het niet zeker, maar ik denk dat Mace de waarheid sprak toen hij zei dat Guy zelf de winst ook afroomde. Omdat Guy de president-directeur was, zou hij veel eerder gevangenisstraf krijgen wegens belastingfraude dan Mace. Het was voor Guy waarschijnlijk goedkoper om hem in het bedrijf te houden dan om hem gerechtelijk te laten vervolgen.'

'En dus hebben de twee broers een overeenkomst gesloten en is Mace naar New York gestuurd.'

'Precies,' antwoordde Connors. 'En dat was dat.'

'Behalve,' zei Decker, 'dat u, nadat Mace naar de oostkust was vertrokken, op verduistering bent betrapt.'

Connors maakte een berustend gebaar.

'Zou u dat even willen uitleggen?'

'Er is geen aanklacht tegen me ingediend.'

'U hebt Mace nogmaals om een gunst gevraagd.'

'Ik heb alleen gezegd dat ik mezelf liever voor mijn kop schiet dan de gevangenis in te moeten.'

'En hij heeft u weer gedekt.'

Hij haalde zijn schouders op.

'En toen?'

'Toen ben ik toch betrapt.' Weer haalde Connors zijn schouders op. 'Het was een gewoonte geworden waar ik niet meer mee kon stoppen.'

14

Decker kwam binnen met een cappuccino en een croissant voor Rina, die aan zijn bureau zat. 'De croissant is van Coffee Bean. De cappuccino is van een zaakje om de hoek, decafé met volle melk.'

'Heerlijk.' Rina nam een slokje. 'Alleen de zondagskrant ontbreekt nog.'

'Die lees je meestal in bed, in je pyjama.'

'Ik zit hier net zo rustig en dit is veel leuker dan krantenberichten lezen over moord en doodslag.'

Decker legde drie fotoboeken voor haar neer. 'Lieve schat, deze fotoboeken gaan juist over moord en doodslag.'

'Dat is wel zo, maar nu dóe ik tenminste iets.' Ze nam een slokje. 'Maak je geen zorgen. Ik kan dit best aan.'

Decker masseerde zijn slapen. Hij droeg een poloshirt en een katoenen broek en voelde zich nu nog schoon en fris, maar dat zou niet lang duren. Op de ranch zat je in een mum van tijd onder het stof. 'Als je hiermee klaar bent, heb ik nog een hele stapel van deze boeken voor je. Ze liggen op die tafel daar. Je mag er net zo veel of weinig bekijken als je wilt. Als je moe wordt, stop je. Aan vermoeide ogen hebben we niets.'

'Goed.'

'En je mag niet gokken. Ik heb liever dat je zegt dat je het niet weet dan dat je ernaar raadt.'

'Dat begrijp ik. Dan zou ik jullie in het wilde weg op mensen afsturen.' Rina deed het eerste boek open en zag foto's van zes mannen, aangezicht en profil, met hun signalement eronder – lengte, gewicht, kleur ogen, kleur haar, ras en uiterlijke kenmerken. 'Die mannen in het gerechtshof hadden tatoeages, maar zo te zien hebben ze die tegenwoordig allemaal.'

'Niet iedere getatoeëerde man is een misdadiger, maar misdadigers zijn wel allemaal getatoeëerd. Tatoeages zijn trouwens bijna net zo goed als vingerafdrukken. Er zijn er geen twee precies hetzelfde. Wat voor tatoeages hadden die mannen?'

'De ene had er een van een tijger of misschien was het een luipaard. De andere had volgens mij een slang. En ze hadden ook tatoeages van letters.'

'Letters? Zoals ABC?'

'Ja, maar dan een X. En een L, geloof ik.'

'Kunnen het Romeinse cijfers zijn geweest?'

'Slim van je. Dat zou heel goed kunnen.'

'Was het misschien XII?'

'Misschien. Hoezo?'

Decker nam de fotoboeken weg. 'Dan geef ik je andere boeken en kun je je tijd efficiënter besteden.'

'Welke boeken krijg ik dan?'

'Van leden van de Bodega 12th Street-bende. Die hebben vaak een tatoeage met BXII of alleen XII.'

'Ik ken die bende van naam, maar houden die lui zich niet bezig met drugssmokkel? Waarom zouden zij dan iets weten over de moord op de Kaffeys?'

'Omdat ze de moorden misschien hebben gepleegd.'

'Waarom zouden zij de Kaffeys vermoord hebben?'

'Omdat veel van de leden van de Bodega 12th Street-bende moordenaars zijn. En omdat ik inmiddels weet dat Guy Kaffey vaak gerehabiliteerde bendeleden in dienst nam als bewakers.'

'Dat meen je niet!'

'Brady zegt dat Guy ze om ideologische redenen wilde, maar ook omdat ze goedkoop waren. Normaal gesproken zou ik gedacht hebben dat hij dat uit zijn duim zoog, maar Grant heeft bevestigd dat Guy inderdaad voormalige bendeleden in dienst nam. Sommige mensen, vooral rijke mensen, willen niet toegeven dat ze sterfelijk zijn. Ogenblikje...' Even later kwam hij terug met twee fotoboeken. 'Begin maar met deze. Ik hoop dat je niemand herkent, maar als dat wel zo mocht zijn, vertel dat dan aan niemand anders dan aan mij.'

'Dit is een lijst van alle kogels en kogelhulzen die we hebben gevonden,' zei Wynona Pratt. 'Bijna alle ammunitie is gevonden in de noordoostelijke sector, sector vier, in en rond vier opgestapelde balen hooi.'

'Dat zal dan een oefenveldje zijn.'

'Dat denk ik ook. Verder hebben we een roestig mes en wat andere scherpe stukjes metaal gevonden die misschien van messen zijn geweest, maar alles ziet eruit alsof er al heel lang niets mee is gedaan. Ik heb ze naar het forensisch laboratorium gestuurd. De zakken met andere gevonden voorwerpen bekijk ik vanmiddag op het politiebureau. Daar is het tenminste koel.'

'Hoe zit het met de toegangshekken tot het terrein?'

'De ranch is afgezet met dubbel prikkeldraad en een ruim twee meter hoge omheining van rasterwerk. De omheining staat niet onder stroom en als je beschermende handschoenen draagt, kun je dat metaal met een stevige tang wel doorknippen. Er zijn acht toegangshekken.' Wynona bladerde in haar map en haalde er een vel papier uit. 'Ik heb het voor je uitgetekend.'

Decker bekeek de schets.

Ze zei: 'Het zijn stalen hekken, behalve twee aan de achterkant, die van hetzelfde rasterwerk zijn gemaakt als de omheining en worden gesloten met een hangslot. In die hekken kun je dus ook makkelijk een gat knippen.'

'Is er met de hangsloten geknoeid?'

'Nee.'

'Zaten er ergens gaten in de omheining?'

'Op het oog niet, maar ik heb niet elke centimeter nauwkeurig bekeken.' Wynona trok haar hoed wat naar voren. 'Ik heb thuis kniebeschermers. Ik zal morgen iets organiseren, tenzij je wilt dat het eerder wordt gedaan.'

'Nee, morgen is vroeg genoeg.' Decker droogde zijn voorhoofd met een zakdoek. Hij hoorde de honden en paarden, die waarschijnlijk ook last van de warmte hadden. 'Wie zorgt er voor de dieren?'

'Ik neem aan de stalknecht, Riley Karns. Hij was hier gisteren.'

'Is hij er nu ook?'

'Ik heb hem niet gezien.'

'Wie heeft je op het terrein toegelaten?'

'Piet Kotsky. Hij zei dat je tegen Neptune Brady hebt gezegd dat er geen privébewakers toegelaten mogen worden zonder dat jij die persoonlijk permissie hebt gegeven.'

'Wil dat zeggen dat Riley Karns niet meetelt als bewaker? Want ik heb hem beslist niet persoonlijk permissie gegeven.'

Wynona haalde haar schouders op. 'Iemand moet voor de dieren zorgen.'

'Ik ga even naar de stallen, kijken of hij er is.'

'Neem een mondmasker mee. Het zal er wel stinken.'

'Paardenvijgen hinderen me niet. Ik heb vroeger een boerderij en paarden gehad en reed toen dagelijks.'

Ze zette haar handen in haar zij en keek hem aan. 'Meen je dat?'

'Met paarden kan ik uitstekend overweg. Mensen, daarentegen, vind ik lastig.'

In de paardenstal waren acht boxen, waarvan er zes leeg waren, maar in alle acht was het stro pas ververst. De twee aanwezige paarden – Morgans – hadden voedsel en water. Decker liep naar buiten en kwam uit bij een wei. Drie paarden waren vastgebonden aan een stapmolen – een apparaat dat eruitzag als een reusachtige paraplu zonder doek. Het draaide in de rondte als een carrousel en de paarden waren gedwongen mee te lopen.

Riley was bezig een gespierde merrie met een donkerbruine vacht en een bles op haar neus te verzorgen. Hij liet een rubber roskam met draaiende bewegingen over haar vacht gaan om het stof los te maken. Hij keek op toen hij Decker hoorde aankomen, maar bleef doorwerken. Zoals alle jockeys was Karns een kleine, magere, pezige man. Hij had dun, bruin haar dat over zijn voorhoofd was gekamd en onopvallende gelaatstrekken die ingebed lagen in een gerimpeld gezicht dat nat was van het zweet. Hij droeg een zwart T-shirt, een spijkerbroek en werkschoenen.

Decker zei: 'Mooi *quarter horse*.'

'Niet zomaar een quarter horse. Haar vader is Big Ben, die tweemaal de eerste plaats heeft gehaald op het wereldkampioenschap cutting van het AQHA. Hij heeft meer dan een half miljoen aan prijzengeld in de wacht gesleept.' Karns tuitte zijn lippen. 'Ik heb nog op hem gereden.'

'Hebt u mevrouw Kaffey daarom geadviseerd de merrie te kopen?'

'Ik adviseer niemand,' zei Karns. 'Ik ben hier maar in dienst. Maar toen ik hoorde dat Big Ben een veulen had verwekt, heb ik mevrouw Kaffey een telefoonnummer gegeven. Ze was meteen weg van Zepher. Hoe kan het ook anders.'

'Zepher ziet er jong uit.'

'Ze is ook jong. Wacht maar tot ze volgroeid is.'

'Ze heeft goede spieren.'

'Prachtige spieren.'

'Maar mevrouw Kaffey had dus eerst de Morgans?' vroeg Decker.

'Ja, ze was dol op Morgans. Ze heeft vaak met hen meegedaan aan paardenshows.' Karns zweeg even. 'Meneer Kaffey vond paardenshows saai. Het leek hem veel interessanter om aan paardenrennen te doen. Daarom heeft hij Tar Baby gekocht, de zwarte hengst, maar de eerste keer dat ik hem bereed, wist ik al dat hij het niet in zich had. Ik heb echter niks gezegd.'

'Heel verstandig.'

'Ik ben hier alleen maar in dienst.' Karns volgde met zijn wijsvinger Zephers neklijn. 'Maar u wilde me iets vragen, brigadier?'

'Inspecteur. Inspecteur Decker.'

'Aangenaam. Hoe komt het dat u verstand hebt van paarden?'

'Ik heb zelf paarden gehad. Ik hou van quarter horses, omdat ze zo veelzijdig zijn. Ik zag trouwens Afghaanse windhonden in de kennel. Waren die ook van mevrouw Kaffey?'

'Ja, ze was er gek op. Meneer Kaffey niet. Hij stond geen dieren in huis toe. Ik geloof uit bitterheid.'

'Waarom?'

'Omdat hij het zelf met honden had geprobeerd en dat op niets was uitgelopen.'

'Hazewinden zeker?'

'Ja.' Karns schudde zijn hoofd. 'Meneer Kaffey dacht dat hij geld kon verdienen aan de races en dat had ook gekund, als hij niet zulke goedkope dieren had gekocht. Je zag meteen dat die honden niets waard waren. De man had geen greintje verstand van dieren.'

'Of hij had er het geld niet voor over om kampioenen te kopen.'

'Ook dat.'

'Wie is eigenaar van de dieren nu meneer en mevrouw Kaffey er niet meer zijn?'

'Ik neem aan de zonen. Zij zijn het die me nu betalen om ze in conditie te houden. De jongste, Grant, vroeg gisteren bij wie hij moest zijn als hij ze wilde verkopen. Ik heb gezegd dat ik hem wel kon helpen. Hij zei dat hij zou wachten tot zijn broer beter was, maar dat hij het prettig zou vinden als ik alvast mijn licht zou willen opsteken over wat de paarden kunnen opleveren. Hij zei ook dat ik de honden moest verkopen. Dat zal niet moeilijk zijn. Er zitten kampioenen bij.' Hij keek Decker aan. 'U vraagt dit niet omdat u een hond wilt kopen.'

'Nee.'

'Wat wilt u dan?'

'Uw huis staat vrij dicht bij de kennel.'

'Vijf minuten lopen.'

'Hebt u de honden horen blaffen op de avond van de moorden?'

'Toen Ana me wakker maakte, hoorde ik de honden blaffen. Ik neem aan dat ze wakker zijn geworden omdat ze zo liep te gillen.'

'In de zomer sliep mijn setter vaak bij de paarden. Elke keer wanneer ik thuiskwam, kwam hij luid blaffend de stal uit om me te begroeten.' Toen Karns niet reageerde, ging Decker door: 'De kennel is niet ver van het woonhuis. Het is niet ondenkbaar dat de honden hebben aangevoeld dat er iets mis was en dat ze toen zijn gaan blaffen.'

'Zou kunnen.'

'Maar u werd niet wakker van het geblaf.'

'Nee, ik werd wakker van Ana.' Hij legde de roskam weg en pakte een rosborstel. 'Toen ik met haar en Paco naar het huis liep, hoorde ik ze blaffen. Misschien waren ze allang aan het blaffen en had ik dat niet gehoord. Ik slaap erg vast.' Hij zweeg even. 'Ik heb geen last van slapeloosheid, zoals rijke mensen, inspecteur, omdat ik eerlijk werk doe en niets op mijn geweten heb.'

'Laat ik het dan zo stellen. Slaan de honden aan als ze iemand langs de kennel horen lopen?'

'Dat denk ik wel.'

'En denkt u dat u van het blaffen wakker zou worden?'

'Misschien. Maar die avond niet, inspecteur, echt niet.' Hij keek op zijn horloge en schakelde de stapmolen naar een trager tempo. 'Als er iemand via het trailerhek op het terrein zou komen, zouden de honden daar waarschijnlijk wakker van worden, maar als hij van de andere kant kwam, zouden mijn honden en ik niets horen. Als ik u was, zou ik er dus maar van uitgaan dat de indringer hier niet langs is gekomen.'

Decker ging op iets anders over. 'Weet u dat er een lijk is gevonden in een oud paardengraf?'

'Ik heb uiteraard gemerkt dat er gisteravond een hoop politie was. Ook al loopt hier tegenwoordig de hele dag politie rond.'

'Dat graf moet van tevoren zijn geopend om het lijk zo diep in de kuil te kunnen leggen. Hebt u daar niks van gemerkt?'

'Het graf is aan de andere kant van de ranch, inspecteur.'

'U weet dus dat er een paardengraf is?'

'Natuurlijk,' zei Karns. 'Ik heb het zelf gegraven. Op grote ranches is dat heel normaal.'

'Hebt u drie paarden tegelijk begraven?'

'Nee. Het eerste graf was voor Netherworld en daarna kwam Buttercream. Ik had haar graf pal naast het eerste gegraven. Toen Potpie dood was, had ik geen zin om een heel nieuw graf te graven. Het is zwaar werk. Dus heb ik het deel tussen Netherworld en Buttercream uitgegraven en er één grote kuil van gemaakt en haar daarin gelegd.'

'Hoe lang geleden zijn die paarden gestorven?'

'Netherworld en Buttercream ongeveer twee jaar geleden. Potpie vorig jaar. Het stonk niet eens erg. De eerste twee waren toen al vergaan.'

'Wie weten er allemaal dat die graven er zijn?'

'Mevrouw wist het. Ze zei altijd een gebedje als een van haar lievelingen was gestorven.'

'Wie nog meer?'

Karns blik flitste heen en weer en hij zei niets.

'Het is geen strikvraag. Wie van de mensen die nog in leven zijn, wist dat die graven er waren?'

'Paco Albanez, de tuinman, heeft een graafmachine. Ik heb gevraagd of ik die mocht lenen. Hij zei dat hij kapot was en vroeg waarom ik hem nodig had. Toen ik zei dat ik een graf voor de paarden moest graven, zei hij dat hij me wel wilde helpen.'

'Heeft er verder nog iemand geholpen?'

'Nee.'

'Hoe wist u waar het graf gegraven moest worden?' Decker zag aan de bobbels die op zijn kaken verschenen dat de man zijn kiezen op elkaar klemde. 'Heeft iemand gezegd waar u moest graven?'

'Ik wil niet in moeilijkheden komen, inspecteur.'

'Waarom zou je, Riley? Je hoeft me alleen maar te vertellen wie je opdracht heeft gegeven de kuil te graven.'

'Meneer Kaffey. Joe Pine had die dag dienst. Hij heeft gezegd waar ik moest graven.'

15

Karns ging door met borstelen. Toen Decker niet wegging, zei hij: 'Meer weet ik niet.'

'Wat je weet, is al veel, Riley.'

Karns zuchtte overdreven. 'Daarom wilde ik er niet eens over beginnen.'

'Maar we zijn er nu over begonnen, Riley, of je dat leuk vindt of niet. Je was als een van de eersten bij de slachtoffers en nu vertel je me dat je Denny Orlando's graf hebt gegraven.'

'Niet waar!' Karns draaide zich met een ruk om. Hij liep rood aan en zijn handen beefden. 'Ik heb niet Dénny's graf gegraven. Ik heb een graf voor de paarden gegraven en daar hebben jullie Denny gevonden.'

'Iemand heeft dat graf geopend om Denny erin te leggen,' beet Decker hem toe, 'en die persoon wist dat dat graf daar was.'

Karns spuugde op de grond, maar ver bij Deckers schoenen vandaan. 'Ik heb uw vragen eerlijk beantwoord, maar u verdraait mijn woorden alsof ik de moorden zou hebben gepleegd. Dan zeg ik liever niets meer.'

Decker besloot nieuwe toenadering te zoeken. 'Als je me inderdaad eerlijke antwoorden hebt gegeven, weet ik het goed gemaakt. Doe een leugentest.'

'Die zijn niks waard.'

'Jawel, hoor, en voor jou zijn ze juist gunstig. Als je mocht falen, mag ik dat niet eens tegen je gebruiken, maar als je slaagt, kan ik je verder met rust laten.'

'Ik vertrouw u niet. U wilt me dingen laten zeggen die ik niet bedoel.'

'Om te beginnen ben ik niet degene die je de test zal afnemen.' Toen Karns hem bleef aankijken, glimlachte Decker. 'En niemand kan je woorden in de mond leggen, omdat je de vragen alleen maar met ja of nee hoeft te beantwoorden.'

Karns reageerde niet meteen. Alhoewel Decker bereid was zijn oordeel op te schorten tot de feiten zijn intuïtie bevestigden, had hij het gevoel dat Riley er niet echt onderuit probeerde te komen, maar dat hij alleen een diepgeworteld wantrouwen had jegens elektronische apparatuur.

'Ik zal het alvast regelen,' zei Decker. 'Als je van gedachten verandert, hoor ik het wel.'

'Ik zal erover nadenken,' antwoordde Karns. 'En nu wil ik graag weer aan het werk.'

'Nog een paar vragen. Die dode paarden waren natuurlijk erg zwaar. Iemand moet je geholpen hebben ze naar het graf te brengen.'

'We hebben eerst het graf gegraven, inspecteur, en de paarden daar laten inslapen.'

'O. Ja, dat is eigenlijk wel logisch.'

'Als u echt paarden had gehad, had u dat moeten weten.'

'Ik heb paarden gehad, maar ik heb ze nooit hoeven laten inslapen. Dat deed de dierenarts.'

'Ja, u wilde daar uw handen natuurlijk niet aan vuilmaken.'

Decker negeerde de stekelige opmerking. 'Weet je zeker dat jij en Paco geen andere hulp hadden bij het graven? Je zegt zelf dat je tot nu toe eerlijke antwoorden hebt gegeven. Als ik jou was, zou ik dat nu niet verpesten met een verkeerd antwoord op zo'n eenvoudige vraag.'

Karns sloeg zijn ogen neer. 'Pine heeft geholpen. Ga hem dus maar aan de tand voelen.'

'We kunnen hem niet vinden. Enig idee waar hij is?'

'Nee.' Hij keek weer op. 'U zou het aan Brady kunnen vragen. Die is de baas.'

Dat was inderdaad het volgende punt op Deckers agenda.

Het hoofd van de bewakingsdienst nam op nadat de telefoon drie keer was overgegaan, maar de verbinding was erg slecht. 'Ik kan u bijna niet verstaan, inspecteur. Kunt u me niet sms'en?'

Decker had een hekel aan sms'en. Zijn duimen waren te groot voor de toetsen van mobieltjes. Hij was vlak bij de afrit naar de Coyote Ranch en stopte op de vluchtstrook. 'Waar bent u?'

Geruis.

'Ik versta u niet.'

'En nu? Hoort u me nu?'

'Ja, zo is het iets beter,' zei Decker. 'Blijf zo even staan. Waar bent u?'

'In Newport Beach. Mace en Grant... (geruis) ... gezegd... huis in de gaten moet houden, en niet alleen het huis maar henzelf ook.'

Decker vroeg zich af of hij het goed had verstaan. Had Grant nog steeds vertrouwen in Brady, ondanks het feit dat Gilliam en Guy op de ranch vermoord waren, waar Brady verantwoordelijk was voor de bewaking? Hij zei: 'Ik moet met u praten.'

'Ik kan hier niet weg... (geruis)... beloofd... (geruis)... te beschermen.'

'U valt steeds weg.'

'Klotetelefoon.'

'Dat heb ik toevallig wél verstaan.'

'Ik mag mijn post niet verlaten, inspecteur.'

'Dan kom ik wel naar Newport.'

'Ik zal het aan Mace en Grant vragen. Als die... (geruis)... vind ik het best. Wanneer... (geruis)... hier zijn?'

'Niet voor tweeën.'

'... (geruis)... vinden het goed. Kunnen we om drie uur afspreken?'

'Prima.'

Misschien zei Brady nog iets, maar Decker hoorde nu alleen nog maar geruis en toen werd het stil.

Nadat Rina alle fotoboeken had bekeken, sloeg ze de eerste pagina op die ze met een plakbriefje had gemarkeerd. 'Deze, Fredrico Ortez, zou de kleinste van die twee mannen kunnen zijn.'

'Weet je het niet zeker?' vroeg Decker.

'Ik twijfel tussen hem en deze.' Ze sloeg een andere pagina op. 'Alejandro Brand. Dat is deze met het litteken. Ze lijken erg op elkaar, in elk geval op deze foto's.'

Ze leken inderdaad op elkaar – kaalgeschoren hoofd, smal gezicht, smalle neus met wijde neusgaten, dikke lippen en diepliggende ogen. Wat de speciale kenmerken betrof: beiden hadden een tatoeage van een dier: Brand had een slang op zijn arm en Ortez een draak op zijn borst. Bovendien hadden ze een XII en B12 van de Bodega 12th Street-bende.

Rina zei: 'Ik dacht zelfs dat het misschien broers waren, maar hun achternamen verschillen.'

'Maar je zei dat een van de mannen een tatoeage van een slang had.'

'Ja, dat klopt. Dan zou je misschien navraag moeten doen naar Brand.'

'En de andere man? Hoe zit het daarmee?'

'Dat is misschien deze...' Rina liet hem een foto zien. 'Of deze, of deze. Van hem ben ik minder zeker.' Ze deed de boeken dicht. 'Eerlijk gezegd lijken ze onderhand allemaal op elkaar. In het begin had ik nog een redelijk duidelijk beeld van hen, maar nu niet meer. Ik heb ook maar vluchtig naar hen gekeken. Sorry.' Ze haalde haar schouders op.

Decker was er eigenlijk wel blij om. 'Dit is goed genoeg. Ik zal de namen noteren en zien of we een reden kunnen vinden om ze op te pakken. En zo niet, dan hoef je dergelijke kerels maar een uurtje te schaduwen om ze op een of andere overtreding te betrappen.'

'Ik had ze waarschijnlijk wel kunnen herkennen als ik langer naar hen had gekeken, maar die Harriman drong er zo op aan dat ik dat niet moest doen.'

'En dat was heel verstandig van hem.'

'Ik weet niet of ik ze zou kunnen aanwijzen in een verdachtenrij.'

'Dat hoeft ook helemaal niet. Als ik ze om welke reden ook kan oppakken, neem ik de ondervraging op de band op en stuur ik die, samen met soortgelijke bandjes, naar Harriman. Hij zei dat hij de stemmen zou herkennen. Dat mag hij dan bewijzen.' Decker stond op. 'Ik moet naar Newport Beach en dat is een lange rit. Wil je me soms gezelschap houden?'

'Wat is er in Newport? O ja, het huis van de Kaffeys. Ja, goed. Ik kan daar dan mooi bij wat kunstgalerieën langsgaan. Wie weet hebben ze er botanische schilderijen voor onze verzameling.'

Decker keek verbaasd. 'Tweederde van onze verzameling staat in de kast. En voor die schilderijen hebben we niets betaald. Waarom wil je er nog meer en waarom wil je daar geld voor neertellen?'

'Ik tel nergens geld voor neer, Peter. Ik vergaar. Ik praat over de schilderijen die ik heb en de eigenaar van de galerie praat over wat hij heeft. Soms ruil ik iets. Dat is het leuke ervan.'

'Ik zou het leuk vinden als we de hele verzameling zouden verkopen en het geld op de bank zetten.'

'Dat kan ook.'

'Maar dat wil jij niet. En daarom ben ik een cultuurbarbaar en jij een kenner.'

'Jij hecht geen sentimentele waarde aan de schilderijen, zoals ik. Als ik naar de schilderijen kijk, denk ik aan Cecily Eden en hoe gezellig het was als we samen over de planten en de tuinen babbelden, ook al begrijp ik nog steeds niet waarom ze haar schilderijen aan mij heeft nagelaten en niet aan haar erfgenamen.'

'Ze wist dat jij ze naar waarde wist te schatten.' Hij gaf haar een vluchtige zoen. 'Laten we gaan. Als ik tijd heb, ga ik met je mee naar een paar van die galerieën. Ik wil wel eens zien hoe zo'n handelaar kijkt als jij hem lekker maakt met een Martin Heade.'

De rit van tachtig kilometer verliep heel prettig dankzij de conversatie en de strakblauwe lucht die zijn weerschijn vond in het glinsterende water. De glooiende, met veldbloemen bezaaide heuvels in het oosten en de zandstranden die de grens van het continent vormden in het westen, maakten van Newport een van de mooiste plekken op de hele wereld. En vanwege de exquise schoonheid van het landschap waren de prijzen er al even exquise. Wie hier moest vragen wat een huis kostte, kon kopen bij voorbaat vergeten.

Er was veel verkeer en het wemelde er van de toeristen. De teruggang in de economie leek geen invloed te hebben op het leven in de jachthaven, die vol lag met zeilboten, speedboten, catamarans en motorjachten in alle soorten en maten. Ook aan galerieën, boetiekjes en cafés was geen gebrek. Decker zette Rina af bij een galerie en bekeek de plattegrond van de stad om te zien waar hij moest zijn.

De Kaffeys hadden hun huis de naam Windgong gegeven en het stond verborgen achter een gietijzeren hek met een wachthuisje en een drie meter hoge haag die een heel stratenblok in beslag nam. Na een kort gesprek met een van de bewakers mocht Decker doorrijden over de bochtige oprit die was omzoomd door een woud van pijnbomen, sparren, platanen, olmen en eucalyptussen. Hij zou misschien hier en daar gestopt zijn om met open mond om zich heen te kijken, als er niet steeds bewakers waren geweest die gebaarden dat hij moest doorrijden. Uiteindelijk bereikte hij een met grind bedekt parkeerterrein en kwam het huis eindelijk in zicht.

Decker was als kind met zijn ouders naar het Biltmore in North Carolina geweest. Hij wist dat dit huis onmogelijk net zo groot kon zijn, maar het leek niet veel te schelen. Guy Kaffey had voor de Franse regencystijl van Biltmore gekozen. Net als het huis dat ervoor model had gestaan, was het opgetrokken uit kalksteen en had het een groot aantal puntdaken met dakpannen van blauwe leisteen en een overdaad aan puntgevels en schoorstenen. Hij had nog meer details in zich kunnen opnemen als hij niet was tegengehouden door alweer een bewaker, een forse, norse man die was bewapend met een pistool. Hij bekeek Deckers identiteitskaart, sprak in een walkietalkie en besloot toen dat de inspecteur van het LAPD naar binnen mocht. 'Laat uw auto hier staan. We brengen u in een golfkar naar het huis. En u moet uw wapen afgeven.'

Decker glimlachte. 'Ik vind het niet erg om mijn auto hier te laten staan en ik wil ook best in een golfkar naar het huis gebracht worden, maar mijn wapen geef ik niet af.'

Daarop volgde nog een gesprek via de walkietalkie. Toen vroeg de bewaker: 'Wat voor wapen hebt u?'

'Een 9mm Beretta. Hebt u meneer Brady aan de lijn?'

De bewaker negeerde hem, maar Decker kreeg toestemming zijn pistool te houden. Even later zat Decker in een golfkar die langs het huis reed en een bestraat pad volgde tussen bloementuinen, varenbedden, boomgaarden, opgebonden druivenranken en een moestuin vol tomaten, sperziebonen, basilicum, pompoenen en courgettes met de afmetingen van honkbalknuppels. De golfkar stopte bij een pergola die een dak had in de stijl van het huis. Decker stapte uit. De pergola stond aan de rand van een zwembad dat rechtstreeks leek uit te monden in de blauwe oceaan.

Gekleed in een blauwe blazer met koperen knopen, een witte linnen broek en bootschoenen met rubberzolen, tuurde Neptune Brady door een telescoop naar de oceaan. Met malende kaken kauwde hij op een stuk kauwgum terwijl hij de kijker langzaam over het wateroppervlak liet gaan. Decker bekeek de omgeving alvorens iets te zeggen. Het huis was gebouwd op een klif, ongeveer dertig meter boven het water. Op de voorgrond voeren tientallen boten en aan de horizon waren vrachtschepen te zien. De branding rolde zachtjes over het strand, wit schuim achterlatend. Vanaf deze hoogte klonk het als de fluistering van de wind.

Met een kort gebaar stuurde Brady de mannen weg en toen waren alleen zij tweeën nog over. Hij zei: 'Ik heb deze kijker laten installeren toen ze hier kwamen wonen.' Hij tuurde nog steeds door de lens. 'Kaffey weigerde op het klif een hek te laten plaatsen. Hij zei dat een hek het uitzicht zou bederven.'

'Daar zit iets in,' zei Decker.

'Ja, maar dat maakt het voor indringers wel erg makkelijk om op het terrein te komen.' Brady nam zijn oog weg van de lens en keek Decker aan. 'Al is ze dat op de Coyote Ranch ook gelukt.'

In het ongenadige zonlicht zag Brady er een stuk ouder uit dan een paar dagen geleden: meer rimpels en meer grijze haren. Zijn pupillen waren klein en zijn ogen leken bijna kleurloos. 'Ik weet niet hoeveel tijd ik voor u beschikbaar heb. Het kan zijn dat ik opeens weg moet.'

'Waar zijn Grant en Mace?'

'In het ziekenhuis. Het gaat iets beter met Gil.'

'Dat is fijn.'

'Ik ben zo blij dat hij het heeft overleefd.' Een diepe zucht. 'Ik geloof dat het nu pas tot me begint door te dringen. De omvang van wat er is gebeurd.' Hij wachtte even. 'Dit betekent het einde voor mij.'

'Hoe bedoelt u?'

'Het was mijn taak Guy en Gilliam te beschermen en daarin heb ik gefaald.'

'Maar de familie heeft u niet ontslagen,' zei Decker.

Hij bewoog zijn hoofd op en neer terwijl hij naar Decker staarde. 'Ze hadden weinig keus.'

'Ze hadden u meteen kunnen ontslaan, maar dat hebben ze niet gedaan.' *En dat vind ik erg interessant.*

'Ik geloof dat ze te zeer van streek waren om veranderingen aan te brengen. Zodra Gil hersteld is, word ik de laan uit gestuurd.'

'Wat is er volgens u misgegaan?'

'Dat kan van alles zijn. Nu u Denny hebt gevonden... Iedereen denkt dat Rondo Martin het heeft gedaan, maar ik vind dat moeilijk te geloven... Ik blijf erbij dat het buitenstaanders zijn geweest die informatie hadden gekregen van insiders.'

Denkend aan Joe Pine vroeg Decker: 'Enig idee van wie?'

Brady ging op een bank zitten en staarde naar de oceaan. 'Zowel hier als op de Coyote Ranch werkten veel dienstmeisjes en tuinmannen. Er kwam elke dag alleen al zo'n man of tien om de tuin te onderhouden. Wie weet wat er achter mijn rug om allemaal werd bekokstoofd?'

'Werkten dezelfde mensen op beide locaties?'

'Grotendeels, maar er was veel verloop. Als Guy een kwaaie bui had, ontsloeg hij er soms een heel stel en kregen we weer een nieuwe ploeg.'

'Werd iedereen die voor de Kaffeys kwam werken, door u gekeurd?'

'Ik controleerde hun achtergrond als Guy daar om vroeg, maar ik had niets te maken met het huishoudelijk personeel.'

'Wie ging daar dan over?'

'Dat weet ik niet.'

'Werd u nooit om uw mening gevraagd?'

Brady begon in een steeds sneller tempo te kauwen. 'U hebt dit niet van mij, maar ik weet zeker dat sommigen van de mensen die voor hen werkten geen *green card* hadden. Guy was een vrek, zoals ik al zei. Als hij iemand nodig had die alleen maar onkruid uit de grond moest trekken, nam hij de goedkoopste werkkracht die hij kon vinden. Misschien weet Paco Albanez er meer van. Paco is trouwens geen illegaal, dat heb ik gecontroleerd.'

'Wie heeft Paco in dienst genomen?'

'Guy.'

'En Riley Karns?'

'Gilliam. Ze heeft hem de zorg toevertrouwd voor alle dieren, zowel de honden als de paarden.'

'Waar had ze hem gevonden?'

'Ze heeft hem weggelokt bij een van de paardenclubs waar ze haar Morgans showde. Ik heb zijn achtergrond nagetrokken en niets bijzonders gevonden. Hij had een goede reputatie en is ooit een succesvolle jockey geweest.'

'Ik kom zo nog op hem terug,' zei Decker. 'U denkt dus dat de moorden het werk waren van het personeel?'

'Van iemand die er werkte. Niet van al het personeel. Er moeten een paar rotte appels tussen hebben gezeten.'

'Zou Rondo Martin zo'n rotte appel kunnen zijn?'

'Ik heb zijn achtergrond persoonlijk nagetrokken. Hij had acht jaar in Ponceville gewerkt. Ponceville ligt in een agrarische streek, waar niet veel misdaad is, maar toen Martin daar hulpsheriff was, was het toch al lage misdaadpeil nog verder gedaald. Niets aan hem was verdacht.'

'Hoe lang heeft hij voor u gewerkt?'

'Twee jaar.'

'Waarom was hij uit Ponceville weggegaan?'

'Ik geloof dat hij in een grotere stad wilde gaan wonen, maar daarin kan ik me vergissen. Het staat in zijn dossier, dat ik aan een van uw rechercheurs heb gegeven. Ik ben zijn naam kwijt, maar hij kleedt zich erg goed.'

Men zegt dat kleren de man maken en in dit geval was dat volkomen waar. 'Dat was dan Scott Oliver. Hoe goed kende u Rondo Martin?'

'Hij was altijd op tijd, werkte goed en veroorzaakte geen problemen.'

'Sprak hij Spaans?'

Over die vraag moest hij even nadenken. 'Sommige bewakers waren tweetalig, maar van Martin weet ik het niet.' Hij probeerde Deckers blik te peilen. 'Ik weet waar het op lijkt, maar u koesterde verdenkingen tegen Denny Orlando en nu blijkt die dood te zijn.'

'Denkt u dat Martin ook dood is?'

'Ik heb geen idee.'

'En Joe Pine? Sprak hij Spaans?'

'Ja, vloeiend. Waarom vraagt u dat?'

'Hij wordt vermist.'

De daarop volgende stilte duurde iets te lang. 'Vermist?' Toen Decker knikte, schudde Brady zijn hoofd. 'Hij was een van Guy's gerehabiliteerde bendeleden en had dus een strafblad. Ik heb hem nooit gemogen, maar Guy was de baas.'

Brady's pda ging.

'Een ogenblikje alstublieft.' Hij sprak op gedempte toon en zei toen: 'Ja, dat is goed.' Hij draaide zich weer naar Decker. 'Grant en Mace zijn terug en willen u graag spreken.'

'Dat kan. Riley Karns heeft me verteld dat hij samen met nog wat mensen de graven voor de paarden had gegraven. Hij zei dat Joe Pine, die toen dienst had, had aangewezen waar dat graf moest komen.'

'Dat zou best kunnen. Moment.' Brady sprak weer in de telefoon. 'Ik heb de kar nodig.' Hij stak het telefoontje in zijn zak. 'Ik bemoeide me nooit met de paarden, maar toen er eentje ziek was geworden, ik geloof dat het Netherworld was, zei Guy dat hij geen geld wilde uitgeven aan een crematie. Hij zei dat ik ergens ver van het huis een plek moest zoeken waar het dier begraven kon worden. Ik geloof dat ik inderdaad Pine heb verzocht een geschikte plek te vinden. En dat ik heb gezegd dat hij Riley of Paco moest meenemen als hij hulp nodig had.'

'U hebt de plek dus niet zelf gekozen?'

'Nee, maar ik wist ongeveer waar de paarden begraven waren.' Hij transpireerde en veegde zijn gezicht af met een zakdoek. 'Mag ik u eraan herinneren dat ik hier achthonderd kilometer vandaan was toen de moorden zijn gepleegd?'

Dat zegt niets. Decker zei: 'Ik wil een lijst van alle mensen die van het bestaan van het graf op de hoogte waren. Tot nu toe staan Karns, Paco Albanez, Joe Pine en u op die lijst. Wie nog meer?'

'Dat weet ik niet. Het is alweer een jaar geleden.'

'U bent het hoofd van de bewakingsdienst,' zei Decker effen. 'U dient die dingen te weten.'

Brady haalde diep adem. 'U hebt gelijk. Ik zal het uitzoeken.'

'Wat weet u verder over Joe Pine?'

'Niet veel. Als ik van Guy iemand in dienst moest nemen, dan deed ik dat. Ik geloof dat hij uit Mexico kwam. Hij woont in Pacoima.' Brady zag de golfkar aankomen. 'We kunnen straks nog wel praten. Laten we eerst naar de bazen gaan. Misschien kunnen zij u verder helpen.'

'Over de bazen gesproken, ik heb gehoord dat het niet goed gaat met Greenridge.'

Brady keek naar de bestuurder van de golfkar, die heel nadrukkelijk deed alsof hij niets hoorde. 'Daar weet ik niets van. En als ik u was zou ik oppassen met dergelijke insinuaties. Aangezien u niet weet wie u tegenover u hebt, zouden sommige mensen het verkeerd kunnen interpreteren.'

'Dat klinkt als een dreigement, al weet ik zeker dat het niet zo is bedoeld.'

'Het zijn waarschuwende woorden. Guy en Gilliam werden door een heel legertje mensen bewaakt, en zie wat er van hen geworden is. Laten we gaan.'

Brady ging naast de bestuurder zitten en Decker achterin. Met een schokje kwam de kar in beweging. Neptune had in zoverre gelijk dat het onderzoeken van misdaden gevaarlijk werk was. Dat was Deckers baan: deuren openen terwijl hij niet wist wie of wat hij zou aantreffen. Meestal was dat niets bijzonders, maar je hoefde je maar één keer te vergissen en er werd een vuurwapen op je gericht.

16

De golfkar stopte bij de dienstingang van Windgong. Decker liep door een aantal gangen achter Brady aan tot het hoofd van de bewakingsdienst een dubbele deur opende. Mace en Grant zaten op hem te wachten in een glazen serre waarvan de schuifdeuren open stonden om de frisse, zilte lucht en het hypnotiserende geruis van de branding binnen te laten. Er stond een aantal banken, fauteuils en lage tafels met orchideeën, wit met paarse phalaenopsis en gele cymbidium, roze bromelia's en een keur aan Kaapse viooltjes. Een deel van de rolgordijnen was neergelaten tegen het felle zonlicht.

De mannen dronken iets met ijsblokjes. Grant droeg een wit poloshirt, een spijkerbroek en sandalen. Zijn lichtbruine haar was blonder geworden en zijn huid had na een paar dagen in de Californische zon een kleurtje gekregen. Mace was nog bruiner geworden dan hij voorheen al was geweest. Stoppels bedekten zijn kaken en op zijn bovenlip was het haar voldoende uitgegroeid om een snor genoemd te kunnen worden. Hij droeg een blauw overhemd waarvan hij de mouwen had omgeslagen, waardoor zijn gespierde onderarmen te zien waren.

Grant hief zijn glas op in Deckers richting. 'Limonade. Kan ik u een glaasje aanbieden, of bent u meer een bierdrinker?'

Bier vonden ze blijkbaar niet verfijnd. 'Limonade klinkt goed.'

'Jij, Neptune?'

'Nee, dank u, meneer Kaffey.'

'Een scheutje wodka erin?' vroeg Grant aan Decker.

'Niet als ik aan het werk ben.'

'Op zondag aan het werk? Wat een toewijding.' Grant belde een huishoudster en zei dat ze nog een glas limonade moest brengen. 'Ik hoop dat het echt waar is en niet voor de show. Ik weet dat u onder druk staat.'

Decker hapte niet in het aas. 'Ik heb gehoord dat je broer vooruitgaat.'

'Ja, de dokter heeft gezegd dat hij over een week uit het ziekenhuis wordt ontslagen. Dat is dus erg goed nieuws. Al gaat u hem dan natuurlijk lastigvallen met uw vragen.'

'Je kunt niet toegewijd zijn zonder mensen lastig te vallen met vragen.'

'Doe het kalm aan. Hij verkeert nog in een shock. Misschien niet lichamelijk, maar u begrijpt wel wat ik bedoel.'

'Natuurlijk. Waar gaat hij naartoe als hij uit het ziekenhuis komt?'

'Naar zijn eigen huis. Zijn voormalige vriend trekt weer een poosje bij hem in, en hij krijgt fulltime verpleging.'

'Met die voormalige vriend bedoelt u Antoine Resseur?'

'Ja. Dat is een beste vent.' Grant keek naar de zee. 'Dokter Rain verwacht dat Gil volledig zal herstellen. Hij moet het alleen kalm aan doen tot zijn lever is genezen. En hij mag geen druppel alcohol. Wat op zich jammer is.'

Decker pakte zijn notitieboekje. 'Drinkt Gil veel?'

'Nee, hij is een gezelschapsdrinker, net als ik. En nu we het er toch over hebben...' Grant liep naar een kastje en deed een scheutje Bombay Sapphire in zijn limonade. 'Je leeft maar eens.'

Een dienstmeisje kwam binnen met een glas limonade voor Decker. Hij bedankte haar en zei tegen Grant: 'Volgens mijn aantekeningen woont Gil in Hollywood Hills.'

'Oriole Way. Ik weet het nummer niet, maar het is een splitlevelwoning, gebouwd in het midden van de vorige eeuw, maar dat zegt niet veel, omdat de meeste huizen daar in die periode zijn gebouwd.'

'Ik zoek het wel op.'

Grants ogen werden vochtig. 'Ik ben gebeld door de patholoog-anatoom. Hij zei dat het nog een paar dagen zal duren voordat...'

'Ja, die dingen vergen tijd,' zei Decker. 'Het spijt me.'

'Maar het leven gaat door. We houden morgen een bescheiden rouwdienst en daarna gaat Mace terug naar New York.'

'Als u me nodig hebt, kunt u mijn secretaresse bellen,' zei Mace. 'Ik reis door naar de Hudson Valley, maar ben uiteraard telefonisch te bereiken. Ik zal het verschrikkelijk druk krijgen.' Hij trok zijn wenkbrauwen op. 'Ik moet er niet aan denken wat er allemaal op me wacht.'

'Problemen?' vroeg Decker.

'Wij noemen het geen problemen,' antwoordde Mace met een glimlach. 'Het zijn dingen waar iets aan gedaan moet worden. Hoe verdrietig ik ook ben, iemand moet de werkzaamheden aan de oostkust in goede banen leiden.'

Grant zei: 'We zijn overeengekomen dat Mace zich over Greenridge zal ontfermen terwijl mijn broer en ik hier de begrafenis regelen en overleggen hoe we van nu af aan de maatschappij gaan runnen. Ik neem de leiding voorlopig over, om iedereen gerust te stellen.'

'Kaffey Industries blijft voortbestaan,' zei Mace. 'Het is geen eenmansbedrijf.'

Grant knikte. 'Gelukkig is mijn vader zo verstandig geweest al een groot deel van het management aan zijn zonen over te dragen.' Hij keek naar Mace. 'Aan ons drieën.'

'Weet je bij benadering hoe lang je in Californië blijft?'

'Ik moet wachten tot Gil volledig hersteld is en dat kan nog wel even duren.' Grant liet de ijsblokjes in zijn glas ronddraaien. 'Daarom heb ik besloten mijn gezin hierheen te laten komen en op Windgong te gaan wonen tot alles weer op de rails is gezet. Daarom wilde ik u even spreken, inspecteur.' Hij keek Decker aan. 'Ik zou graag willen weten wanneer uw mensen klaar zijn op de Coyote Ranch.'

'Ik wou dat ik het wist. We moeten daar nog veel dingen onderzoeken, zeker nu we het lijk van Denny Orlando op het terrein hebben gevonden.' Toen Grant bedenkelijk keek, vroeg Decker: 'Is dat voor u een probleem? Dat mijn mensen daar nog een tijdje moeten werken?'

'Dat kan binnenkort een probleem worden. Het landgoed wordt namelijk getaxeerd. Ik weet niet wat er precies in het testament van mijn ouders staat, maar ik ga ervan uit dat Gil en ik de voornaamste erfgenamen zijn.'

'Weet u dat zeker?' vroeg Decker.

'Zo goed als. Helaas zullen we niet alleen hun fortuin erven, maar ook een enorm bedrag aan successierechten moeten betalen. Gil en ik willen geen van beiden de ranch houden. We gaan hem verkopen. Met de opbrengst van de verkoop kunnen we de successiebelasting betalen.'

'Ik zal mijn best doen, maar we moeten natuurlijk oppassen dat we niets over het hoofd zien dat van belang kan zijn voor het onderzoek. Dat bent u ongetwijfeld met me eens.'

'Hoe weet je of iets van belang is voor het onderzoek?'

'Daar gaat het nu juist om. Dat weet je nooit. Daarom doen we alles zo nauwkeurig.'

Stilte. Toen vroeg Grant: 'Hoeveel tijd denkt u nog nodig te hebben? Een week? Een maand? Een jaar?'

'Geen jaar,' antwoordde Decker. 'Waarschijnlijk een maand.'

'Zodra het landgoed wettelijk van ons is, zetten we het te koop. Ik heb al contact opgenomen met een makelaar.'

'Eigenlijk mag u niets met het landgoed doen tot wij het hebben vrijgegeven, maar ik zal proberen er vaart achter te zetten. We kunnen vast wel iets regelen, ook als wij daar nog moeten zijn.'

'Zolang u me niet voor de voeten loopt, vind ik het niet erg. Er zijn niet al te veel mensen die zich een dergelijk landgoed kunnen veroorloven, zeker niet in het huidige economische klimaat. Als we een koper vinden, willen we onze slag slaan. Ik heb dus liever niet dat potentiële kopers worden afgeschrikt.'

'De moorden zijn in het nieuws geweest. Potentiële kopers weten wat er op de Coyote Ranch is voorgevallen.'

'Toch hoef je niemand daar met zijn neus op te drukken.'

'We zullen ons best doen,' herhaalde Decker.

Het was alsof Grant hem niet had gehoord. 'Aan de andere kant kan de misdaad ook andere soorten kopers aantrekken. Er lopen allerlei rare figuren rond. U moest eens weten wat voor telefoontjes mijn secretaresses ontvangen. En de pers laat ons ook niet met rust. Ze bombarderen ons met vragen: over de moorden, over hoe het met Gil gaat, over wat we met het bedrijf gaan doen, zelfs wat er in het testament staat. Het is werkelijk niet te geloven!'

Decker haalde zijn schouders op. 'We leven in een tijd waarin iedereen alles onmiddellijk wil weten. Dat is te wijten aan de elektronische communicatie. Die creëert een gemeenschap van kleuters. Als ze niet meteen hun zin krijgen, gaan ze pruilen en dwarsliggen.'

'Dat ben ik met u eens,' zei Grant.

Hij besefte blijkbaar niet dat Deckers spitse commentaar ook hém onder de kleuters schaarde die gingen pruilen en dwarsliggen. En dat was waarschijnlijk maar goed ook.

Op de terugweg naar Los Angeles was Decker blij dat Rina in een praatgrage stemming was. Ze vertelde hem over de schilderijen die ze had gezien, welke ze misschien wilde ruilen en hoeveel ze dacht te kunnen krijgen voor de beste schilderijen uit hun collectie. Decker trok verrast zijn wenkbrauwen op. 'Daarmee zijn de studiekosten voor Hannahs eerste jaar alvast gedekt.'

'Ga niet de arme zielenpiet uithangen, inspecteur Decker. We zitten echt niet op zwart zaad. Hoe was het bij de Kaffeys?'

'Ik ben niet veel te weten gekomen, maar ik had ook niet veel verwacht.'

'Waarom ben je dan gegaan?'

'Om met jou een ritje te maken.'

'Wat lief.' Ze leunde opzij om hem een zoen te geven. 'Ik heb een leuke middag gehad. Jammer dat het voor jou minder goed is gegaan.'

'Dat geeft niet.' Hij dacht even na. 'Je gaat niet met dergelijke mensen praten om een bekentenis los te krijgen.'

Rina bekeek hem. 'Wat kijk je bedrukt.'

'Ik wil Mace Kaffey in zijn eentje ondervragen en hij gaat morgenavond terug naar New York, dus moet ik snel zijn. Ik had iets willen afspreken, maar dat kon ik niet doen waar Grant bij was.'

Decker vertelde haar over zijn gesprek met Milfred Connors en legde uit hoe het zat met de aantijgingen die tegen Mace waren gedaan. Hij vertelde haar over het rechtsgeding tussen de broers en hoe dat uiteindelijk in der minne was geschikt, ook al had Mace Kaffey daarbij binnen het bedrijf een grote stap terug moeten doen.

'Het is net een film met Mace in de rol van Robin Hood, die geld heeft gestolen van de rijken om aan de armen te geven,' zei Rina.

'Al heeft hij ook iets voor zichzelf achtergehouden.'

'Was dat waar de rechtszaak tussen de broers over ging?'

'Dat weet ik nog niet helemaal zeker. Het probleem is dat Connors zegt dat hij valse cheques heeft uitgeschreven voor ongeveer tweehonderdduizend dollar en dat Mace plusminus honderdtwintigduizend dollar heeft teruggegeven. Dan zou Mace tachtigduizend in zijn zak hebben gestoken. Dat is een hoop geld, maar nog altijd geen vijf miljoen.'

'Maar het gaat niet om tachtigduizend, Peter, het gaat om tweehonderdduizend.'

'Dat is zo, maar zelfs als Mace dezelfde truc heeft uitgehaald met alle accountants van de firma, is dat bij elkaar vier miljoen, niet vijf. En eerlijk gezegd betwijfel ik dat Mace zo'n stunt heeft uitgehaald met twintig accountants.'

'Hoe zit het dan volgens jou?'

'Ik denk dat Mace de waarheid sprak toen hij zei dat Guy zelf ook de winst afroomde. Toen de belastingdienst de boeken kwam controleren, was Guy net zo kwetsbaar als Mace.' Decker zweeg even. 'Ik vraag me af of dat proces soms een rookgordijn was.'

'Hoe bedoel je?'

'Het bedrijf was in feite van Guy. Stel dat hij de grootste afromer was en betrapt is en dat hij niet alleen een smak geld aan de belastingdienst moest betalen, maar ook een boete en misschien een gevangenisstraf opgelegd zou krijgen. Ik kan me heel goed voorstellen dat Guy iets aan Mace in het vooruitzicht heeft gesteld, als Mace bereid zou zijn de schuld van de verduistering op zich te nemen.'

'Maar dat heeft Mace niet gedaan. Je hebt me juist verteld dat ze in het rechtsgeding uiteindelijk tot een schikking waren gekomen en dat Mace een grote stap terug had moeten doen.'

'Waardoor Mace de schuldige leek te zijn.'

'Hij was ook schuldig,' zei Rina.

'Maar misschien niet zo schuldig als Guy. Denk er even over na. Mace wordt beschuldigd van verduistering, maar Guy houdt hem in de firma en stuurt hem naar New York, waar hij het beheer krijgt over Greenridge, een van de grootste projecten die Kaffey Industries tot dan toe had ondernomen. Is dat wel een stap terug?'

'Ik dacht dat Grant het beheer had over Greenridge.'

'Ze deden het samen, maar nu Guy dood is, blijft Grant voorlopig hier en krijgt Mace in zijn eentje het beheer over Greenridge.'

'Wil je hiermee zeggen dat Mace zijn broer en schoonzuster heeft vermoord en geprobeerd heeft zijn neef te vermoorden om in zijn eentje het beheer over Greenridge te krijgen?'

'Stel dat Guy het Greenridge Project had geschrapt. Wat had Mace dan nog over?'

'Maar als Mace de schuld voor de verduistering op zich had genomen om zijn broer te dekken, wist hij iets over Guy. Waarom zou Guy hem dan opzettelijk tegen zich in het harnas jagen?'

'Ik heb geen antwoorden, alleen vragen.' Rina moest lachen, en Decker lachte met haar mee. 'Een heleboel vragen en geen aanwijzingen, afgezien van wat Harriman heeft opgevangen. Ik zal onderzoek doen naar de mannen die je hebt aangewezen, maar al heeft een van hen deelgenomen aan de moordpartij, dan was hij daarvoor vast en zeker alleen maar ingehuurd.'

'Denk je dat Mace erachter zit?'

'Ik heb geen idee. Je neemt in dergelijke gevallen altijd de familie onder de loep om te zien wie er beter van wordt. Mace heeft Greenridge misschien gekregen omdat hij Guy had geholpen met zijn belastingproblemen, maar als de ouders sterven, zijn de zonen de erfgenamen. Grant heeft al gezegd dat hij de ranch wil verkopen om de successierechten te betalen. Wat mij betreft staan ze nog steeds boven aan de lijst van verdachten.'

'Maar Gil is zwaargewond geraakt. Hoe kun je hem verdenken?'

'Dat is waar. Hij is een deel van zijn lever kwijtgeraakt en dat is beslist niet prettig, maar hij heeft het overleefd, terwijl de anderen zijn afgeslacht. Zelfs als wat Harriman zei waar is en José's kogels op waren, lijkt het mij sterk dat er niemand anders was die Gil een kogel in zijn kop kon schieten. Stel dat Gil alles heeft geënsceneerd en de zogenaamde moordenaar per ongeluk een van zijn vitale organen heeft geraakt?'

'Dat heb ik in *Forensic Files* gezien. Hoe vaak komt zoiets voor?'

'Niet vaak, maar ik heb het wel meegemaakt. Je vroeg waarom ik naar hen toe ben gegaan, afgezien van deze gelegenheid om met jou een eindje te gaan rijden?' Hij dacht even na. 'Laat ik het zo zeggen. Je laat ze nooit met rust. Je valt ze niet lastig, maar je komt steeds bij ze terug. Een telefoontje, een onverwacht bezoek, een e-mail, nog een paar vragen. Als je dat maar lang genoeg volhoudt bij iemand die bij een zaak betrokken is, wordt de persoon in kwestie uiteindelijk nerveus. Dan gaat hij misschien iemand bellen. Dan krijgt hij misschien telefoontjes. Mensen reageren impulsief en er komen dingen aan het licht. Bij grote zaken als deze begin je bijna nooit bij de hoofdpersoon, zelfs niet als die de schuldige is.'

'Te veel beschermende laagjes.'

'Precies,' zei Decker. 'Je begint bij het gespuis dat het vuile werk heeft opgeknapt. Het is veel makkelijker om hen op te pakken, omdat ze vrijwel altijd betrokken zijn bij allerlei andere illegale dingen. Je pakt ze op voor drugsbezit en dan begin je over de moord. Op een gegeven moment geeft een van hen zich over en dan klim je stapje voor stapje naar de top. Áls de mensen aan de top erbij betrokken zijn. Het is ook mogelijk dat ze er niets mee te maken hebben.'

'Ik ga dit heus niet in de krant zetten,' zei Rina. 'Je hoeft je niet in te dekken.'

Decker lachte. 'Macht der gewoonte.' Ze reden een poosje in stilte.

'Weet je, ik zei daarnet dat de zonen waarschijnlijk alles zullen erven, maar dat staat nog helemaal niet vast. Het testament is nog niet geopend.'

'De zonen weten dus helemaal niet wat ze hebben.'

'Nee. Al lijkt Grant er zeker van te zijn dat Gil en hij vrijwel alles krijgen. Misschien heeft Guy ooit met zijn zonen gepraat en gezegd dat ze alles zouden erven. Of misschien gaat Grant daar gewoon van uit. Dat zei hij in elk geval. Dat hij ervan uitgaat dat zijn ouders alles aan hem en zijn broer hebben nagelaten.'

'En als straks mocht blijken dat Grant het mis heeft wat het testament betreft?'

'Dan zal hij bitter teleurgesteld zijn.'

'Dat kan interessant worden.'

'En interessant is goed voor ons. Er gebeurt meestal van alles als een onderzoek interessant wordt.'

17

Decker had twee zakjes met door Hannah gebakken koekjes meegebracht. Oliver voegde een stuk of twintig donuts aan de suikerkick toe. Messing en Brubeck hadden allebei een zak met bagels en smeerkaas bij zich en Wynona Pratt zette een schaal met fruit op de tafel. Lee Wangs bijdrage bestond uit sinaasappelsap en plastic bekertjes, terwijl Marge en Wanda de zorg op zich hadden genomen voor bordjes, bestek en koffie. Toen alles op de tafel was uitgestald, zag het eruit als een ontbijt voor een survivalweekend.

Het idee voor de versnaperingen was van Marge, Wynona en Wanda, die de taken hadden verdeeld en de mannen hadden gebeld, omdat ze wisten dat die nooit op het idee zouden komen zoiets gezelligs te organiseren. De mannen zouden hun deelname beperken tot eten. De vrouwen hadden echter voet bij stuk gehouden.

'Kameraadschap,' zei Marge tegen Oliver toen ze het lekkers uitstalden op de met een wegwerptafelkleed gedekte tafel.

'Ik moest tien straten omrijden voor die donuts.'

'Hier om de hoek is anders een donutshop. Kijk de volgende keer eerst even op internet.'

'Mijn computer loopt aldoor vast.'

'Daarvoor moet je bij Lee zijn, niet bij mij.'

Wang was obsessief bezig messen, vorken en lepels uit te stallen. Elke keer dat er eentje een millimeter scheef kwam te liggen, begon hij opnieuw.

'Lee, waarom zou mijn computer aldoor vastlopen?' vroeg Oliver.

'Misschien omdat het een oud barrel is, of een goedkoop kreng, of allebei.'

Wynona zei: 'Wat jij met dat bestek creëert, is adembenemend, Lee, maar neemt te veel ruimte in beslag.' Ze schoof de lepeltjes bij elkaar, zette ze in een beker, en deed hetzelfde met de vorken en messen.

Wang keek verontwaardigd. 'Zijn er nog meer dingen die niet aan je eisen voldoen?'

'Nee. En je hoeft niet zo boos te kijken. Nu heb je tenminste ruimte om origamidingetjes van de servetjes te vouwen.'

'Om te beginnen is origami een Japanse kunst en komt mijn familie uit Hongkong. En ten tweede is obsessief gedrag een plus in ons werk.'

'Het was niet beledigend bedoeld. Ik probeer alleen maar voor al deze spullen een plekje te vinden op deze te kleine tafel.'

Brubeck schudde de bagels op een plastic schaal. 'Het had er makkelijk op gepast als we niet zo veel hadden gekocht. Dit is genoeg voor de hele afdeling.'

'Dat is ook de bedoeling,' antwoordde Wynona. 'Dat iedereen iets krijgt.'

'We moeten niet elitair overkomen,' voegde Wanda eraan toe.

Marge kwam aanlopen met een grote pot koffie en riep tot ieders verrukking: 'Dames en heren, het ontbijt is geserveerd!'

Dertig rechercheurs verdrongen zich rond de tafel en begonnen de plastic bordjes zo vol te laden dat die algauw gevaarlijk doorbogen. Om half negen kwam Decker zijn kantoor uit met een kop koffie in zijn hand. Hij zei: 'Kaffey-team. Over tien minuten in verhoorkamer drie.' Hij ving Marge' blik op en wenkte haar. Ze droeg vanochtend een blauwe twinset op een donkerblauwe broek. 'Hoe gaat het, rabbi?' vroeg ze.

'Ik moet iets met je bespreken. Iets persoonlijks. Heb je even?'

'Ja, natuurlijk.' Nadat Decker de deur van zijn kantoor had dichtgedaan, vroeg ze: 'Is alles in orde?'

'Ja, hoor.' Hij glimlachte als bewijs. 'Het gaat over Brett Harriman, de blinde man die twee mannen had horen praten over de moord op de Kaffeys, weet je nog wel?'

'Dat was drie dagen geleden, Pete. Ik ben nog niet seniel. Wat is er met hem?'

'Nadat ik vrijdag met hem had gesproken, heeft hij me 's avonds laat opgebeld om me te vertellen dat hem nog iets te binnen was geschoten.' Decker tuitte zijn lippen. 'Hij zei dat hij zich had herinnerd dat hij aan een vrouw die naast hem stond had gevraagd om die mannen te beschrijven.'

'O ja?'

'En dat is nog niet alles. De vrouw weigerde dat te doen als hij haar niet eerst vertelde waarom hij dat wilde. Uiteindelijk voelde hij zich zo opgelaten dat hij zei dat het niet meer hoefde. Ik heb aan Harriman gevraagd hoe die vrouw heette, maar hij zei dat hij dat niet wist.'

'Dus hij heeft geen idee met wie hij heeft gesproken?'

'Niet precies. Hij herkende de stem van de vrouw van een voir dire van een van de rechtszaken waar hij voor tolkt.'

'Heeft hij gezegd welke zaak?'

'Nee, maar dat was ook niet nodig.' Decker dronk zijn kopje leeg. 'Bij een voir dire vraagt men de kandidaat-juryleden altijd of een lid van hun familie bij de politie of voor justitie werkt. Harriman herinnerde zich dat deze vrouw had geantwoord dat haar man politie-inspecteur was.'

Marge zette grote ogen op. 'Had Rina vorige week niet jurydienst?'

Decker knikte.

Marge keek naar het plafond. 'Heb je het er met haar over gehad?'

'Ja. Ik heb geprobeerd haar ervan te overtuigen dat ze niets voor me kan doen, maar ze wilde per se naar het bureau komen om fotoboeken te bekijken. Aangezien ze zich herinnerde dat de mannen in kwestie tatoeages hadden van XII of BXII, heb ik haar boeken gegeven over de Bodega 12th Street-bende.'

'Lieve hemel. Dat is niet best.' Marge keek bezorgd. 'Dat komt precies overeen met wat Gil heeft gezien.'

'Ja.' Decker trok een zuur gezicht. 'Ze heeft er een paar aangewezen. Misschien kunnen jij en Oliver, als je even tijd hebt, proberen die kerels op te sporen. Misschien kunnen we ze in hechtenis nemen voor een of andere overtreding. Dan kan ik Harriman hierheen halen om te zien of hij hun stemmen herkent.'

Marge wreef in haar handen. 'Is stemherkenning voldoende om iemand te arresteren?'

'Dat weet ik niet, maar we kunnen hen in elk geval aan de tand voelen over de moorden. Als je hen kunt oppakken voor drugsbezit of zoiets, kunnen we daarmee druk op hen uitoefenen om uit te zoeken wat ze weten over de moord op de Kaffeys.'

'Maar weten we zeker dat Harriman louter afgaande op stemgeluid de juiste persoon kan aanwijzen?'

'Nee, en daarom ga ik hem confronteren met een paar proefpersonen. Harriman zei dat hij aan de accenten had kunnen horen dat een van de mannen uit Mexico kwam en de andere uit El Salvador. Ik zal de stemmen van een paar agenten uit Mexico en El Salvador op band opnemen. Als Harriman die eruit pikt, weten we dat hij bruikbaar is als stemherkenningsgetuige. En als jullie dan een van die kerels die Rina heeft aangewezen, of misschien zelfs allebei, arresteren, hebben we al een kant-en-klare proefgroep.'

'Ik zal het met Oliver overleggen.'

'We moeten ook nog steeds Joe Pine zien op te sporen. Hij woont in Pacoima.'

'Dat weet ik, maar we kunnen hem niet vinden.'

'Hij komt oorspronkelijk uit Mexico, dus is hij misschien daar. Hij wordt schijnbaar ook José Pinon genoemd. Blijf zoeken, ook al moet je ervoor overwerken. Het spijt me, maar deze zaak is te belangrijk om in normale kantooruren te doen.'

'Dat is helemaal niet erg. Vega is het huis uit en Oliver heeft niet meer zo veel succes bij de vrouwtjes als vroeger. We hebben allebei redelijk wat vrije tijd. Je weet net hoe het is. Soms is een nacht surveillance beter dan een avond in je eentje thuis voor de buis.'

Het team zag er wakker uit, nu iedereen was gevoed en zich had volgetankt met cafeïne. Decker gaf hen om te beginnen een samenvatting van het gesprek dat hij en Willy Brubeck hadden gevoerd met Milfred Connors. 'Voordat we ingaan op het rechtsgeding tussen de broers, wil ik graag weten hoe het zit met de financiën. Lee, als jij zou willen beginnen?'

Wang bladerde in zijn aantekeningen. 'Kaffey Industries heeft momenteel een boekwaarde van zeshonderd miljoen dollar. Tijdens de hausse in onroerend goed was de firma 1,1 miljard waard. Vijf jaar geleden heeft de familie de uitstaande aandelen teruggekocht om het bedrijf te laten verwijderen van de aandelenbeurs van New York.'

'Dat was in dezelfde tijd als het rechtsgeding,' merkte Brubeck op.

'Wat ook wel logisch is,' zei Wang. 'Uit wat ik heb gelezen, heb ik begrepen dat Guy niet wilde dat men in zijn boeken gingen neuzen. In interviews voor tijdschriften heeft hij gezegd dat "we het nu op onze eigen manier gaan doen en dat het ons niks kan schelen wat andere mensen daarvan denken".'

'Hoeveel aandelen had elk van de familieleden?' vroeg Marge.

'Guy had tachtig procent, de zonen ieder negen en een half procent en Mace één procent.'

'Guy had dus het alleenbeheer,' zei Oliver.

'De firma was zijn troetelkind en hij had de touwtjes in handen.' Drew Messing schraapte zijn keel. Zijn haar was warrig geknipt en zijn pak was een tikje verkreukeld, wat hem het beoogde uiterlijk gaf van de knappe, onderbetaalde rechercheurs uit politieseries. 'Volgens de artikelen die ík heb gelezen, was Guy een onstuimige figuur, berucht om zijn uitbarstingen. Als hij vond dat iemand hem met onvoldoende respect behandelde, sprong hij uit zijn vel. Ik heb op internet een artikel gevonden, waarin staat dat Guy een keer zo kwaad werd op een jongen die zijn auto moest parkeren dat hij hem te lijf is gegaan. Dat resulteerde in een officiële aanklacht, maar uiteindelijk is dat in der minne geschikt.'

'Heb je kopieën van dat artikel?'

'Die maak ik wel.'

'Is hij binnen het bedrijf ook met mensen op de vuist gegaan?'

'Ik heb niets over vuistgevechten gevonden, maar hij schreeuwde wel veel,' vertelde Messing. 'Aan de andere kant was hij erg populair bij liefdadigheidsorganisaties. Hij schonk miljoenen aan allerlei goede doelen.'

'Inclusief de rehabilitatie van bendeleden,' merkte Decker op. 'Wat dat betreft had hij een eigenaardige smaak.'

'Ligt het aan mij,' vroeg Wynona, 'of vinden jullie het ook vreemd dat Mace nog steeds één procent van de aandelen bezit? Je zou verwachten dat hij níéts meer had, als Guy echt dacht dat hij geld van de firma had verduisterd.'

'Daar ben ik het mee eens,' zei Decker. 'Ik weet zeker dat Mace de zaak oplichtte, maar ik wil wedden dat Guy ook niet brandschoon was.'

Wang bladerde in zijn aantekeningen. 'Toen de firma beursgenoteerd werd, had Guy 56 procent van de aandelen en was twintig procent in gelijke delen verdeeld tussen zijn zonen en Mace. De rest werd verkocht als gewone aandelen. Toen kwam de rechtszaak. Guy betichtte Mace van verduistering. Mace zei dat Guy slechte investeringen had gedaan en probeerde zijn flaters te verdoezelen door hem er de schuld van te geven dat het slecht ging met de firma.'

Lee pauzeerde even.

'Ik heb nergens gevonden dat Mace heeft gezegd dat Guy met geld knoeide, maar het ziet er inderdaad naar uit dat ze allebei iets te verbergen hadden, gezien het feit dat ze tot een schikking zijn gekomen en dat Mace nog steeds in het bedrijf zit.'

'Maar Mace heeft een stap terug moeten doen,' merkte Brubeck op.

'Dat is waar,' zei Wang. 'Mace heeft zich teruggetrokken uit de raad van bestuur en erin toegestemd Guy 5,33 procent van zijn aandelen te geven als Guy het rechtsgeding zou opgeven. Mace behield echter zijn salaris en kreeg de titel van commercieel directeur. Bovendien mocht hij bij alle bestuursvergaderingen aanwezig zijn, ook al was hij geen lid meer van de raad van bestuur.'

Decker zei: 'Mace heeft veel moeten inleveren, maar niet alles. Misschien had Connors gelijk. Misschien was Guy ook bezig geld te verduisteren.'

'Verkeert het bedrijf financieel in moeilijkheden?' vroeg Oliver.

'De firma is niet langer beursgenoteerd, dus is er niet veel informatie beschikbaar,' zei Wang. 'Ze hebben in elk geval te veel vastgoed. In de huidige baisse is dat niet gunstig. Ik heb ook gelezen dat hun cashflow erg gering is vanwege het Greenridge Project. Mace en Grant hoopten een financiële injectie te krijgen door obligaties uit te geven – een saneringsplan. Het probleem is alleen dat voor een redelijke kredietwaardigheid die obligaties ondersteund moeten worden door iets tastbaars. Nu de prijzen van grond en vastgoed zo sterk aan het dalen zijn, doen er geruchten de ronde dat de activa van het bedrijf niet toereikend zijn om de schulden te dragen. Dus moeten ze ofwel het rentetarief verhogen of van het hele plan afzien.'

'Wil dat zeggen dat het Greenridge Project op losse schroeven komt te staan?' vroeg Brubeck.

'Sommige mensen zeggen dat ze Greenridge maar het beste kunnen bouwen en anderen zeggen dat ze hun verlies moeten incasseren en de grond verkopen. Ze hebben al heel wat concessies moeten doen om hun tegenstanders over te halen. Daarvoor hebben ze elke keer al winst moeten prijsgeven.'

'Hoe staat de firma er momenteel voor?' vroeg Decker.

'Dat is moeilijk te zeggen. Kaffey Industries doet het in bepaalde opzichten goed, maar Greenridge vreet een groot deel van de winst op. En niemand weet of het project uiteindelijk een succes of een flop zal worden.'

'Hoe zit het met Cyclone Inc.?' vroeg Marge. 'Mace heeft inspecteur

Decker en mij nadrukkelijk verteld dat de CEO van Cyclone Inc., Paul Pritchard, het op hem voorzien heeft.'

'Pritchard is maar een klein baasje vergeleken bij Kaffey,' antwoordde Wang. 'Zijn winkelcentrum, Percivil, is verouderd en gericht op een minder draagkrachtig publiek, met winkels als Bizmart, Dollars en Sense. Het staat op een afstand van ongeveer zeven kilometer van het terrein waar Greenridge moet komen. Ze zouden de invloed van Greenridge wel voelen, maar zitten niet in dezelfde klasse.'

'De rivaliteit zou dus een handig verzinsel van Mace kunnen zijn,' zei Decker.

'Misschien, maar dat weet ik niet zeker,' antwoordde Wang. 'Ik heb een artikel gevonden waarin staat dat Pritchard gezegd zou hebben dat ze met het Greenridge Project te hoog gegrepen hebben. Voor mij wil dat zeggen dat hij zich zorgen maakt. Ik weet er het fijne nog niet van, maar ik ben ermee bezig.'

'Nog even over dat rechtsgeding tussen de twee broers,' zei Brubeck. 'Kunnen we erachter komen wat er in de bescheiden van de rechtbank staat?'

'Niet officieel, maar er zijn vaak anonieme bronnen die informatie laten uitlekken,' antwoordde Wang. 'Als we iemand moeten hebben die een wrok tegen Guy koesterde, lijkt Mace me een goede kandidaat. Maar Mace werkt nog voor de firma. Er moet achter de schermen iets gebeurd zijn.'

'Ze waren allebei bezig winst af te romen,' zei Oliver.

'Mace gaf een deel van het geld tenminste terug aan de werknemers,' voegde Brubeck eraan toe. 'Als we Connors mogen geloven.'

'Connors droeg Mace in elk geval een warm hart toe,' zei Decker. 'Mace is tuk op geld, dat is duidelijk, maar ik denk dat hij het ook leuk vond om de sympathie van het personeel te hebben.'

'Ja, zei Connors niet dat hij naar Mace was gegaan omdat die toegankelijker was dan Guy?'

'Het kan ook zijn dat Mace het juiste moment afwachtte,' zei Oliver. 'Sommige mensen genieten ervan om een wrok te koesteren.'

'Ja, dat kan ook,' zei Messing.

'Hoe zit het met de zonen?' vroeg Wanda Bontemps. 'Heeft iemand iets gemerkt van rivaliteit tussen de zonen en de vader?'

'Geen openlijke rivaliteit,' antwoordde Wang.

‘Heb jij uit de artikelen die je hebt gelezen de indruk gekregen dat Mace het meeste te verliezen had als Guy het Greenridge Project schrapte?’ vroeg Marge.

‘Nee, dat zou ik niet zeggen. Grant heeft de leiding over het project. Als het wordt geschrapt, staat hij in zijn hemd.’

‘Wat kun je ons vertellen over de financiële situatie van Mace?’ vroeg Wynona.

Wang zei: ‘Hij heeft een huis in Connecticut, een optrekje in Manhattan en een groot jacht. En een vette bankrekening. Hij is naar schatting dertig miljoen dollar waard, maar dat was vóór de economische crisis. Hij zit er warmpjes bij, maar is geen miljardair.’

Decker zei: ‘En daarmee komen we op een heel belangrijk punt. We hebben ons tot nu toe geconcentreerd op Mace, maar het zijn de zonen van Guy die vermoedelijk alles zullen erven. Zeshonderd miljoen kan een goed motief voor moord zijn. Mace is een gladde jongen, maar laten we niet uit het oog verliezen wie er daadwerkelijk baat heeft bij de dood van Guy.’

‘Ik zal zien wat ik over de zonen te weten kan komen,’ zei Wang.

‘Goed. En hoe staat het met de bewakerslijst?’

Brubeck gaf antwoord. ‘Drew en ik hebben ongeveer de helft afgewerkt. In alfabetische volgorde: Allen, Armstrong, Beltran, Cortez, Cruces, Dabby, Green, Howard, Lanz, Littleman, Mendosa en Nunez. Alfonso Lanz, Evan Teasdale en Denny Orlando waren de drie bewakers die dienst hadden en zijn vermoord. Rondo Martin wordt nog steeds vermist.’

‘Hebben jullie alle alibi’s nagetrokken?’

‘Ja, maar ik zal het nog een keer doen,’ antwoordde Brubeck. ‘Rondo Martin is een groot vraagteken. Ik heb de sheriff van Ponceville gebeld. Die vertelde dat hij een goede hulpsheriff was. Hij was niet bijzonder sociaal voelend, al ging hij af en toe wel een biertje drinken met zijn collega’s of andere mensen. Hij trad hard op tegen de boeren als hij in een kwaaie bui was, maar zag ook veel door de vingers.’

‘Dat ze illegale werknemers in dienst hadden, bedoel je?’

‘Ja.’

‘Zijn er aanwijzingen dat hij de boeren heeft afgeperst?’

‘Wie weet. Mijn schoonvader heeft nooit problemen met hem gehad, maar bepaalde dingen vertel je niet in een telefoongesprek. Ik denk dat ik onder vier ogen wel meer van hem los zal krijgen.'

'Ik zal zorgen dat je daar het geld voor krijgt, Willy. Wanneer kun je gaan?'

Brubeck keek benepen. 'Eerlijk gezegd zou ik een paar dagen vrij krijgen, omdat mijn vrouw en ik onze trouwdag willen vieren. Ik geloof dat ik je dat heb verteld toen je vroeg of ik aan deze zaak kon werken.'

'Ja, dat is ook zo,' zei Decker. 'Dat was ik vergeten.'

'Ik zou het best willen annuleren, maar ik heb zes maanden geleden al gereserveerd in een luxe hotel in Mexico en je krijgt je voorschot niet terug.'

'Dat hoef je echt niet te annuleren, Willy.' Decker keek naar Marge. 'Zou jij morgen kunnen gaan?'

'Ja, hoor, tenzij je iets anders voor me op het programma had staan.'

Dat was waar ook. Hij had haar verzocht achter de twee mannen aan te gaan die Rina in de fotoboeken had aangewezen. Hij had in zo veel richtingen lijntjes uitgezet dat hij het niet meer kon overzien. 'Nee, al het andere kan een paar dagen wachten.' Hij zei tegen Oliver: 'Ga jij maar met haar mee.'

'Waar ligt Ponceville?'

'Je vliegt naar Sacramento en dan is het nog twee uur rijden,' antwoordde Brubeck.

'En jij vliegt zeker altijd met Southwest?' Oliver keek zuur.

'Die geven je tenminste nog steeds pinda's,' zei Brubeck. 'Ik zal mijn schoonvader inlichten. Misschien krijgen jullie zelfs meer van hem los dan ik. Hij heeft veel respect voor de politie, zolang hij niet mij tegenover zich heeft.' Hij keek naar Decker. 'Weet je zeker dat ik die vrije dagen kan opnemen?'

'Eerlijk gezegd, Willy, kan ik je een opdracht meegeven als je toch de grens oversteekt. Er doen geruchten de ronde dat een van de bewakers, Joe Pine alias José Pinon, zich in Mexico schuilhoudt.' Hij vertelde het team over zijn gesprek met Brett Harriman.

'Joe zou erbij betrokken kunnen zijn, al heeft hij, voor zover we weten, geen strafblad,' zei Messing.

'Hij woont in Pacoima. Bel Foothill en vraag of iemand op Jeugdzaken weet of hij ooit met de politie in aanraking is geweest. Het zou mooi zijn als we zijn vingerafdrukken zouden kunnen krijgen.' Decker keek naar Marge en Oliver. 'Rondo Martin is hulpsheriff geweest. Van hem moeten er dus vingerafdrukken beschikbaar zijn.'

'Ik heb dat in Ponceville nagevraagd,' zei Brubeck. 'De sheriff zei dat hij het vingerafdrukkenkaartje van Martin niet kon vinden.'

'Dat meen je niet.'

'Ze doen daar alles op hun elfendertigst. Ik begin er zelfs aan te twijfelen of de sheriff zijn vingerafdrukken wel heeft genomen.'

Decker maakte een vertwijfeld gebaar. 'Bel hem nog een keer, Willy. En als je straks in Mexico bent, neem dan contact op met de politie daar om te vragen of ze iets over José Pinon weten.'

'Zolang iemand hier me dekt. Ik krijg het altijd benauwd als ik aan Mexicaanse gevangenissen denk.'

Decker zei: 'Hou contact, dan weten we waar je bent.' Hij richtte zich weer tot Oliver en Marge. 'Als jullie toch in het noorden zijn, ga dan even naar Oakland om wat achtergrondinformatie te verzamelen over Neptune Brady. Die was in Oakland bij zijn vader toen de moorden zijn gepleegd, maar dat wil nog niet zeggen dat hij er niet bij betrokken is.'

'Wat had hij er nou aan om zijn baas om zeep te brengen?' vroeg Wanda.

'Dat weet ik niet. Ik vind het alleen vreemd dat Mace, en vooral Grant, Brady in dienst houdt als lijfwacht. Als mijn ouders vermoord waren, zou ik de man die verantwoordelijk was voor hun veiligheid niet als lijfwacht willen.'

'Hoe ver is Oakland van Sacramento?' vroeg Oliver.

'Een uurtje rijden,' vertelde Brubeck hem.

'Je kunt vanaf Oakland Airport terugkeren naar Los Angeles. Volgende punt: ik heb gisteren een interessant gesprek gevoerd met Riley Karns.' Hij gaf het team een samenvatting. 'Hij zei dat hij sliep toen de moorden werden gepleegd. Dat wil zeggen dat hij ook sliep toen de paarden zijn opgegraven om Denny Orlando in de kuil te gooien. We weten niet of hij de waarheid spreekt. We weten alleen dat hij die nacht op de ranch was en dat hij van het bestaan van het paardengraf op de hoogte was. Dat zijn twee punten in zijn nadeel.' Hij wendde zich tot Drew Messing. 'Als jouw partner straks in het zonnige Mexico op zoek is naar José Pinon, mag jij je gaan bezighouden met Karns. Ik geloof dat Gilliam Kaffey hem heeft weggelokt bij een van haar paardenclubs, dus kun je daar beginnen. En probeer hem over te halen een leugendetectortest te doen.'

'Waarom zou Karns Guy en Gilliam dood willen hebben?' vroeg Messing.

Decker haalde zijn schouders op. 'Misschien heeft iemand hem betaald voor zijn zwijgen. Als je dat motief kunt vinden, is dat een derde punt in zijn nadeel. Wie heeft een onderzoek ingesteld naar Ana Mendez en Paco Albanez?'

Marge stak haar hand op. 'Haar verhaal en de tijden die ze heeft genoemd kloppen allemaal. Voor zover ik het kan beoordelen, had ze geen contact met duistere figuren. Paco Albanez beweert, net zoals Riley Karns, dat hij sliep tot Ana hem wakker maakte. Maar als hij van het bestaan van het paardengraf wist, moet hij misschien nogmaals worden ondervraagd, in het Spaans.'

'Dat doe ik wel,' zei Decker.

'Hoe is het met de zoon die de aanslag heeft overleefd?' vroeg Wynona.

'Het gaat goed met hem en hij mag waarschijnlijk over een paar dagen naar huis. Zijn voormalige vriend, Antoine Resseur, zal bij hem intrekken tot hij volledig hersteld is. Ik geloof dat Grant ook een verpleegkundige voor hem in dienst heeft genomen.'

Oliver trok een zuinig gezicht. 'Als ik Gil was, ging ik ergens anders wonen, hier zo ver mogelijk vandaan, en nam ik een heel legertje lijfwachten in dienst.'

'Daar zeg je iets,' zei Decker. 'Grant en Mace hebben het helemaal niet over lijfwachten gehad.'

'Misschien zijn ze van plan hem door Neptune Brady te laten bewaken.'

Er viel een stilte. Toen zei Decker hardop wat iedereen dacht.

Gil door Brady laten bewaken, was de kat op het spek binden.

18

Op de ranch was de natuur in sterk contrasterende vormen te bewonderen. Voor het grootste deel was het een ruig terrein, begroeid met salie, cactussen en andere succulenten, zanderig en bezaaid met stenen. Aan de voorzijde van het huis was echter een grote lap grond bewerkt tot een schitterende tuin met hoge bomen, fonteinen, bloemen, kruiden en rozen waarvan de kleuren schitterden in de felle zon.

Toen Decker langzaam de bochtige oprit volgde, zag hij een man gebukt staan te midden van gele en oranje afrikaantjes die in vierkante perken tussen smaragdgroene buxus waren geplant. Hij droeg een kakikleurig uniform met lange mouwen en had een grote, slappe hoed op met een koordje onder zijn kin. Decker stopte, stapte uit en liep de formele tuin in. De bloemenperken lagen in de volle zon en de hitte was op dit uur ongenadig.

Paco Albanez keek om toen hij Deckers schoenzolen over losse steentjes hoorde schrapen, richtte zich op en zette zijn gehandschoende linkerhand in zijn zij terwijl hij zijn rug rechtte en toen wat liet doorbuigen naar achteren. Hij had een gebruind en gerimpeld gezicht. Hij bleef staan met zijn handen langs zijn lichaam en knikte beleefd naar Decker.

'*Buenas tardes,*' zei Decker. '*Está caliente hoy.*'

'*El verano es caliente.*'

'*Verdad.*' Toen Decker opmerkte dat de bloemen er prachtig bij stonden, glimlachte Albanez, maar verder was zijn gezicht ondoorgrondelijk. 'Hebt u misschien een ogenblikje? Ik wil met u praten over wat er is gebeurd,' vervolgde Decker in het Spaans.

Albanez veegde met de rug van zijn handschoen over zijn bezwete voorhoofd, waardoor daar een vuile streep op achterbleef. Hij sloeg zijn donkere ogen neer. 'Ik kan u niets nieuws vertellen.'

Decker pakte zijn notitieboekje. 'Het gaat om een paar details.'

Albanez staarde nu over Deckers schouder. 'Ik probeer de details juist te vergeten.' Hij bukte zich en trok wat onkruid uit de grond. 'Ik wil het me niet herinneren.'

Decker sloeg een vlieg bij zijn gezicht vandaan. 'Toch had ik graag dat u het me nog één keer vertelt.' Toen Paco geen antwoord gaf, zei Decker: 'Kunt u even pauze houden? Op een plekje in de schaduw?'

Met tegenzin verliet Albanez zijn post en liep met Decker naar een groepje pepermuntbomen waaronder stenen bankjes stonden. Decker ging op een ervan zitten en de tuinman op een andere. Hij staarde voor zich uit terwijl zweetdruppels van zijn gezicht dropen.

'Ik wil graag nog een keer horen wat er precies is gebeurd.'

Albanez deed zijn verhaal toonloos. Señor Riley had hem wakker gemaakt, om twee uur 's nachts. Señor Riley was erg van streek. Paco had eerst niet verstaan wat señor Riley zei omdat hij zo snel sprak. Uiteindelijk had hij begrepen dat er iets was gebeurd met señor en señora Kaffey. Señor Riley zei dat hij moest meekomen naar zijn huis. Daar zat Ana. Ze huilde en zat helemaal te bibberen. Ze vertelde hem wat er was gebeurd. Dat señor en señora Kaffey dood waren. Dat alles onder het bloed zat. Hij had met Ana in het huis van señor Riley gewacht tot die terugkwam met de politie. Toen moesten ze met de politie mee naar het woonhuis, waar ze elk in een andere kamer waren gezet. In het huis hing een afschuwelijke stank en hij was een paar keer naar buiten gegaan om wat frisse lucht in te ademen. Hij had gevraagd of hij terug mocht naar zijn eigen huis, maar de politieagent had gezegd dat hij moest wachten tot de baas kwam.

'Toen kwam u en hebt u met me gepraat en toen mocht ik eindelijk terug naar mijn eigen huis.'

Wat hij zich herinnerde kwam overeen met Ana's verhaal. Toch begreep Decker nog steeds niet waarom Ana eerst naar Riley was gegaan en daarna pas naar Paco, ook al stond Riley's huis dichter bij het woonhuis dan dat van Paco. Dat had Decker inmiddels zelf kunnen vaststellen. Maar de twee huisjes stonden niet erg ver van elkaar en omdat Spaans Ana's moedertaal was, zou het logisch zijn geweest als ze nog een stukje was doorgelopen.

Maar ze was natuurlijk volledig in paniek geweest.

Paco was onder het vertellen een tintje bleker geworden. 'Wist u dat Gil Kaffey nog leefde?' vroeg Decker.

'Nee.' Albanez likte aan zijn lippen.

Decker keek hem recht in de ogen. 'Wat is er volgens u gebeurd?'

Diepe rimpels verschenen tussen zijn wenkbrauwen toen hij fronste. 'Dat weet ik niet. Ik weet alleen dat het allemaal heel erg is.'

'Waarom zou Gil in leven zijn gebleven, denkt u?'

'*Suerte.*'

Puur geluk.

'Heeft iemand met u gesproken over het behouden van uw baan?' Paco schudde zijn hoofd. 'U werkt hier nog steeds,' zei Decker.

'De tuin groeit nog steeds.'

'Wie betaalt nu uw salaris?'

Hij kneep zijn ogen iets toe. 'Señor Gil, neem ik aan.'

'Hoe weet u dat? Heeft hij dat gezegd?'

'Nee, maar hij leeft nog.' Hij zei het op gedecideerde toon. 'Dus zal hij me betalen om de tuin te onderhouden.'

'En als hij de ranch zou verkopen?'

Albanez keek verward. 'Waarom zou hij de ranch verkopen?'

'Om het geld.'

'En zijn plannen dan?'

Decker hoopte dat er op zijn gezicht niets af te lezen viel en sprak zo neutraal mogelijk. 'Vertel me eens iets meer over die plannen.'

'Hij gaat druiven telen om wijn te maken. Daarom heeft señor Kaffey het land gekocht. Hij en señor Gil zijn er al een jaar mee bezig. Ze hebben een heleboel ontwerpen gemaakt. Ik heb die zelf gezien.'

Kalm blijven, Deck. 'Ze zouden druiven gaan telen om wijn te maken.'

'Ja. Señor Gil en señor Kaffey hadden het er heel vaak over.'

Decker dacht aan Grant Kaffey, die de ranch wilde verkopen om de successierechten te betalen en zei: 'Ik heb gehoord dat ze de ranch gaan verkopen.'

Albanez staarde naar de grond. 'Dan zal ik ander werk moeten zoeken.'

'Denkt u dat señor Gil zijn plannen evengoed zal uitvoeren, ook nu señor Kaffey er niet meer is?' Als antwoord haalde de tuinman zijn schouders op.

'Was señor Gil hier vaak?'

'Ja, maar hij woont hier niet.'

'Denkt u dat hij hier zou willen wonen nu señor Kaffey er niet meer is?'

‘Dat weet ik niet, señor. Hij heeft hier nu slechte herinneringen.’

‘Maar denkt u dat hij de plannen zal uitvoeren?’

‘Ik hoop het. Ik mag hem graag en hou van mijn baan.’ Hij boog zijn hoofd. ‘Ik mocht señor Kaffey ook erg graag. Hij had een grote mond, maar ook een groot hart.’

‘Ik heb gehoord dat hij vaak tegen mensen tekeerging. Ging hij tegen u ook tekeer?’

Hij glimlachte flauwtjes. ‘Ja. “Waarom staan deze planten er zo slecht bij? Er zit te veel onkruid tussen. Snoei die haag! Snoei die struiken! Luilak! Je moet harder werken!”’ Weer zo’n glimlach. ‘En even later gaf hij me zomaar geld. Twintig dollar, elke keer dat hij me uitfoeterde. Een keer een briefje van honderd. “Hier, Paco,” zei hij, “ga maar lekker uit eten met een leuk vrouwtje.”’

‘En señora Kaffey?’

‘Haar sprak ik niet vaak. Ze zei alleen “Hier wil ik graag zinnia’s” of “Daar wil ik graag tulpen”. Niet dat ze onaardig was. Ze was dol op haar paarden en honden. Ik liet de honden uit als señor Riley het te druk had. Ze praatte veel met señor Riley. En ze zorgde ervoor dat we ’s middags om vier uur altijd limonade en koekjes kregen. Lekkere koekjes.’

‘Over señor Riley gesproken,’ zei Decker. Toen Albanez zwijgend afwachtte, vroeg hij: ‘Weet u dat we het lijk van een van de bewakers in het paardengraf hebben gevonden?’

‘Ja, dat weet ik. Ik weet dat de politie een lijk heeft opgegraven.’

‘Señor Riley had de kuil voor de paarden gegraven, maar zei dat hij hulp had gehad. Hebt u hem geholpen de kuil te graven?’

‘Ja.’

‘Hebben nog meer mensen señor Riley geholpen?’

Hij vernauwde zijn ogen, niet argwanend, maar om zich te concentreren. ‘Ja. Bernardo, geloof ik. Of was het José?’

‘Wat zijn de achternamen van Bernardo en José?’

‘Van Bernardo weet ik het niet. José is Joe Pine. Ja, ik geloof dat Joe ons heeft geholpen.’

‘Hoe goed kent u Joe?’

‘Hij is jong, ik ben oud. Ik ken hem niet goed.’

‘Maar hij heeft u en Karns geholpen het paardengraf te graven.’

Albanez schokschouderde. ‘Hij zei dat ik moest graven, dus groef ik. Zijn uniform is schoon, het mijne is vuil.’

Waarmee hij wilde zeggen dat hij hem niet mocht. Decker begon over iets anders. 'Heeft señor Gil het met u over de wijngaard gehad?'

'Ze hebben het allebei met mij over de wijngaard gehad. Ze zeiden: "Paco, de komende jaren zit jij niet om werk verlegen." Maar nu zegt u dat ze de ranch gaan verkopen, dus moet ik misschien een andere baan zoeken.' Albanez stond op. 'Ik moet weer aan het werk.'

'Dat is goed. Nog één ding: hebben ze gezegd welke soort druiven ze wilden telen?'

'Chardonnay en cabernet. Ze hebben mensen laten komen om hun over druiven te vertellen. Hoe je ze moet planten, hoe je ze moet verzorgen, hoe je ze moet oogsten. Dat moet je allemaal weten voordat je zelfs maar aan het maken van de wijn kunt beginnen.'

'Wijn maken is een langdurig proces.'

Albanez haalde zijn schouders op en liep terug naar de bloemperken. Decker zei: 'Bedankt voor uw tijd.'

'Geen dank, maar zo is het genoeg. Ik weet niet wie van de overlevenden goed of slecht is. Als een slechte persoon me in de gaten houdt, mag hij niet zien dat ik met de politie praat.'

Daar had hij gelijk in. Maar Decker moest nu eenmaal zijn werk doen. 'Nog één vraag. U zei dat señor Kaffey de ranch had gekocht om wijn te maken, maar ik heb gehoord dat hij hem had gekocht voor de paarden van señora Kaffey.'

Even bleef het stil. Albanez liet zijn blik over het landschap gaan. 'Señor, er is hier meer dan genoeg ruimte voor allebei.'

Marge klampte hem aan zodra hij zijn kantoor binnenging. Ze was zo goed geweest een kopje koffie voor hem mee te brengen, dat ze op zijn bureau voor hem neerzette. Ze wist dat je inspecteurs het beste kon paaien met een kop goede, zwarte koffie. Ze deed de deur dicht. 'Ik heb de naam van een van de mannen die Rina heeft aangewezen. Fredrico Ortez, beter bekend als Rico.'

'Dat heb je snel gedaan.'

'Een computer is een mooi ding. Jammer genoeg zit Rico al drie maanden in de nor.'

'Dan kunnen we hem schrappen. Hoe zit het met de andere? Alejandro Brand?'

'Die heb ik ook gevonden. Hij is negentien jaar, woont in Pacoima en heeft als volwassene geen strafblad.'

'Wat doet hij dan in het fotoboek?'

'Ik denk dat de CRASH-unit hem erin heeft gezet toen ze straatbenden hebben opgerold.'

'Woont Joe Pine niet ook in Pacoima?'

'Ja. Pine is iets ouder dan Brand, maar niet veel. Ik blijf naar hem zoeken.'

'Enig idee welke nationaliteit Brand heeft?'

'Nee.'

'We zullen zien of we iets met Brand kunnen. Pak hem op en laat Harriman naar zijn stem luisteren. Misschien klikt er dan iets. Neem contact op met Oscar Vitalez voordat je naar Ponceville vertrekt. Ik wil een fictief verhoor met Oscar op touw zetten om te zien hoe Harriman reageert op zijn stem.'

'Dat doe ik dan vandaag nog even.'

'Ja, morgen vertrekken jullie, hè? Is alles gereed voor de reis?'

'Ja, Willy heeft alles geregeld. Het enige minpunt is dat ik samen met Oliver moet vliegen en dus de hele reis zijn gezeur moet aanhoren. Wat zijn jouw plannen, Pete?'

'Ik ben net terug van de Coyote Ranch.' Hij gaf haar een samenvatting van zijn gesprek met Paco Albanez. 'Ik wilde zien of hij zou toegeven dat hij op de hoogte was van het bestaan van het paardengraf en uiteindelijk heb ik ontdekt dat Guy en Gil van plan waren wijn te gaan maken.'

'Ik dacht dat Grant de ranch wilde verkopen.'

'Misschien weet hij niet dat Gil andere plannen had.'

'Het kan ook zijn dat hij dat wel wist, maar dat Gil nu van die plannen afziet.'

'Of dat Grant uit naam van Gil spreekt. Oliver zei iets interessants tijdens de bespreking vanochtend. Dat als hij Gil was, hij heel ver hier vandaan zou gaan wonen en zich zou omringen met lijfwachten. Dat Gil dat niet doet, wekt nieuwe vragen op.'

'Zoals?'

'Waarom Gil zich niet erg druk schijnt te maken over zijn veiligheid.'

'Misschien is hij nog te veel van slag om goede beslissingen te nemen. Hij ligt nog in het ziekenhuis, Pete. Als hij eenmaal thuis is, zal het misschien tot hem doordringen dat hij aan een verpleegkundige en een exvriendje niet genoeg heeft. En nu we het daar toch over hebben, moeten we niet met de ex gaan praten?'

'Dat gaan we ook doen. Ik heb vanavond om acht uur met hem afgesproken in zijn flat in West Hollywood.'

'Je had beter in de Abby kunnen afspreken. Ik hoor veel goeds over dat restaurant.'

'Ja, maar dat is aan mij toch niet besteed, omdat ik koosjer eet. Ik heb hem trouwens wel aangeboden een openbare ontmoetingsplaats te kiezen, maar vermoed dat hij wil voorkomen dat mensen zien dat hij met de politie praat.'

'Of je bent zijn type niet.'

Decker glimlachte. 'Hij heeft me nog niet gezien. Hoe kan hij dat dan weten?'

'Men ziet bepaalde stereotypes als men aan politiemensen denkt. Misschien ben je te macho naar zijn smaak.'

'Dan zou hij bevooroordeeld zijn,' vond Decker. 'En dat zou jammer voor hem zijn, want dan zal hij er nooit achter komen hoe gevoelig ik kan zijn.'

19

Rina herkende hem in eerste instantie aan zijn zonnebril, die chic, donker en duur was. Harriman droeg vandaag een blauw colbert, een lichtbruine broek en een rode stropdas en stond tegen de muur geleund een energiereep te eten. Zijn houding was relaxed, al kon je aan de manier waarop hij kauwde zien dat hij toch gespannen was. Ze wist waarom. Hij stond diezelfde twee latino's af te luisteren. Nu ze wist wat er aan de hand was, vond ze wat hij deed zowel heldhaftig als roekeloos.

Ze had de grootste moeite niet naar de mannen te staren.

Maar dat zou niet slim zijn.

Ze liep naar een groep mensen en drentelde wat tussen hen door. De lunchpauze was bijna voorbij. Over vijf minuten gingen de deuren van de rechtszalen weer open. Ze pijnigde haar hersenen over wat ze moest doen, wat ze kón doen. Harriman hield zijn hoofd een paar graden gedraaid in de richting van de twee mannen en een van hen wierp een blik op hem. Ze overwoog naar hem toe te gaan om hem mee te tronen, maar daardoor zou er misschien juist meer aandacht op hem gevestigd worden dan als ze hem met rust liet.

Een parketwachter riep de jury voor de rechtszaal naast de hare naar binnen. Ze had nog een of twee minuten en omdat ze niet wist wat ze voor Harriman zou kunnen doen, maakte ze van de tijd gebruik om zo veel mogelijk informatie over de mannen in haar geheugen op te slaan – hun signalement, hun gelaatstrekken, de opvallende kenmerken. De tatoeages waren erg nuttig – een slang, een tijger, een haai, B12, BXII en XII. De kleinste van de twee, die het meest aan het woord was, had een litteken naast zijn linkeroor. Plotseling draaide hij zijn hoofd om en wierp een dreigende blik op Harriman.

Toen zei hij iets tegen hem.

Harrimans gezicht verstrakte. Hij zei iets terug en liep toen weg, zonder blijk te geven van nervositeit. De kleine man met het litteken keek hem boos na en zag dat Harriman de toiletruimte binnenging. Rina's hart begon sneller te kloppen toen hij opstond en achter hem aan liep.

Maar toen riep iemand de naam Alex en bleef de man staan.

Rina dacht: Alex. Alejandro Brand.

Alex, die tatoeages van een slang en een tijger had, draaide zich om en liep naar een man in een verkreukeld pak, die het weinige haar dat hij nog had over zijn kale hoofd had gekamd – waarschijnlijk een privé-detective. Ze liepen een van de rechtszalen in, gevolgd door de man met wie Alex had staan praten.

Rina onderschepte Harriman op het moment dat haar eigen jury door de parketwachter werd geroepen. Ze fluisterde tegen hem: 'U moet voorzichtig zijn. Hij keek heel dreigend naar u toen u naar het toilet ging.'

Harriman deed een halve pas achteruit en zei toen heel rustig: 'Welke van de twee?'

'De kleinste.'

'Daar heb ik niks aan. De Mexicaan of de El Salvadoraan?'

'Dat weet ik niet. Ik spreek geen Spaans. Hij heet Alex.'

'Dan weet u meer over zijn identiteit dan ik. Dat zou u aan de politie moeten vertellen.'

'Ik spreek de politie dagelijks. Ik moet gaan. Er wordt op me gewacht.'

'Decker is dus uw man?'

'U mag geen persoonlijke vragen stellen. Maar ik weet toevallig dat inspecteur Decker vloeiend Spaans spreekt. Hij kan u dus misschien wel helpen.'

'We moeten praten.'

'Nee. Als ze u nodig hebben, belt inspecteur Decker u wel.' Rina liep snel naar haar groep, die al in de rij stond. Ze was niet de laatste, dus hield zij de groep niet op, maar ze was aan de late kant en hijgde een beetje. Joy maakte er een opmerking over.

'Wat zie jij er verhit uit.' Ze staarde Rina aan. 'Heb je zo'n opwindende lunchpauze gehad?'

Brutaal mens. 'Was het maar waar.' Rina hoopte dat het nonchalant genoeg klonk. Hun rechtszaak zou vermoedelijk vandaag worden beslist en dan hoefde ze geen van de juryleden ooit nog te zien. Ze had gehoopt dat het gesprek hier bij zou blijven, maar Ally had blijkbaar naar haar staan kijken.

'Ze stond met Lachende Tom te praten,' zei ze.

'O ja?' Joy trok haar wenkbrauwen op. 'Alweer? Waar ging het ditmaal over?'

'Hij vroeg hoe laat het was.' Rina trok een gezicht alsof het haar irriteerde dat hij haar had lastiggevallen. 'Hè, hè, daar is Kent eindelijk. We kunnen naar binnen.'

'Ken jij hem?' vroeg Ally aan haar.

'Wie?' vroeg Rina.

'Lachende Tom.'

'Natuurlijk niet.' Ze keek Ally aan. 'Waar zou ik hem van moeten kennen?'

'Jammer,' zei Ally. 'Anders had je ons misschien aan elkaar kunnen voorstellen.'

'Wat?'

Ally kreeg een kleur. 'Het valt tegenwoordig niet mee om een leuke vent te vinden en ik vind hem wel knap.'

Toen Decker het nummer van Rina's mobieltje zag, nam hij meteen op. 'Is het voorbij?'

'Het is voorbij.'

'Godzijdank. En gaat hij de bak in?'

'Hoe weet je dat het een hij was?'

'Ik heb vijftig procent kans dat ik gelijk heb. Meer dan vijftig procent. De meeste beklaagden zijn mannen. Niet dat die zaak me interesseert. Ik maak me alleen zorgen om wie er in het gerechtshof rondhangt. Heb je ze weer gezien?'

'Ja.'

'Shit! Sorry. Zeg alsjeblieft dat zij jou niet gezien hebben.'

'Ditmaal heb ik me goed schuilgehouden.'

'Ik ben heel blij dat je dat zegt.'

'Maar er is iets gebeurd. Harriman stond hen weer af te luisteren en ditmaal kreeg een van die kerels dat in de gaten en heeft hij iets tegen hem gezegd. Harriman heeft iets teruggezegd en is toen naar het toilet gegaan. Die man liep achter hem aan, maar toen werd hij door iemand geroepen. Ik maak me zorgen, Peter.'

Decker kreeg een zurige smaak in zijn mond. 'Ik bel hem wel.'

Rina haalde diep adem. 'De man had een litteken en een tatoeage van een slang. En de man die hem riep, noemde hem Alex.'

Alex. Alejandro Brand. 'Oké.'

'Ik heb ze ditmaal goed kunnen bekijken en ik wil die fotoboeken nog wel een keertje inkijken.'

De zure smaak werd bitter. Hij wist dat hij haar niet kon tegenhouden. 'Goed, ik zal het regelen. Wanneer denk je thuis te zijn?'

'Heb je zin om uit eten te gaan? Hannah is bij Aviva. Ze zitten samen te blokken voor een tentamen en ze blijft daar slapen. Laten we daarvan profiteren.'

'Prima. Je zou naar je ouders kunnen gaan, dan haal ik je daar af. Ik heb namelijk om acht uur nog een afspraak met iemand in de stad.'

'Ja, dat is goed. Waar zullen we gaan eten?'

'Dat maakt me niets uit, als ze er maar steaks serveren.'

'Ik reserveer wel iets.'

'Je zou zelfs je ouders kunnen uitnodigen. Ik heb ze al een tijd niet gezien.'

'Dat is heel aardig van je.'

'Ik mag je ouders graag.' En dat was ook zo. Na al die jaren hadden ze veel respect voor elkaar. 'En zeg tegen je vader dat ik ditmaal betaal.'

Rina lachte. 'Dat vindt hij nooit goed.'

'Dan niet,' zei Decker. 'Hij mag betalen als hij dat nou zo leuk vindt. En als hij helemaal gelukkig wil worden, mag hij zelfs voor de fooi opdraaien.'

Het adres was op de grens van Hollywood en West Hollywood en bleek een flat te zijn in een lichtbruin, in Franse regencystijl opgetrokken appartementengebouw met een gelaagd, blauw geoxideerd dak. De lobby blonk Decker tegemoet met spiegels en marmer, bruinfluwelen banken en zwarte lage tafels. De geüniformeerde portier wees hem waar de liften waren en zei dat hij op de zevende etage moest zijn. De lift had koperen deuren in art-decostijl.

Antoine Resseur had een schitterend uitzicht op het zuidelijke deel van Los Angeles dankzij twee panoramaramen die het karakter van de hoekflat bepaalden. Roodleren banken complementeerden de van suikeresdoornhout vervaardigde tafels en boekenplanken, en de zwarte granieten vloer ging naadloos over in een open haard. De indirecte verlichting was zacht en uit de geluidsboxen kwam klassieke muziek.

Resseur droeg een spijkerbroek, een blauw overhemd en bootschoenen en had een glas rode wijn in zijn hand. Hij was klein en tenger, had regelmatige gelaatstrekken, donker haar en bruine ogen die Decker deden denken aan knikkers. 'Wilt u iets drinken, inspecteur?'

'Nee, dank u. Ik stel het erg op prijs dat u bereid bent met me te praten.'

Resseur had een vrij zware stem, maar sprak op zachte toon. Hij ging zitten en nodigde Decker met een gebaar uit zijn voorbeeld te volgen. 'Ik vind het allemaal zo erg.'

'Gaat u nog steeds om met Gil?'

'Ja. We zijn goede vrienden.' Hij nam een slokje.

'Het is erg aardig van u dat u erin hebt toegestemd voor hem te zorgen.'

Resseur sloeg zijn ogen neer. 'Ik ben de enige die Gil momenteel vertrouwt.'

'En zijn broer dan?'

'Is er ook op Grant geschoten?' Resseur zuchtte. 'Dat klinkt erg onaardig. Gil lijdt volgens mij een beetje aan achtervolgingswaan.'

'Als er op je is geschoten, is er nooit sprake van achtervolgingswaan. Heeft Gil tegen u gezegd dat hij Grant niet vertrouwt?'

'Hij zegt dat hij afgezien van mij niemand vertrouwt.'

Decker pakte zijn notitieboekje. Eerlijk gezegd vertrouwde hijzelf de held van het verhaal nooit en zo schilderde Resseur zich nu af. 'Hoe lang hebt u een relatie gehad met Gil?'

'Zes jaar.'

'Dat is vrij lang. Waarom bent u uit elkaar gegaan?'

Resseur liet de wijn ronddraaien in zijn glas. 'Gil moest altijd werken. Daar zorgde zijn vader wel voor. Hij had niet veel tijd voor persoonlijke relaties.'

Decker knikte.

'Altijd druk, druk, druk.' Resseur liet de wijn nog een keer walsen en nam toen een slok. 'Maar het werd pas echt erg toen Guy en Mace rechtszaken tegen elkaar begonnen aan te spannen. Ik dacht dat het wel wat beter zou worden toen dat van de baan was, maar het werd juist nog erger.'

'Hoe kwam dat?'

'Mace werd naar New York gestuurd en Gil kreeg al zijn werk erbij. De arme jongen.'

'Dat is een punt waar ik graag wat nader op in wil gaan. Waarom mocht Mace voor de firma blijven werken nadat hij was betrapt op verduistering?'

Resseur trok een peinzend gezicht. 'Hoe zal ik het zeggen? Guy was op de hoogte van alles wat binnen Kaffey Industries gebeurde.'

'Bedoelt u dat Guy wist dat Mace geld verduisterde?'

'Je kunt het geen verduisteren noemen als de baas ervan weet.' Hij haalde zijn schouders op. 'Dat doen rijke mensen als ze wat zakgeld willen. Dan steken ze hun hand in de kas. En waarom ook niet? Het is hun eigen geld.'

'Maar waarom heeft hij hem dan aangeklaagd?'

'Kaffey had problemen met de belastingdienst en Mace heeft zich opgeworpen als zondebok. Op het oog leek het alsof Mace een flinke tik op zijn vingers had gekregen, maar in werkelijkheid was hij heel blij met Greenridge.' Resseur nam een slokje. 'Ik praat altijd te veel als ik een slokje op heb.'

Decker verzekerde hem dat hij geen misbruik zou maken van de informatie, die hem trouwens op nieuwe gedachten bracht. Mace stond weliswaar nog hoog op de lijst van verdachten, maar niet meer bovenaan. 'Konden Mace en Guy goed met elkaar overweg?'

Resseur wreef over zijn kin. 'Redelijk goed. Guy was erg opvliegend. Wat dat betreft heeft Grant veel van zijn vader.'

'Hebt u ooit te maken gehad met een uitbarsting van Grant?'

'Niet rechtstreeks, maar ik ben er wel getuige van geweest. Gil is veel rustiger, net als Mace. Daarom had hij het zo moeilijk nadat Mace was vertrokken. Toen waren Gil en zijn vader samen over, zonder tussenpersoon.'

'Ik heb gehoord dat ze heel veel samen deden.'

'Werken, ja. Ze werkten zeven dagen in de week.'

'Waren ze niet van plan een wijngaard te beginnen op de Coyote Ranch?'

'Een wijngaard?' Resseur keek verbaasd. 'Daar weet ik niets van, maar ik ben natuurlijk niet meer zo op de hoogte. Wat een goed idee! Gil heeft een neus voor wijn en dan doen ze tenminste iets nuttigs met die afgrijselijke ranch.'

'Hoezo afgrijselijk?'

'Die ranch is toch geen plaats om te wonen? Het is een nationaal park.'

'Zo te horen kent u de familie erg goed.' Decker legde zijn notitieboekje op de tafel. 'Wat is er volgens u gebeurd, meneer Resseur?'

'Ik zou het echt niet weten.'

'Maar u hebt er wel over nagedacht.'

'Natuurlijk.' Hij liep naar de ramen en keek naar het uitzicht. Toen draaide hij zich weer om naar Decker. 'Ik kan er niets diepgaands over zeggen, maar omdat ze een heel legertje bewakers hadden, moet het wel het werk van insiders zijn geweest. Wordt een van de bewakers niet vermist?'

'Ja. Maar denkt u dat iemand dit in zijn eentje heeft kunnen doen?'

'Nee, en zo is het ook niet gegaan. Iemand heeft een stel misdadigers ingehuurd om de moorden te plegen. Gil herinnert zich dat hij mensen met tatoeages heeft gezien voordat hij het bewustzijn verloor.'

'Wie zou, afgezien van Rondo Martin, de kwade genius kunnen zijn?'

'Ik zou het hoofd van de bewakingsdienst onder de loep nemen. Hoe heet hij ook alweer? Neptune...'

'Brady. Waarom verdenkt u juist hem?'

'Het was zijn taak om Guy en Gilliam te beschermen en nu zijn ze dood.'

'Grant houdt Brady voorlopig aan als hoofd van de bewaking. Wat vindt u daarvan?'

'Dat het laat zien hoe dom Grant is en waarom Gil zo paranoïde is wat Grant betreft.'

'Denkt hij echt dat zijn broer iets met de moorden te maken heeft?'

'Gil beweert van alles, maar hij bevindt zich onder de invloed van verdovende middelen. Zijn hersenen werken niet normaal.'

'Hebt u bewaking geregeld voor wanneer Gil uit het ziekenhuis komt?'

Resseur trommelde met zijn vingers op de tafel naast hem. 'Ik ben er wel over begonnen, maar Gil wil er niet over praten. Hij zit alleen maar te zeuren dat hij uit het ziekenhuis ontslagen wil worden omdat hij denkt dat de artsen hem proberen te vergiftigen. Dat is nog een reden waarom ik zijn achterdocht jegens Grant niet echt serieus kan nemen.'

'Tussen haakjes, Grant heeft tegen mij gezegd dat hij u een prima vent vindt.'

'O ja?' Resseur dronk zijn glas leeg. 'Dat is leuk om te horen. De sfeer was altijd wat gespannen als ik bij de familie was. Als ze een groot feest gaven, nam ik altijd mijn zus mee. Niet dat iemand erin trapte. Gils moeder gedroeg zich hoffelijk, maar zijn vader was... laten we zeggen dat hij zich niet op zijn gemak voelde.'

'Heeft Guy tegen u ooit iets gezegd over uw relatie met Gil?'

'Nee.' Resseur stond op en schonk zijn glas nogmaals vol. 'Gil beschermde me. Hij zorgde goed voor me en ik schikte me in alles wat hij wilde.'

'Vond u dat nooit vervelend?'

Hij lachte geforceerd. 'Vervelend? Welnee, waarom zou ik?' Hij nam een grote slok uit zijn glas. 'Alsof het mij iets uitmaakte of we op vakantie gingen in Monaco of aan de Spaanse Riviera?'

Decker glimlachte. 'Ah, bedoelt u het zo.'

'Zo was het tussen ons. Gil vertelde me waar we naartoe gingen, zodat ik wist of ik mijn smoking of mijn zwembroek moest inpakken. Waarom zou ik moeilijk doen? Hij had al zo weinig tijd voor me.' Hij tuurde in zijn glas alsof hij koffiedik keek. 'Nu ziet het ernaar uit dat we een heleboel tijd kunnen inhalen.'

'En zo te horen vindt u dat niet erg.'

Resseurs ogen werden vochtig. 'Ik hou van Gil. Nog steeds. Ik ben blij met iedere minuut die ik kan krijgen.'

20

'Dat is hem.' Rina wees naar de politiefoto van Alejandro Brand. 'Dat is de kleinste van die twee mannen, die door die andere man Alex werd genoemd. Ik herken zijn gezicht, maar ook de tatoeages – de slang en de tijger – en het litteken. Dit is de man die vanmiddag Harriman aansprak.'

'Goed.' Decker keek op zijn horloge. Het was bijna elf uur 's avonds. Hij was moe, maar hield vol, aangemoedigd door Rina's geestdrift. 'Laten we dan even kijken wat we over hem weten.' Hij typte de naam in op zijn computer, maar er gebeurde niets. 'Mijn computer is weer eens vastgelopen. Morgen dan maar. Kom, dan gaan we naar huis.'

'Zou ik niet eerst nog even naar die andere man zoeken? Als je me nog wat tijd gunt, kan ik hem vast wel vinden.'

'Nee, het is genoeg geweest voor vandaag.'

Rina keek om zich heen in de uitgestorven recherchekamer en keek toen naar haar man. Peter had een nog vermoeiender dag gehad dan zij, maar zij verkeerde in de greep van de opwinding over wat ze had ontdekt. 'Ja, je hebt gelijk. En het gaat vast ook beter als ik uitgerust ben.'

Decker sloot het fotoboek en hielp haar in haar vest. Ze verlieten het politiebureau en reden in Deckers Porsche het parkeerterrein af. 'Zodra je die andere man hebt geïdentificeerd, zit jouw bijdrage aan deze zaak erop.'

'Graag zelfs. Ik wil er verder niets mee te maken hebben. En meer zal ik toch niet voor je kunnen doen.'

'Aan de andere kant...' Hij trommelde op het stuur. 'Ik ben nu even heel hypocriet, want ik heb nog een vraag voor je.'

'Dat is niet hypocriet. Je wordt gewoon heen en weer geslingerd tussen je behoefte aan informatie en je bezorgdheid om mijn veiligheid. Maak je geen zorgen. Ze hebben me niet gezien. Ik heb goed opgepast. En ze waren al in de rechtszaal toen ik Harriman aansprak.'

'Maar misschien hadden ze spionnen.'

'Ze hadden geen spionnen, Peter,' zei Rina op tedere toon. 'Ik weet dat de Bodega 12th Street-bende uit misdadigers bestaat, maar het is de CIA niet. Wat wilde je me vragen?'

Dat was Decker al bijna vergeten. 'O ja. Of je zeker weet dat Harriman niets heeft gezegd over die korte woordenwisseling tussen hem en Alex.'

'Geen woord. Hij zei alleen dat hij me wilde spreken.'

'Hij kan wel zo veel willen. Niet alleen hebben jullie niets te bespreken, maar áls jullie hierover zouden praten, zou een gewiekste advocaat kunnen zeggen dat jullie tegen de cliënt hebben samengespannen.'

'Goed punt. Je rechtenstudie is niet voor niks geweest. Ik heb trouwens tegen hem gezegd dat er niets te praten valt en dat jij hem wel zou bellen als je hem nodig had.'

'Heel goed. Hij heeft jouw telefoonnummer niet, hoop ik?'

'Nee.'

'Gelukkig. Ik vertrouw die vent niet helemaal.'

'Harriman? Waarom niet? Je denkt toch niet dat hij het allemaal heeft verzonnen?'

'Nee, hij heeft wel degelijk iets ontdekt, maar waarom blijft hij misdadigers afluisteren? Waarom neemt hij zulke risico's?'

'Mensen doen wel vaker iets zonder over de gevolgen na te denken. Harriman werkt al een paar jaar voor het gerechtshof, dus heeft hij dagelijks met van alles te maken zonder dat hem daardoor ooit iets is overkomen. Bovendien is hij blind, dus gaan non-verbale aanwijzingen aan hem voorbij. En je kent de aantrekkingskracht van de roem. Misschien ruikt Harriman een kans om voor één keer een belangrijke getuige te zijn in plaats van een anonieme tolk.'

Tijdens de vele ritten die Marge van Los Angeles naar Santa Barbara had gemaakt, was ze in Oxnard en Ventura door een uitgestrekt agrarisch gebied gekomen vol groene velden, waar zo ongeveer alle groenten van het saladealfabet gekweekt werden, van artisjokken tot zucchini. Langs de wegen stonden groente- en fruitstalletjes waar je verse organische producten en plaatselijk gekweekte bloemen kon kopen. Marge arriveerde altijd bij haar geliefde met tassen vol geurige tomaten, rode wortelen, gestreepte bieten, sjalotjes en een zak vol kiemgroenten.

Nu was echter binnen een paar minuten nadat ze in de huurauto het parkeerterrein van het vliegveld hadden verlaten en in de richting van de stad reden, al duidelijk dat de boeren van Ponceville zich niet richtten op de liefhebbers van producten van de koude grond. Hier hield men zich bezig met commerciële agricultuur. De eindeloze hectaren akkerland waren omheind en voorzien van bordjes met VERBODEN TOEGANG en nergens stonden gezellige stalletjes. Oliver en zij reden tussen strak aangelegde akkers en boomgaarden. Ze zagen het donkergroene gebladerte van avocadobomen, de nog onrijpe citrusvruchten, de zilvergroene blaadjes van olijfbomen en keurige rijen steenvruchtbomen – abrikozen, perziken, pruimen en nectarines. Het open landschap was een patchworkdeken van groenten, en bij elke lap werd haar neus geprikkeld door een nieuwe geur: koriander, jalapenol ui, paprika.

Er waren vrijwel nergens bordjes met de namen van de wegen en afgezien van een schuur of een tractor was er niets wat de akkers van elkaar onderscheidde. Ze volgden de tweebaanswegen tussen de velden en probeerden aan de hand van Willy Brubecks mysterieuze routebeschrijving de boerderij van zijn schoonvader te vinden. De Tomtom van de huurauto bleek niet te werken en na een half uur was hun duidelijk dat ze verdwaald waren.

'We zouden kunnen bellen om te vragen hoe we moeten rijden,' stelde Marge voor.

'Dat zouden we kunnen doen, als we wisten waar we waren.'

Marge stopte in de berm. 'Zeg maar dat we op de hoek van wratmeloen en rode peper staan.'

Oliver lachte. 'Wat is het nummer?'

Marge las het voor en Oliver toetste het in. 'Als zijn vrouw opneemt... Die heet Gladys.'

'Oké... Hallo? U spreekt met rechercheur Scott Oliver van het Los Angeles Police Department. Is dit het nummer van Marcus Merry? Ja, inderdaad. Aangenaam. We hebben voor vandaag een afspraak met uw man en... ja, dat klopt, we zijn verdwaald. We staan op de hoek van twee akkers. Eentje met wratmeloenen en eentje met rode peper, als u daar iets aan hebt... Ja? Nee, dat hoeft echt niet... Ja, het zou wel fijn zijn. Dank u wel. Tot zo.' Hij keek naar Marge. 'Hij komt ons halen en ze heeft zo dadelijk wel een hapje te eten voor ons.'

'Dat is vast een uitgebreide boerenmaaltijd.'

'Van mij mag het. Ik heb mijn ontbijt overgeslagen. Ik heb niet eens koffie gehad.'

'Ja, de luchtvaartmaatschappij was niet erg scheutig.'

'Niet erg scheutig? Tegen de tijd dat de kar bij ons was, hadden ze alleen nog water en pinda's over. Ik voelde me net een papegaai. Zelfs in de gevangenis krijg je beter te eten.'

'Als je van zetmeel en suiker houdt.'

'Uiteraard. De gevangenbewaarders zijn slim. Door al dat zetmeel en suiker raken de gedetineerden in een diabetisch coma. In de gevangenis weet men, in tegenstelling tot de luchtvaartmaatschappijen, hoe je mensen murw moeten houden.'

Ze zaten in de woonkamer op met chintz beklede stoelen. De vloer was van dennenhout en aan de vrolijk geel geschilderde muren hingen tientallen familiefoto's, zowel in zwart-wit als in kleur. Er hing ook een groot, wild, abstract schilderij dat nogal uit de toon viel.

Het 'hapje' bestond uit ham, kaas, vers fruit, schijfjes komkommer, tomaten, uien, avocado en diverse soorten bruinbrood en volkorenbrood. Mosterd werd opgediend in een geel aardewerken potje.

Eerst probeerde Oliver het nog netjes te houden, maar toen Marcus Merry voor zichzelf een dikbelegde dubbele boterham maakte, gaf Scott toe aan de eisen van zijn knorrende maag. Willy Brubecks schoonvader kon net zo goed vijfenzeventig als vijfennegentig zijn. Het was een stevig gebouwde man met spierwitte krulletjes en een lichtbruine huid. Hij droeg een denim overhemd, een overall en werkschoenen met rubberzolen. Zijn handen en nagels waren schoongeboend.

Gladys leek blij te zijn dat iedereen zo'n honger had. 'Ik heb ook nog cake.'

Marcus' vrouw was klein en tenger, had grijze krulletjes die heel kort geknipt waren, ronde, bruine ogen en een rond gezicht. Door haar wat schalkse uitdrukking leek ze op een Afro-Amerikaanse uitvoering van Audrey Hepburn. Ze droeg een spijkerbroek met een witte blouse erin gestopt, liep op witte tennisschoenen en had flonkerende diamanten oorknopjes in.

'Mevrouw Merry, het is allemaal even lekker,' zei Marge.

'En met een plakje cake toe smaakt het nog beter. Praten jullie maar even met Marcus, dan ga ik onderhand de cake halen.'

'Ik hoef geen cake,' zei Marcus. 'Ik ben al te dik.'

'Dan neem je maar niet.'

Einde van de discussie.

'Bent u altijd boer geweest, meneer Merry?'

'Zeg maar gewoon Marcus, hoor. Ja, ik ben altijd boer geweest. Mijn verre voorvaderen werkten al op het land.' In zijn manier van spreken was de lijzige tongval van het zuiden te bespeuren, gecombineerd met het patois van de negerbevolking. 'We hebben de naam Merry gekregen van de eigenaar van mijn overgrootvader. Toen mijn overgrootvader als slaaf werd vrijgemaakt, kreeg hij van kolonel Merry vijftig dollar en zijn achternaam.' Merry nam een hap van zijn boterham. 'Ik denk dat de kolonel mijn betovergrootvader was. U ziet zelf wat een lichte huid we hebben.'

Marge knikte.

'Van beide kanten trouwens. Mijn dochter... de vrouw van Willy... had heel wat aanbidders. Ze is net zo'n schoonheid als mijn vrouw en ik mis haar erg. Willy is trouwens geen kwaaie vent, maar zeg dat alsjeblieft niet tegen hem.'

Hij lachte.

'Mijn grootvader heeft op een gegeven moment besloten Georgia te verlaten en naar Californië te gaan. In die dagen woonden hier allerlei soorten mensen: Mexicanen, Chinezen, Japanners, indianen... daar konden ook nog wel wat negers bij. Spanningen kwamen later pas, toen dominee King over een droom begon te praten.'

'Zijn er nog steeds spanningen?' vroeg Oliver.

'Nee. Iedereen doet zijn werk en bemoeit zich met zijn eigen zaken. En nu hebben we zelfs een Afro-Amerikaan in het Witte Huis.' Hij maakte een berustend gebaar. 'Maar dat hoef ik u natuurlijk niet te vertellen. U hebt dagelijks met spanningen te maken. Al zegt Willy dat er in uw district niet al te veel misdaden worden gepleegd.'

'Ja, dat valt erg mee,' zei Marge.

'Dat is prettig.' Merry nam nog een hap. 'Dan verkeert die jongen van ons tenminste niet aldoor in gevaar. Dat moet u ook niet doorbrieven, hoor.'

'Wij zeggen niks,' antwoordde Marge. 'Waar hebben uw dochter en Willy elkaar leren kennen?'

'In de kerk.'

'Maar Willy komt toch niet uit deze streek?' zei Oliver.

'Nee, maar hij kende uit zijn diensttijd in Vietnam een jongen van hier en was hem komen opzoeken. Ik was er nogal van onder de indruk dat hij naar de kerk ging.' Hij schudde zijn hoofd met vaderlijke verbazing.

'Hoe is het die vriend van Willy vergaan?' vroeg Oliver.

'O, die is op de boerderij gebleven. Hij teelt nu maïs voor biobrandstof en verdient daar een hoop geld mee. Maar dat is niks voor mij. Ik wil geen gewassen kweken om benzine van te maken. Ik wil gewassen kweken om mensen te eten te geven.' Hij nam nog een hap. 'Waar blijft de cake?' riep hij.

'Ik kom al!' Toen Gladys binnenkwam met de cake, werd ze luid geprezen. Het was een gelaagde bosbessen-chocoladecake met glazuur. Toen ze Oliver een punt gaf, zat hij gewoon te watertanden.

'Dank u wel.'

'Geen dank. Ik geef u ook nog wel wat mee. Mijn man hoeft die hele cake niet op te eten.'

'Als je niet wilt dat ik cake eet, waarom maak je dan cake?' vroeg Marcus.

'Voor mij zijn het kunstzinnige projecten,' antwoordde Gladys.

'Geef ze dan aan een museum.' Hij werkte zijn portie in vier happen naar binnen. 'Ik weet dat u hierheen bent gekomen om met de sheriff te praten, maar hij kan u over ongeveer een half uur pas ontvangen. Tot dan mag u ons zien kibbelen.'

'Mallerd.' Gladys gaf hem een speelse tik. 'Koffie?'

'Ja, doe mij maar een bakkie,' zei Marcus.

'De percolator staat al aan.' Ze keerde terug naar de keuken.

'Hoe goed hebt u Rondo Martin gekend?' vroeg Marge.

'Ik kende hem van naam, maar verder eigenlijk amper. Wilt u weten of ik ooit met hem te maken heb gehad?'

'We zijn geïnteresseerd in alles wat u ons over hem kunt vertellen.' Marge pakte haar notitieboekje. 'U weet waarom we in hem geïnteresseerd zijn?'

'Ja. Hij werkte als bewaker voor die mensen die vermoord zijn en nu wordt hij vermist.'

'Wat kunt u ons over hem vertellen?' vroeg Oliver.

'Niet veel. We knikten elkaar altijd beleefd toe, maar ik heb nooit echt met hem gepraat. Ik dacht eerst dat hij zo afstandelijk was vanwege mijn huidskleur, maar later hoorde ik van anderen dat hij gewoon geen sociaal type was. Het contact tussen de mensen verwatert hier trouwens steeds meer nu de meeste boerderijen eigendom zijn van grote bedrijven.'

Marge knikte.

'Er zijn nog een paar ouderwetse boeren zoals ik. Er is me al een paar keer gevraagd of ik het land wil verkopen, maar ik wil het aan mijn kinderen nalaten. Maar goed, u bent niet gekomen om over deze dingen te praten, maar over Rondo Martin.' Marcus schraapte zijn keel. 'Ik zag hem af en toe als ik in de Watering Hole een biertje ging drinken. Hij dronk altijd whisky en praatte wat met Matt of Trevor of wie er ook achter de tap stond. Boeren werken van zonsopgang tot zonsondergang zolang het weer goed is. 's Winters, als het koud is, hebben ze in het café meer klandizie.'

'Hoe staat het hier met het misdaadpeil?' vroeg Oliver.

'Dat kunt u beter aan de sheriff vragen,' zei Marcus. 'Naar wat ik in de krant lees, worden de meeste overtredingen begaan door seizoenarbeiders die zich in het weekend bezuipen en dan met elkaar op de vuist gaan. Er is hier niet veel te doen. We hebben een supermarkt, een kerk, een bioscoop, een bibliotheek, een paar eenvoudige restaurants en een straat met cafés. Meer niet.'

'Gaan de seizoenarbeiders naar dezelfde kerk als u?'

'Nee. Wij zijn allemaal baptisten. Seizoenarbeiders zijn over het algemeen katholiek of lid van de pinkstergemeenschap. Die kerken hebben we hier niet. Die hebben ze dan waarschijnlijk zelf.'

'Waar wonen ze?' vroeg Marge.

'In de omliggende gebieden. Wij noemen het *ciudads*, wat Spaans is voor steden. Ponceville is gebouwd als een vierkant. In het midden heb je de stad, daaromheen de boerderijen en langs de uiterste grens wonen de seizoenarbeiders. Hun woningen worden onderhouden door de maatschappijen waar ze voor werken, maar zijn erg primitief. Ze hebben wel stromend water en elektriciteit, maar verder is het niet veel. Toch blijven ze komen. En ze zullen blijven komen zolang de omstandigheden in hun eigen land belabberder zijn dan hier.'

'Zijn het illegale arbeiders?' vroeg Oliver.

'De bedrijven zorgen ervoor dat ze een *green card* krijgen. Mijn arbeiders hebben er allemaal een. Dat moet wel. Anders worden ze opgepakt door de immigratiedienst en dan kun je je boerderij wel opdoeken. Maar we hebben het helemaal niet over Martin.'

'We horen juist graag iets meer over deze streek,' zei Marge. 'Om een beter beeld van Martin te krijgen. Weet u of hij Spaans spreekt?'

'Iedereen die hier voor langere tijd woont, spreekt Spaans.'

Marge knikte. 'Om dan maar even terug te keren naar onze eerste vraag: hoe goed hebt u Rondo Martin gekend?'

'Ik heb amper een paar woorden met hem gewisseld. Af en toe kwam hij naar de kerk. Ik zing in het koor. Mijn vrouw ook. Toen ik een keer een solo had gezongen, zei hij na de dienst dat hij vond dat ik een mooie stem heb. Maar verder zijn we nooit tot een persoonlijk gesprek gekomen.' Hij keek op zijn horloge en hees zich uit zijn stoel. 'We moeten maar eens gaan als we op tijd willen zijn.'

Op dat moment kwam Gladys binnen met de koffie.

Marcus keek naar het blad met de mokken. 'Al maken een paar minuutjes niet echt veel uit.'

'Vind ik ook,' zei Gladys glimlachend. 'We nemen het hier niet zo nauw.'

Marcus deelde de mokken rond en Gladys zette koffieroom en suiker op de tafel. De rechercheurs bedankten haar.

Marge zei: 'Ik vind al die foto's aan de muur erg leuk, mevrouw Merry.'

Gladys glimlachte. 'Daar zijn muren voor.'

'Dat schilderij is ook mooi.'

'Vindt u?' zei Gladys. 'Ik geef er zelf niet veel om. Mijn schoonouders hebben het gekregen van de man die het heeft gemaakt. Zijn vader had een boerderij in Chico en ik geloof dat hij een vriend van de familie was... Zeg ik het goed, Marcus?'

'Zoiets, ja. Paul was een rare vent. Mijn moeder heeft dat schilderij alleen gehouden omdat ze hem niet wilde kwetsen.' Marcus lachte. 'Later is hij erg beroemd geworden.'

'Paul Pollock,' zei Gladys. 'Hebt u wel eens van hem gehoord?'

'Nee,' zei Marge. 'Maar hij schildert net zoals Jackson Pollock. Zijn ze soms familie van elkaar?'

'Dat is hem,' zei Gladys. 'Jackson Pollock. Hij heette eigenlijk Paul Jackson.'

'Dat was een erg beroemde kunstenaar,' zei Oliver. 'Dus zijn vader was boer?'

'Ja.'

'Dat schilderij is veel geld waard, mevrouw Merry,' zei Marge.

'Dat weet ik.'

'Bent u niet bang dat het zal worden gestolen?' vroeg Marge.

Gladys schudde haar hoofd. 'De mensen hier denken dat mijn kleinkinderen het hebben gemaakt.' Ze staarde naar het kunstwerk. 'En dat laat ik maar zo.'

21

Het adres van Alejandro Brand was in Pacoima, een buitenwijk met ongeveer honderdduizend inwoners die deel uitmaakte van Deckers oude jachtgebied Foothill. Het enige waar de wijk zich op kon beroemen – afgezien van een afschuwelijke vliegtuigcrash in 1957, waarbij kinderen op een schoolplein waren omgekomen – was dat Ritchie Valens, een aankomende popster uit de jaren vijftig, er op de middelbare school had gezeten. Aan de carrière van de jonge ster was abrupt een einde gekomen toen hij samen met Buddy Holly en J.P. Richardson, alias de Big Bopper, in 1959 verongelukte toen het vliegtuig dat ze hadden gecharterd in Iowa neerstortte. Pacoima was een arbeiderswijk waar voornamelijk latino's woonden en gewelddaden aan de orde van de dag waren.

Afgezien van de industrieterreinen en pakhuizen was er een redelijk centrum met goedkope kledingzaken, slijterijen, minimarkten, fastfoodrestaurants, wasserettes, dealers in tweedehandsauto's en wat etnische zaakjes. Veel geld had men hier niet te besteden, behalve op vrijdagavond, en dan deden vooral de bars goede zaken. Decker reed langzaam door de brede straten en bekeek het schorem dat over de stoep slenterde en op met onkruid overgroeide pleintjes stond te lummelen. Ze keken terug met uitdagende blikken en een agressieve houding.

Brands adres was een flatgebouw uit de jaren vijftig met glinsterend stucwerk en een helderblauw naambord waarop THE CARIBBEAN stond. Drie troosteloze verdiepingen met wasgoed aan de balkons. Decker had geen enkele moeite een parkeerplaats te vinden en liep naar het hek. Dat kon van buitenaf niet worden geopend, maar het was niet al te hoog en hij kon net bij de klink aan de binnenkant komen toen hij zijn arm eroverheen boog. In de tuin was een klein, schoon zwembad waarin wat kinderen aan het spelen waren. Vrouwen in badkleding zaten op ligstoelen van plastic draadwerk met elkaar te kletsen terwijl ze zich lieten bruinbakken. Ze bekeken Decker achterdochtig.

Hij liep op een van de vrouwen af, een latina van een jaar of dertig met kort, zwart haar, donkere ogen en een weelderig lichaam dat uit haar bikini puilde. Hij zei in het Spaans dat hij van de politie was, waarbij hij zijn penning toonde, en dat hij op zoek was naar Alejandro Brand.

De vrouw tuitte haar lippen en zei: 'Alejandro is tuig.'

Een van de andere vrouwen bemoeide zich er meteen mee. Ze was ouder en dikker en droeg een haltertop en een afgeknipte spijkerbroek. 'Tuig van de richel,' zei ze. 'Raul, doe niet zo wild met je zusje. Laat haar los!' En tegen Decker: 'Hij verkocht drugs in de flat van zijn moeder. En toen mevrouw Cruz was gestorven, werd het allemaal nog veel erger. Wij hebben een paar keer de politie gebeld, maar die zeiden dat ze niks konden doen als er niemand een aanklacht indiende. Op een dag was er brand in zijn flat. Het scheelde niet veel of het hele gebouw was in vlammen opgegaan. Maar de brandweer kwam snel, *gracias a Dios*.' Ze sloeg een kruis.

Decker dacht aan een drugslaboratorium en alle brandbare stoffen die daarvoor nodig waren. 'Kwam er bij die brand een rare geur vrij?'

'Zo dicht zijn we niet in de buurt gekomen.'

'Hebt u dan misschien in de vuilnisbak veel verpakkingen van antivries gezien, of loog of jodium?'

'Ik snuffel niet in andermans vuilnis,' zei haar vriendin. 'Ik weet niet wat hij daar deed en dat kan me ook niks schelen. Ik ben alleen maar blij dat we van hem af zijn.'

'Al gebeuren er in flat K ook rare dingen,' zei de eerste vrouw.

'Maar dat is lang niet zo erg als toen Alejandro hier nog woonde. Er kwamen aldoor van die ongure types. Ik moest constant op mijn dochters letten. Hij had veel geld en was knap om te zien. Dat is een slechte combinatie voor tienermeisjes.'

'Weet u waar hij nu woont?'

'Nee, en dat interesseert me ook niet.'

'*Gracias a Dios*,' zei de andere vrouw.

'Hij is ons probleem niet meer.'

'Woonde er behalve zijn grootmoeder nog iemand in die flat?' vroeg Decker.

'Zou kunnen. Het was daar een komen en gaan van allerlei mensen. Raul, als je je zusje nog een keer slaat, haal ik je het bad uit!'

'Had Brand broers of zussen?'

'Ik geloof dat hij enig kind was. Mevrouw Cruz was erg oud.'

'Ze was zijn grootmoeder.'

'Ze noemde hem altijd *mi hijo*.'

'Maar hij noemde haar een keer *abuela*. Ze was zijn grootmoeder of misschien zelfs zijn overgrootmoeder. Ze was erg oud.'

'Dus u weet niet waar hij nu is?'

'Hij is nog wel ergens in deze buurt. Ik zie hem af en toe in de supermarkt, maar dan doe ik alsof hij lucht is.'

'Heel verstandig,' zei Decker. 'Welke supermarkt is dat?'

'Anderson's. Die is drie straten verderop.'

Decker schreef het op. 'Hoeveel maanden zaten er tussen de dood van de oude vrouw en de brand in de flat?'

'Een maand of drie.'

Haar vriendin knikte instemmend. 'Opgeruimd staat netjes. Nu is het hier tenminste rustig en veilig. We hebben met z'n allen voor dat hek gedokt.' Opeens vernauwde ze haar ogen en vroeg aan Decker: 'Hoe bent u eigenlijk binnengekomen?'

'Ik kon over het hek heen bij de klink komen.'

'O, jee. We hebben dat hek laten maken voor onze veiligheid. Als u zo makkelijk binnen kon komen, moeten we daar misschien iets aan veranderen.'

'Hoe lang bent u?' vroeg een van de vrouwen.

'Een meter tweeënnegentig.'

'Hoeveel mannen van één meter tweeënnegentig ken jij?' vroeg de vrouw aan haar vriendin.

'Geen een.'

'Ik ook niet. Dus is het geen probleem.' En ze zei tegen Decker. 'Trek het hek goed dicht als u weggaat en druk de volgende keer op de bel. Daar is die voor.'

'Harriman is net vertrokken,' vertelde Wanda Bontemps hem door de telefoon.

'Wat wilde hij?' Decker had moeite geen scherpe toon aan te slaan.

'We hadden toch gevraagd of hij naar het bureau kon komen?'

Decker leunde op het stuur en had moeite haar woorden in zich op te nemen. Hij was zo geconcentreerd geweest op Rina's veiligheid dat hij was vergeten dat ze niet voor niets contact hielden met Harriman. 'O ja... natuurlijk. Het fictieve verhoor van Oscar Vitalez. Hoe is het gegaan?'

'Harriman zei dat hij het niet was. We hebben geprobeerd hem ervan te overtuigen dat hij het wel was, gebaseerd op Rina's identificatie, maar hij hapte niet. Hij hield vol dat dit niet de man was. Nu ben ik nog een paar verhoren aan het regelen waar hij naar kan luisteren. Vanmiddag om vijf uur komt hij terug.'

'Heel goed, Wanda. Dank je wel. Alejandro Brand, de man die Rina heeft aangewezen, woont niet op het adres dat we van hem hebben, maar nog wel in dezelfde buurt. Ik ga naar hem op zoek. Hebben jullie Joe Pine al gevonden?'

'Ik heb nog niks van Messing gehoord. Zal ik hem even bellen?'

'Ja, doe dat. Ik moet je even in de wacht zetten, Wanda, er komt een ander gesprek binnen.'

'Neem het maar aan. Ik ben al klaar. Tot later.'

Altijd even efficiënt. Dat kon Decker erg waarderen. Het was Rina die belde.

'Als je wilt dat ik nog wat fotoboeken bekijk, heb ik daar vanmiddag wel tijd voor.'

Decker wist dat hij haar niet van haar plannen zou kunnen afbrengen. 'Ja, dat is goed. Zullen we om drie uur afspreken?'

'Prima. Kan ik iets voor je meebrengen?'

'Nee, schat, dank je wel. Ik ben in Pacoima. Ik bel je nog wel, goed?'

'Waarom ben je in Pacoima?'

'Ik ben op zoek naar Alejandro Brand.'

'Laat het me weten als je hem hebt gevonden.'

'Waarom?'

'Dan kan ik hem persoonlijk identificeren.'

'Jouw identificatie is van geen enkel belang, omdat jij hem niet over de moord op de Kaffeys hebt horen praten. Harriman is degene die hem moet identificeren. Niet jij.'

'Waarom niet wij allebei?'

'Omdat hij, en niet jij, getuige was van een verdacht gesprek.'

'Ik kan bevestigen of hij de man is die door Harriman werd afgeluisterd.'

'Ik neem aan dat Harriman veel mensen afluistert. Daarom is hij ook in moeilijkheden geraakt. Je mag in de fotoboeken kijken, maar meer niet. Hou alsjeblieft rekening met de gevoelens van je vermoeide echtgenoot en steek je neus niet nog dieper in deze zaak. Goed?'

'Maak je toch niet zo veel zorgen, Peter. Ik probeer je alleen maar te helpen.'

De weg naar de hel is geplaveid... 'Dat weet ik, lieverd. Tot straks.'

'Ik breng cake mee voor je collega's. Als je lief bent, krijg je ook een plak.'

'En als ik niet lief ben?'

'Dan krijg je geen plak en is dat een mooi begin van je zoveelste dieet. Je zit dus altijd goed.'

Marcus Merry nam hen mee in zijn pick-up, een Ford Bronco Ranger uit 1978 met honderdtachtigduizend kilometer op de teller. Ze zaten met z'n drieën opgepropt in de cabine die was ontworpen voor maximaal twee volwassenen. Hij zei dat hij onderweg even iets moest doen, reed dwars door de velden, stopte bij een eenzame schuur en zette de motor af.

'Even iets uitladen.'

'Hebt u hulp nodig?' vroeg Marge.

'Achterin staan zes kratten. Als u er eentje voor me naar binnen wilt brengen, zeg ik geen nee.'

Oliver fluisterde tegen haar: 'Kon je je mond weer niet houden?'

'Maar dan zijn we sneller bij de sheriff.' Ze stapte uit en trok over de laadklep een kist met uien naar zich toe. 'Wat is dit voor een gebouw?'

'Dit is de plaatselijke voedselcoöperatie. Alhoewel hier alles kan groeien, kweekt niemand alle soorten groenten. Dus hebben we een soort ruilbeurs.' Marcus bewoog zich snel voor zo'n oude man. Binnen vijf minuten waren de zes kratten met uien en knoflook uitgeladen en had Marcus er een tegoed voor gekregen. 'Mijn tegoed was bijna op. Nu kan Gladys weer boodschappen doen.'

Toen ze zich weer in de auto hadden geperst, reed Marcus door naar de stad. Main Street was een brede straat met aan weerskanten winkels: een kledingzaak, een dierenwinkel, een minimarkt, een stoffenwinkel, een bank, een dealer in tweedehandsauto's, een dealer in tractors, en twee winkels waar je auto-onderdelen kon kopen, een ervan met een groot bord boven de deur waarop TRACTORONDERDELEN stond. Verder waren er twee ijzerhandels, een bioscoop, een paar restaurants en wat bars.

De plaatselijke rechtbank annex politiebureau en huis van bewaring was het laatste gebouw aan Main. Het gebouw was opgetrokken in koloniale stijl en wit gepleisterd. Het was niet erg groot voor de doelen die het diende, maar liet de rest van de straat evengoed in het niet zinken.

Het kantoor van de sheriff was op de derde etage en had uitzicht op vele rijen groene, vlakke velden. De receptioniste was een bejaarde vrouw die haar grijze haar een blauwspoeling had laten geven. Ze droeg een rode baret en het rood kwam terug in haar japon en nagellak. Ze keek op en stak de rechercheurs haar met levervlekken bedekte hand toe. 'Edna Wellers. U bent zeker de collegaatjes van Willy.'

Marge glimlachte. Edna zei 'collegaatjes' alsof zij en Oliver kinderen waren die bij Brubeck kwamen spelen. 'Dat klopt. Aangenaam.'

Edna keek naar Oliver. 'Kijk eens aan, wat een knappe jongeman. Ben je getrouwd? Ik heb een dochter. Gescheiden, maar haar kinderen zijn al volwassen.'

'Dank u, maar ik heb een vriendin,' zei Oliver.

Ze bekeek hem van top tot teen. 'Je ziet er anders uit alsof dat je niet van een avontuurtje zou afhouden. Heb ik gelijk, Marcus?'

'Edna, hou op met die onzin. Ze zijn hier voor zaken. Ga sheriff T even roepen want ze moeten nog terugvliegen naar het zuiden.'

'Wanneer gaan jullie terug, schat?' vroeg ze aan Oliver.

'Vanavond.'

Edna's gezicht betrok. 'Wat een pech!'

'Edna, waar is T?'

'Hij is nog niet terug.' Ze bleef naar Oliver kijken: 'Kun je niet nog een dagje blijven?'

'Helaas niet.'

'Nou, dan moet je nog maar een keertje terugkomen.'

'Hij komt niet terug, Edna,' zei Marcus. 'Ze werken in Los Angeles aan een belangrijke moordzaak.'

'Ja, die rijkelui, hè? Op die ranch waar Rondo werkte. Jullie kunnen beter met mij praten, want ik woon hier het langst van allemaal. Heb ik gelijk, Marcus?'

'Je hebt gelijk, Edna.'

'Wat kunt u ons vertellen over Rondo Martin?' Oliver pakte zijn notitieboekje.

‘Hij was niet zo knap om te zien als jij, schat.’

‘Dat zijn weinig mannen.’

Edna glimlachte. ‘Hij heeft een poosje verkering gehad met Shareen, mijn dochter, maar dat is uiteindelijk niks geworden. Shareen is een babbelkous en Rondo praatte niet veel. Nou praten mannen over het algemeen niet veel, maar Rondo was ook geen goede luisteraar. Ik geloof dat het hun alleen maar ging om... nou ja, je weet wel. Dat hoef ik zeker niet uit te leggen?’

‘Nee, we snappen het,’ zei Marge. ‘Was het een vrijblijvende affaire, of hoopte Shareen op meer?’

‘Vrijblijvend. Rondo was een eenling en hij zocht eigenlijk met weinig mensen contact. Heb ik gelijk, Marcus?’

‘Ik kende hem amper.’

‘Dat bedoel ik dus. Hij deed zijn werk, maar hij was niet sociaalvoelend. Zelfs als hij een beetje tipsy was, zei hij geen boe of bah.’

‘Heeft hij nooit iets over zichzelf losgelaten?’ vroeg Marge.

‘Eén keer begon hij over zijn ouders.’

‘Ja, daar was ik bij,’ zei Marcus. ‘Het was rond kersttijd. Het was heel koud, zo’n droge kou die tot in je botten doordringt. De bars deden goede zaken.’

Edna zei: ‘Hij had niet veel goeds te vertellen over zijn ouders.’

‘Ja, hij zat vreselijk op zijn vader af te geven... wat een gemene schoft dat was. Hij zei dat hij hem altijd sloeg, tot hij een keer had teruggeslagen. Ik herinner me dat nog precies, omdat het zo eigenaardig was dat hij daar juist met de feestdagen over begon.’

‘Hij had heel slechte herinneringen aan zijn jeugd,’ zei Edna.

‘Verder nog iets?’ vroeg Oliver.

Ze schudden hun hoofd. Edna’s baret zakte een beetje scheef.

‘Waar kwam hij vandaan?’ vroeg Marge.

‘Uit Missouri geloof ik. Heb ik gelijk, Marcus?’

‘Ik dacht uit Iowa,’ zei Marcus.

Op dat moment kwam de sheriff binnen. Eén meter achtenzestig lang, zeventig kilo zwaar, met een gegroefd gezicht en melkblauwe ogen. Zijn lippen waren zo dun dat ze opgingen in zijn gezicht. Hij gaf hun een verrassend stevige hand, niet bottenkrakend, maar stevig genoeg om hun te laten weten dat hij zijn mannetje kon staan. Hij droeg een kakikleurig uniform en een cowboyhoed en toen hij die afzette, zagen ze dat hij stekeltjeshaar en flaporen had. 'Tim England. Sorry dat ik zo laat ben. We hadden een probleempje in de *ciudads*... iets over gestolen geld. Uiteindelijk bleek dat de man in kwestie zich gewoon niet kon herinneren waar hij het had verstopt. Waarschijnlijk omdat hij toen dronken was.'

'In de *ciudads* wonen de seizoenarbeiders,' zei Edna. '*Ciudad* is Spaans voor stad.' Ze wendde zich tot de sheriff. 'Zeg, T, misschien kun jij een raadsel voor ons oplossen. Waar kwam Rondo Martin vandaan? Uit Missouri of uit Iowa?'

'Hij zei eerst tegen mij dat hij uit Kansas kwam, maar later zei hij uit New York. Hij zei dat hij had gedacht dat hij hier beter ontvangen zou worden als hij zei dat hij uit het Midwesten kwam, maar dat zijn vader een boerderij in de staat New York had.'

'En was dat zo?' vroeg Marge.

'Geen idee.' T haalde zijn schouders op. 'Ik heb altijd het gevoel gehad dat hij iets te verbergen had, maar ben er nooit achter gekomen wat dat was. Hij had in elk geval geen strafblad en zijn referenties waren in orde.'

Marge vroeg: 'Op welke politieacademie heeft hij gezeten?'

'Dat weet ik eerlijk gezegd niet. Voordat hij hier kwam, had hij een paar jaar bij de politie van Bakersfield gezeten. Hij had een goede staat van dienst – geen ongeoorloofd verzuim, geen overmatig geweld en hij is nooit onderworpen aan een intern onderzoek. De wachtcommandant zei dat hij altijd op tijd kwam, vlijtig aantekeningen maakte en nooit veel zei. Een goede, eerlijke agent, noemde hij hem.'

'Waarom is hij daar weggegaan?' vroeg Oliver.

T dacht even na. 'Ik geloof dat hij zei dat hij in een kleine gemeenschap wilde werken. Dat hij de grote stad zat was.'

'Is Bakersfield dan een grote stad?'

'Het is Los Angeles niet, maar je hebt daar toch gauw vierhonderdduizend inwoners. Dat is best veel. Ponceville was voor hem een dorp.'

Marge zei: 'Waarom is hij dan uit Ponceville weggegaan om in Los Angeles te gaan werken voor een bewakingsdienst?'

'Dat weet ik niet. Ik geloof dat hij een nogal rusteloos type was. Je moet een bepaald karakter hebben om hier te kunnen wonen als je geen boer bent. Er is niet veel te doen. Je kunt naar de kroeg of naar de kerk. Rondo deed allebei. Soms zag je hem in de kerk, soms in de kroeg. Maar hij paste nergens.'

'Ik geloof dat Shareen zei dat hij wel eens naar de *ciudads* ging,' zei Edna.

Ze liet haar stem zakken tot een fluistertoon: 'Daar zitten de hoeren.'

'Hou op, Edna.' T sloeg zijn ogen ten hemel. 'Al zit daar wel iets in. Als je eenzaam bent en geen zin hebt om te gaan bidden, is dat een van de alternatieven.'

'Waar zijn die *ciudads*?' vroeg Oliver.

'Die liggen rond de akkers,' zei T. 'Er zijn er vier. In het noorden, zuiden, oosten en westen.'

Marge vroeg: 'Zou Shareen weten bij wie Martin in die *ciudads* op bezoek ging?'

'Misschien,' zei Edna.

'Zou u uw dochter even kunnen bellen om het te vragen?'

'Nu meteen?'

'Ja, Edna, nu meteen,' zei T. 'Ze hebben een hoop te doen.'

'Goed, goed.' Ze belde haar dochter en hing na vijf minuten weer op. 'Volgens Shareen zat hij vaak in de *ciudad* in het noorden. Welke families wonen daar zoal, T? Gonzales, Ricardo, Mendez, Alvarez, Luzon? Volgens mij zijn ze trouwens allemaal familie van elkaar.'

'Ja, dat klopt wel,' antwoordde de sheriff. En hij zei tegen de rechercheurs: 'Ik vraag nooit aan mijn mensen wat ze in hun vrije tijd doen. Dat is hun eigen zaak. Spreekt u Spaans?'

Marge en Oliver schudden hun hoofd.

'Dan heeft het geen zin dat u ernaartoe gaat, want dan verstaat u toch niet wat ze zeggen.' Zijn mobiele telefoon ging. 'Neem me niet kwalijk.'

Toen hij de telefoon weer dichtklapte, zei hij: 'Alweer een probleem in de *ciudads*. Ditmaal is het die in het zuiden. Wilt u mee om te zien hoe het hier toegaat? U kunt in uw eigen auto achter me aan rijden.'

'Ze zijn met mij meegereden,' zei Marcus. 'En ik moet weer aan het werk.'

'Kunnen we met u meerijden?' vroeg Oliver.

'Natuurlijk, maar ik ben er zeker een uur bezig. Om hoe laat is uw vlucht?'

'We hebben tijd genoeg,' zei Marge.

'Mooi is dat,' zei Edna. 'Wel tijd voor de hoeren, maar niet voor mijn dochter.'

'Hou op, Edna. Dit is geen datingdienst. Laat die mensen hun werk doen.' T pakte zijn hoed. 'God, dit is de vierde melding in vier uur. Dat krijg je als het warm wordt. Dan wordt het volk rusteloos.'

22

Het politiebureau van Foothill had een grote opknapbeurt ondergaan sinds Decker daar vijftien jaar geleden had gewerkt, maar het rook en klonk er nog net zoals vroeger. Rechercheur Mallory Quince, een kleine brunette van midden dertig, bespeelde het toetsenbord tot Alejandro's gezicht op het computerscherm verscheen. 'O, die van het drugslab. Die heeft bijna het hele flatgebouw in de as gelegd.'

'Ja, dat heb ik gehoord.'

'Van wie?'

'De andere bewoners. Ik ben er vanochtend geweest. Ik had al een vermoeden dat het om een drugslab ging, maar de bewoners wisten daar niets van. Hoe groot was de schade?'

'Zijn eigen flat is geheel uitgebrand en de twee flats ernaast hebben schade opgelopen, maar de brandweer heeft het gebouw kunnen redden. We hebben die vent een paar dagen later opgepakt. Hij beweerde dat hij er niets mee te maken had en dat hij niet eens in de flat was geweest sinds zijn grootmoeder was overleden. Duidelijk gelogen, maar niemand sprak het tegen. Ik denk dat de anderen bang waren voor vergelding.'

'De vrouwen die ik heb gesproken zeiden dat ze diverse keren de politie hadden gebeld om zich over hem te beklagen. Staat dat ergens genoteerd?'

'Ik zal even kijken, maar ook dat is waarschijnlijk niet waar.' Mallory trok haar neus op. 'U weet dat we altijd een onderzoek instellen als het om drugsdealers en drugslabs gaat.'

'Dus jullie hebben niets over Alejandro Brand?'

'Helaas niet.'

'Ook geen vingerafdrukken?'

'Ik weet niet of we een kaartje van hem hebben.' Ze tikte op een paar toetsen. 'Sorry. Hij is nooit gearresteerd.' Ze printte de foto en gaf die aan Decker. 'Ik zal naar hem uitkijken en het ook aan de anderen doorgeven.'

'Graag.' Hij gaf haar een hand. 'Bedankt voor uw tijd.'

'Mist u dit bureau?'

'Het verschilt niet veel van waar ik nu zit, alleen zijn de mensen in mijn wijk welgestelder. Er worden minder gewelddaden gepleegd.'

'U mist de opwinding dus niet?'

'Soms mis ik het veldwerk, maar ik ben tevreden. Het is prettig dat ik een kantoor heb met een deur die ik dicht kan doen.'

Dit was niet het zonnige Mexico waar Amerikaanse expats margarita's dronken en op witte zandstranden lagen. Dit was het Baja California uit Olivers jeugdherinneringen: een wijk waar armoe troef was, het land van de kanslozen, met krotwoningen en schuurtjes van golfplaat. Tijuana had vele lichtjaren ver weg geleken, al lag het pal over de grens. Toen hij wat ouder was, was hij met legervrienden naar die achterbuurt gegaan voor de goedkope drank en de oude hoeren – een overgangsrite. De *ciudads* van Ponceville bestonden uit rijen haveloze onderkomens, ver van de bewoonde wereld. Net als in Tijuana probeerden de bewoners hun stad een vrolijk aanzien te geven door de buitenmuren te schilderen in hardblauw, citroengeel, heldergroen en paars. Op zijn achttiende had Oliver de oogverblindende kleuren exotisch gevonden. Nu stemden ze hem bedroefd.

Er waren weinig oriëntatiepunten, maar sheriff T wist er de weg. Zijn auto was een dertig jaar oude Suburban en toen ze in het bakbeest over de ongeplaveide wegen reden, wipten ze ongenadig op en neer op de niet al te best gevoerde stoelen. Hij stopte midden op straat voor een oranje krot en ze stapten uit.

T liep met grote stappen naar de deur en gaf er een harde roffel op. Een tienermeisje van een jaar of dertien deed open, met een mollige baby op haar heup en een broodmagere kleuter aan haar rok. Het was een knap meisje met donker haar, een gladde mokkakleurige huid, wijd uit elkaar staande ogen en hoge jukbeenderen. Zweetdruppeltjes parelden op haar voorhoofd en neus. Ze deed de deur helemaal open om Marge, Oliver en T binnen te laten.

Een vierjarig jongetje zat op een haveloze bank naar tekenfilmpjes te kijken op een oud televisietoestel dat op een paar dozen stond. Behalve de televisie en de bank bestond het meubilair uit een eetkamerset, twee klapstoelen en een box vol speeltjes. Een versleten vloerkleed bedekte een ruwe vloer die leek te zijn vervaardigd uit het hout van kratten. Aan de muur een doorgezakte plank met wat boeken en dvd's, en een leeg koffieblikje waarin een Amerikaans vlaggetje stond.

Het was een kale bedoening maar er hing een heerlijke baklucht. De hitte van de oven voegde nog een paar graden toe aan de toch al hoge temperatuur van de warme zomerdag en Marge begon te transpireren. Ze haalde papieren zakdoekjes uit haar tas en gaf er een aan Oliver.

Het meisje zette de baby en de peuter in de box en gaf hun elk een koekje. De kleintjes zaten te midden van een massa oude speeltjes rustig aan hun koekjes te sabbelen, starend naar de kleurenflitsen van het filmpje waar het oudere jongetje naar zat te kijken.

Het meisje keek erg bedrukt. Ze veegde met de rug van haar hand het zweet van haar voorhoofd en begon op gejaagde toon in het Spaans te praten. Daarbij wrong ze haar handen. De sheriff knikte af en toe. Het was een kort gesprek. Na een paar minuten stond T op en legde een hand op haar schouder. Het meisje kreeg tranen in haar ogen en zei een paar keer achter elkaar '*gracias*'.

Toen ze weer buiten stonden, zei T: 'Ze woont hier met haar ouders, die allebei op het land werken. Ze is de oudste van zeven kinderen. Drie zitten op school en zij moet thuis blijven om op de kleintjes te passen.'

'Gaat ze zelf dan niet meer naar school?' vroeg Marge.

'Volgens haar geboortebewijs is ze zestien, dus is ze niet meer leerplichtig.'

'Ze ziet eruit als twaalf.'

'En dat is ze waarschijnlijk ook, maar zij en haar ouders zijn er echt niet mee geholpen als ik te veel vragen stel.'

'Waarom heeft ze u laten komen?' vroeg Oliver.

'Ze wordt voortdurend lastiggevallen door een of andere hufter die hier werkt, een jongen van twintig die er steeds stiekem tussenuit knijpt en dan probeert bij haar binnen te komen omdat hij met haar naar bed wil. Hij heet Ignacias Pepe, maar ik weet niet precies wie dat is, want er zijn zo veel van die lui dat ik niet alle namen kan onthouden. Iedere keer dat ik min of meer weet wie hier allemaal wonen, vertrekken er een paar en komen er anderen voor in de plaats. Ze zei dat Ignacias aardbeien plukt op de boerderij van McClellan. Ik ga wel even een praatje maken met die lummel. Ik zal zeggen dat hij zijn pik in zijn broek moet houden als hij wil voorkomen dat die op sterk water komt te staan.'

Ze stapten weer in de Suburban.

'Ik zet u op weg naar Ardes McClellan wel even af bij de boerderij van Marcus. Ik weet dat u weer verder moet.'

'Heel graag,' zei Oliver. 'Edna zei dat Rondo Martin vaak naar de noordelijke *ciudad* ging. Verschilt die in enig opzicht van deze hier?'

'Nee, ze zijn precies hetzelfde. Ik wou dat ik u meer over Martin kon vertellen, maar u weet net hoe het is. Als iemand geen problemen veroorzaakt, ga je er ook niet naar zoeken.'

'Bedankt dat u ons hebt meegenomen,' zei Marge. 'We zijn niet veel te weten gekomen over Rondo Martin, maar we weten nu in elk geval hoe het hier is.'

'Het is misschien maar een speldenknop op de wereldbol, maar ik hou ervan. Een open landschap onder een strakblauwe hemel en ik kan mijn werk doen zonder dat hoge omes me constant op mijn huid zitten.'

'Daar zit wat in,' zei Oliver.

'Niet dat ik aan niemand verantwoording verschuldigd ben,' zei T. 'Ik heb de burgemeester en de gemeenteraad boven me, maar die bemoeien zich nooit ergens mee en rekenen er gewoon op dat ik de mensen in het gareel hou.'

'Heel verstandig,' zei Marge.

'Je bent altijd aan iemand verantwoording schuldig, tenzij je God bent. Ik neem tenminste aan dat die aan niemand tekst en uitleg hoeft te geven, maar ik heb hem nooit ontmoet, dus kan ik dat niet met zekerheid zeggen.'

Ze was bijzonder hardnekkig en zou een goede rechercheur zijn geweest. Opkijkend naar Decker zei ze: 'Het gaat niet zo makkelijk als met Brand. Er is niemand die er echt uitspringt.'

'Misschien zit hij er dan niet bij.'

'Hij had BXII op zijn arm.'

'Dat hij lid is van de Bodega 12th Street-bende, wil nog niet zeggen dat hij in deze boeken staat. Zo niet, dan niet. Het is over vijven. Tijd om ermee te stoppen.'

Ze deed het boek dicht. 'Het spijt me.'

'Ben je mal. Je hebt je best gedaan.' Decker keek weer op zijn horloge.

'Ik moet nog wat dingen afwerken, maar ik ben over een uurtje wel thuis.'

'Goed.' Ze stond op en gaf hem een zoen. 'Tot straks.'

'Ik loop wel even met je mee.'

'Welnee. Ik weet de weg. Maak jij je werk nu maar af.'

'Namens iedereen nog bedankt voor de cake.'

'Graag gedaan. Ik kan na al die jaren niet zomaar opeens stoppen met bakken. Als ik af en toe een cake maak voor jouw rechercheurs, hoef ik tenminste niet in één keer af te kicken.'

'Wat hun betreft, mag je elke dag iets lekkers komen brengen.'

Rina glimlachte. Toen ze de deur van het politiebureau openduwde, zag ze Harriman aankomen. Gewoon doorlopen, zei ze in zichzelf, maar toen hij zonder iets te zeggen langs haar heen liep, voelde ze zich een beetje bezwaard, alsof ze zich onbeleefd gedroeg.

Hou je erbuiten, hield ze zich voor. Ze luisterde niet altijd naar zichzelf, maar beelden van al dat vergoten bloed gaven de doorslag.

Vanwege het uitstapje naar de *ciudad* lagen Oliver en Marge achter op hun schema en omdat het twee uur rijden was van Ponceville naar Oakland, hadden ze geen tijd om ergens iets te gaan eten, dus kochten ze wat broodjes die ze onderweg opaten. Toen ze in de Bay Area aankwamen, hadden ze iets meer dan een uur om Porter Brady op te bellen en een onderhoud met hem te regelen. Ze gingen ervan uit dat hij vanwege zijn recente bypassoperatie wel thuis zou zijn en waren dan ook niet verbaasd dat hij meteen opnam.

'Waarom wilt u met me praten?' Porter klonk geïrriteerd. 'Ik heb de politie al verteld dat Neptune hier was. U kunt de belgegevens erop nakijken.'

'We willen u evengoed graag persoonlijk spreken,' zei Marge.

'Waarom? Mijn zoon heeft nooit problemen veroorzaakt. Weet hij dat u hier bent?'

'Nee,' zei Marge.

'Ik kan u niets bijzonders over hem vertellen. Neptune is een goede jongen.' Hij zweeg even. 'Maar als u per se wilt komen, dan moet het maar.'

'We zijn over een paar minuten bij u.'

Porter woonde in een flat niet ver van Jack Londen Square, een toeristische attractie aan het water waar oude havenpakhuizen tot winkelcentra waren verbouwd. Zijn flat had twee slaapkamers en twee badkamers en bevatte het originele meubilair uit de jaren vijftig. Dat was indertijd niet erg prijzig geweest, maar het esdoornhout had door de jaren heen een zachte tint gekregen, terwijl het eenvoudige ontwerp naadloos paste in de eenentwintigste eeuw.

De oude man droeg een pyjama en peignoir en liep op pantoffels. Hij was broodmager en zijn huid had een ongezonde, vale kleur. Hij had een lang gezicht, kleine, witte krulletjes en dikke lippen. Zijn huidskleur was zo onbestemd dat ze niet met zekerheid konden zeggen tot welk ras hij behoorde, maar afgaande op zijn haar vermoedden ze dat hij een Afro-Amerikaan was. Nog verrassender was zijn leeftijd. Neptune was begin dertig, maar deze man leek dik in de zeventig te zijn. Het raadsel werd snel opgelost.

'Ik ben zijn grootvader, maar ik heb hem opgevoed. Dus ben ik zijn vader.'

Marge nipte aan een mok zoete thee. 'Lekkere thee.'

'Ik maak de melange zelf.'

'Heerlijk.' Ze pakte haar notitieboekje. 'Bent u Neptunes grootvader van moederskant?'

'Nee, van vaderskant. Zijn vader, mijn zoon, is vermoord voordat Neptune was geboren. Hij was achttien en had verkeerde vrienden.'

'En Neptunes moeder?' vroeg Oliver.

De oude man leunde achterover op de bank, waardoor zijn peignoir open viel en zijn ingevallen borst werd ontbloot. Hij trok de panden weer naar elkaar toe. 'Die is blank. Ze woonde aan de overkant van het water en was hulponderwijzeres. Ze was maar een jaar ouder dan haar leerlingen. Erstin, mijn zoon, zat bij haar in de klas. Hij was erg knap om te zien. Een lange, knappe jongen en een charmeur. Mijn vrouw is gestorven toen hij vijf was. Ik heb mijn best gedaan, maar kon geen vader en moeder tegelijk zijn. Ik moest werken.'

'Wat voor werk deed u?' vroeg Marge.

'Ik was dokwerker. Ik heb mijn hele leven in de haven gewerkt. Het betaalde goed, maar het was zwaar werk en ik maakte lange dagen. Maar ik heb altijd mijn rekeningen kunnen betalen en ben niemand ooit een cent verschuldigd geweest.' Hij nam een slokje van zijn thee. 'Wilt u nog een kopje?'

'Nee, dank u.'

Porter keek naar Oliver. 'En u?'

'Ik heb nog,' zei Oliver. 'Bezat uw zoon niet dezelfde werkethiek als u?'

Porter snoof. 'Erstin had werkethiek voor maar één ding. Hij was vijftien toen hij voor het eerst vader werd, en de tweede keer was hij zestien. Tegen de tijd dat hij aan Wendy toe was, was hij al een ouwe rot in het vak.'

'Dat zijn nogal wat baby's,' zei Marge. 'Hebt u contact met al uw kleinkinderen?'

'Eentje zit er in de gevangenis.' Porter trok een meewarig gezicht. 'De andere was van kindsbeen gek op auto's. Hij is naar St. Louis verhuisd, waar hij nu Porsches verkoopt. Dat is een goeie jongen.'

Hij nam een slokje.

'Twee maanden voordat Neptune werd geboren, is Erstin doodgeschoten. De ouders van het meisje wilden de baby laten adopteren. Toen ik daar achter kwam, heb ik meteen protest aangetekend. Ik wilde het kind, vooral omdat ik mijn eigen zoon had verloren...' Er kwam een peinzende blik in zijn ogen. 'De rechter voelde met me mee en het meisje heeft het kind toen afgestaan.'

'Hoe heet Wendy van haar achternaam?' vroeg Oliver.

'Anderson.' Hij hief zijn handen op en liet ze weer op zijn schoot zakken. 'Op een dag belde ze me plotsklaps op... net als u nu. Of ze het kind mocht zien. Ik heb gezegd dat ik dat goed vond. Neptune was een knappe jongen, lang, net als zijn vader, maar verder leek hij op zijn moeder. En hij was net zo'n charmeur als zijn vader.'

De rechercheurs wachtten.

'De dag daarop kwam Wendy al, samen met haar ouders, één en al lievigheid. Eerst hadden ze niks van de jongen willen weten, en nu probeerden ze opeens op mijn gemoed te werken. Wendy huilde tranen met tuiten. Ik geloof dat het haar echt aan het hart ging. Maar de ouders. Ha! De jongen was presentabel... dat was het enige wat voor hen belangrijk was.'

Marge knikte.

'Wettelijk konden ze de jongen niet terugkrijgen, maar er speelden ook morele overwegingen. Ik had medelijden met dat meisje. Ik had mijn zoon verloren en ik kon zien dat zij om haar zoontje gaf. Ik was uiteraard niet bereid mijn voogdijschap op te geven, maar heb tegen de rechter gezegd dat we wel een regeling konden treffen.'

Hij dronk zijn mok leeg en ontblootte zijn gele tanden in een glimlach. 'Dat hebben we uiteindelijk gedaan. Zij kreeg hem om het andere weekeinde en elke woensdagmiddag. Toen hij naar school moest en niet meer in de stad kon blijven overnachten, kwam ze elke woensdag hierheen. Dan gingen ze samen een hamburger eten of zo en 's avonds ging ze weer terug naar huis. Eerlijk gezegd had ik toen hij wat ouder werd mijn handen vol aan hem en vond ik het niet erg dat ze hem af en toe van me overnam. Toen hij acht was, is ze getrouwd. Ze is uiteindelijk rechten gaan studeren en kreeg met haar man nog meer kinderen. Maar ze verwaarloosde Neptune niet. Om het weekend en elke woensdag, zonder uitzondering. Ik was zijn vader geworden, maar dat meisje had zich ontpopt als een prima moedertje.'

'Waar woont ze nu?' vroeg Oliver.

'Toen Neptune achttien was, is ze met haar man naar de oostkust verhuisd. Ze stuurt me nog steeds elk jaar een kerstkaart en belt me altijd op mijn verjaardag. Ze is een goede vrouw.' Hij kreeg tranen in zijn ogen. 'Zo zie je maar weer hoe mensen je voor verrassingen kunnen stellen. Daarom verdient iedereen een tweede kans.'

Marge sloeg een pagina van haar notitieboekje om. 'Wat is Neptune gaan doen toen hij van school kwam?'

'Ik vond dat hij wel kon gaan studeren, maar hij wilde bij de politie.'

'Meteen na de middelbare school?'

'Ja.'

'Weet u hoe hij aan zijn baan bij meneer Kaffey is gekomen?' vroeg Oliver.

'Nee, geen idee. Hij heeft er nooit iets over gezegd, maar ik denk dat hij naar Los Angeles was gegaan omdat hij acteur wilde worden. Het is een knappe jongen, zoals ik al zei.'

Marge en Oliver knikten.

Porter zei: 'Neptune was blij met die baan. Hij verdiende goed en kon een huis kopen. En een Porsche. Van zijn halfbroer in St. Louis.' Hij glimlachte. 'Hij had een goed leven.' De oude man schudde zijn hoofd. 'Ik heb zo met hem te doen. Hij is vreselijk gespannen, ook al probeert hij dat niet aan mij te laten merken.'

'Heeft hij met u over de moorden gepraat?' vroeg Oliver.

'Nauwelijks. Hij zei alleen iets over een insider die alles voor hem had bedorven.'

Marge probeerde kalm te blijven kijken. 'Heeft hij namen genoemd?'

'Hij had het over een Martin...'

'Rondo Martin?' Toen Porter knikte, vroeg Marge: 'Wat zei hij over hem?'

'Even denken.' Porter dronk zijn thee terwijl hij nadacht. 'Alleen dat Martin alles voor hem had bedorven en dat hij vermist werd. En dat de politie zou weten wie het gedaan had als ze hem hadden gevonden.'

'Wanneer heeft Neptune u dat verteld?'

'Dat weet ik niet meer... vlak nadat het was gebeurd, geloof ik.' Porter maakte aanstalten om overeind te komen. Toen Marge zag hoeveel moeite hem dat kostte, stond ze snel op.

'Kan ik iets voor u doen?'

'Nou, als u het aanbiedt, zou ik nog wel een kopje thee met wat melk willen.'

'Komt eraan.' Ze schonk thee voor hem in en zette de mok op het bijzettafeltje naast hem. 'Weet u hoe laat het telefoontje kwam in de nacht dat de moorden zijn gepleegd?'

'Ik sliep. Opeens schudde Neptune me wakker om me te vertellen dat er iets was gebeurd en dat hij onmiddellijk moest vertrekken.'

'Vindt u het goed als we de uitdraai van uw belgegevens bekijken?'

'U mag er zelfs een kopie van meenemen, maar daar hebt u niks aan, want Neptune belt altijd met zijn mobiele telefoon. Zelfs als we naar sport zitten te kijken, heeft hij dat ding aan zijn oor hangen.'

'U hebt waarschijnlijk gelijk,' zei Marge. 'Hij zal niet via uw telefoon gebeld hebben, maar mijn baas staat erop dat we ons werk grondig doen.'

'U krijgt een kopie zodra ik die heb ontvangen.'

'We kunnen ook de telefoonmaatschappij bellen,' zei Marge. 'U hoeft niks te doen, als u mij uw toestemming en uw rekeningnummer geeft.'

'Ik weet niet wat mijn rekeningnummer is, maar ik heb net de rekening betaald en de kwitantie ligt nog in het postbakje op het aanrecht in de keuken.'

Oliver stond op. 'Ik ga wel even kijken.'

'Bedankt.' Marge vroeg aan Porter: 'Kunnen we nog iets voor u doen voordat we gaan?'

'U kunt proberen die Martin te vinden. Mijn zoon heeft het erg moeilijk vanwege deze ellendige zaak.'

'We doen ons uiterste best.' Oliver stak zijn hand uit. 'We moeten gaan, anders missen we ons vliegtuig. Heel hartelijk dank voor uw tijd.'

De oude man gaf hem een slap handje. Waarschijnlijk had hij nog niet zo lang geleden een stalen greep gehad. Oliver gaf hem zijn visitekaartje. 'Hierop staan mijn telefoonnummer en mijn mobiele nummer.'

'Hier hebt u mijn kaartje ook,' zei Marge.

'Waar heb ik die voor nodig?'

'Voor het geval u iets te binnen schiet,' zei Oliver.

'Of als u zomaar wilt praten,' zei Marge.

'Als ik zomaar wil praten, mag ik u bellen?' Porter grijnsde breed. 'Ik ben een oude man die vaak alleen is. Pas op met wat u me aanbiedt, jongedame. Ik ben een enorme kletskous.'

23

Zodra het vliegtuig was opgestegen, zette Oliver zijn stoelleuning naar achteren en staarde uit het raampje. Er zat niemand anders in hun rij, dus hadden ze enige privacy, maar Marge sprak evengoed op zachte toon. 'De belgegevens van de jonge meneer B waren in orde, hè?'

'Ja, en omdat B niet dom is, denk ik dat de belgegevens van die ouwe ook niks zullen opleveren. Maar we moeten ze evengoed bekijken.'

'Ja, vind ik ook,' zei Marge. 'Wat vind jij van meneer B's jeugd? Relevant of niet?'

'Wat dacht je van een neger die voor een blanke kan worden aangezien en een hekel heeft aan rijke blanken?'

'Maar de grootvader zei dat de moeder het goed had gedaan,' zei Marge. 'En waarom denk jij dat B voor een blanke wil worden aangezien? Hij zei heel eerlijk dat hij zijn zwarte grootvader als alibi had. En hij was speciaal naar Oakland gegaan om voor hem te zorgen.'

Oliver knikte. 'Daar heb je gelijk in.'

Marge pakte haar notitieboekje. 'Er schiet me opeens iets te binnen.'

'Wat dan?'

'Ik moet het even opzoeken.'

Oliver masseerde zijn slapen. 'God, wat een deprimerende dag. Die *ciudad* was een verschrikking.'

'Zit jij daar nog steeds aan te denken?'

'Helaas wel.'

Ze sprak terwijl ze haar notities bekeek. 'Toch moet het daar beter zijn dan waar ze vandaan komen. Anders zouden de mensen juist in de tegenovergestelde richting trekken.'

'Soms doen ze dat.'

Marge keek op. 'Ik bedoel niet de mensen die hun pensioengeld gebruiken om een tweede huis aan zee te kopen. Voor zover ik weet proberen er niet duizenden Amerikanen stiekem de grens met Mexico over te komen.'

'Wat ben je hardvochtig.'

'En wat ben jij sentimenteel.' Marge gaf een klopje op zijn knie. 'Maar ik vind je medeleven erg roerend, hoor.'

'Ik zie aldoor dat meisje voor me, dat niet alleen voor haar broertjes en zusjes moet zorgen maar ook nog eens een wellustige kerel van zich af moet slaan. Wat voor leven wacht haar?'

'Denk daar nu maar niet over na.' Marge keek weer in haar aantekeningen. 'Ze herinnerde mij aan alle zaken waar ik aan heb gewerkt toen ik nog samen met de rabbi bij Jeugddelicten zat. Al die onschuldige gezichtjes die om hulp smeekten terwijl ik helemaal niks kon doen. Moordzaken geeft ook een hoop stress, maar bij Jeugddelicten wordt je hart elke dag opnieuw gebroken.'

Een stewardess kwam langs met het drankenkarretje. 'Wat mag het zijn?'

Marge keek op. 'Cola light, alstublieft.'

'Eén dollar.'

Marge zette grote ogen op. 'Moeten we ervoor betalen?'

De ogen van de vrouw werden glazig. 'Water en sinaasappelsap zijn gratis.'

'Dan neem ik sinaasappelsap,' zei Marge.

'Pinda's of pretzels?'

'Krijg je die er gratis bij?'

'Ja, mevrouw.'

'Ik sta paf. En keuze uit twee! Doet u mij maar pretzels. Wat wil jij, Scott?'

'Sinaasappelsap en pinda's. Denk je dat ik het bij de commissaris kan declareren als ik een scheutje wodka in mijn sap laat doen?'

'Ik denk het niet,' zei Marge.

'Bij de commissaris?' vroeg de stewardess.

Marge liet haar penning zien. 'We zijn in functie. Krijgen we dan iets extra's?'

De stewardess aarzelde niet. 'Aan niemand vertellen, hoor.' Ze trok een blikje cola light open en gaf het aan Marge. 'Mijn vader zat bij de politie.' Ze gaf Oliver een glas sinaasappelsap en een miniatuurflesje Skyvy. 'Complimenten van de zaak.'

'Dank u wel,' zei Marge, maar de stewardess was al doorgelopen. 'Dit is de eerste keer dat ik dankzij mijn penning iets voor niks krijg.'

Oliver schonk de wodka in zijn sap. 'Dit is het betere werk. Wil je een slokje?'

'Zo dadelijk... hier, ik heb het gevonden.' Marge sprak weer op fluistertoon. 'Edna's dochter zei dat meneer RM altijd naar de *ciudad* in het noorden ging als hij zich wilde ontspannen.'

'Als hij zich wilde inspannen, bedoel je.'

'Edna vroeg aan T wie daar zoal woonden en ik heb de namen genoteerd: Gonzales, Ricardo, Mendez, Alvarez, Luzon. Komt een van de namen je niet bekend voor?'

Oliver keek haar aan. 'Paco Alvarez?'

'Paco heet Albanez. Maar wat dacht je van het dienstmeisje, Ana Mendez?'

Oliver knikte. 'Ze heeft een alibi, maar dat zegt niets.' En hij vervolgde: 'Maar dat ze Mendez heet, zegt ook niet veel. Er zijn massa's latino's die Mendez heten.'

'Jawel, maar stel dat RM en Ana elkaar in Ponceville hebben leren kennen. Ze gaan samen naar Los Angeles. Ze komen op een lumineus idee. Iedereen zegt dat de daders hulp hebben gehad van een insider. Waarom niet die twee? Het moet iemand zijn die het huis van onder tot boven kent, anders hadden de daders niet zo snel kunnen werken.'

'RM kent het huis natuurlijk goed.'

'Wel het woonhuis, maar niet de bediendevleugel. Er waren geen sporen van inbraak. Alles wijst erop dat de daders van beneden zijn gekomen. Ana zei dat de bedienden na twaalven van het huis afgesloten waren. De deur ging dan op slot, opdat er niemand vanuit de bediendevleugel in het huis kon komen als de familie sliep. Maar iemand heeft die deur geopend. Laten we even veronderstellen dat Ana niet in haar eentje is thuisgekomen. Dat ze de daders toegang heeft verschaft en dat die het dienstmeisje dat beneden was, hebben doodgeschoten en vervolgens naar boven zijn gegaan, naar de keukendeur, die RM voor hen openmaakte. RM vertelde hun waar de familieleden waren en de moordenaars deden hun werk. Vervolgens zijn ze via de bediendevleugel weer verdwenen, terwijl Ana net deed alsof ze daarna pas was thuisgekomen.'

Oliver haalde zijn schouders op. 'Ze was in de kerk. Daar moeten getuigen van zijn. Maar misschien is ze vroeg vertrokken zonder dat iemand daarop heeft gelet.'

'Of ze heeft RM de code gegeven waarmee hij binnen kon komen. Dan was haar alibi veilig en zou niemand denken dat ze er iets mee te maken had.'

'Dat zou kunnen.' Hij nam een slokje van zijn sap.

'Het is maar een theorie. Er zijn miljoenen mensen die Mendez heten, maar het zou geen kwaad kunnen als iemand met een foto van Ana naar de *ciudads* zou gaan.'

'Hoe pakken we dat aan? Als ze daar familie heeft, zal die haar waarschuwen. Het zou niet prettig zijn als ze naar Mexico vluchtte.'

'Eerlijk gezegd wil ik sheriff T niet betrekken bij iets wat slechts speculatie van onze kant is.'

'Nee,' zei Oliver. 'We moeten een ander team naar de *ciudads* sturen, zonder dat aan de sheriff te vertellen.'

'Brubeck en Decker misschien,' zei Marge. 'Deck spreekt vloeiend Spaans en Brubeck kent er de weg.'

'Een neger en een Jood.' Oliver dronk het laatste restje van zijn sap op. 'Laat niemand zeggen dat het LAPD niet multicultureel is.'

Toen ze geland waren, zette Marge haar mobieltje aan. Het venstertje lichtte meteen op omdat er berichten waren binnengekomen. Het eerste was van Vega, die haar een zinvolle en vruchtbare reis wenste. Marge glimlachte. Het kostte haar dochter veel moeite om zich bezig te houden met de banaliteit van menselijke betrekkingen.

Het tweede bericht was alarmerender.

Bel me zodra je dit hebt ontvangen.

'Hemel.' Marge toetste het nummer van Deckers mobiel in. 'Decker klinkt ontdaan en dat kan nooit goed zijn.'

Decker nam meteen op. 'Zijn jullie terug?'

'We zijn net geland.'

'Ik ben in het ziekenhuis. Er is een aanslag gepleegd. Kom zo snel mogelijk hierheen.'

'Wat is er gebeurd?'

'Gil Kaffey is vanmiddag om vijf uur uit het ziekenhuis ontslagen. Toen ze hem in een rolstoel naar de auto brachten, heeft iemand het vuur op hem geopend.'

'Jezus!' Ze hield de telefoon iets van haar oor af zodat Oliver kon meeluisteren. 'Wie was er bij hem?'

'Grant, Neptune Brady, Piet Kotsky, Antoine Resseur en Mace Kaffey, die gisteren al had moeten vertrekken, maar nog een dag was gebleven omdat ze de datum van de rouwdienst hadden veranderd. Gil en Grant zijn ongedeerd gebleven dankzij Brady's snelle reactie. Hij en een van zijn bewakers hebben zich op de broers geworpen. Neptune is in zijn schouder geraakt en Mace in zijn arm. Ze worden momenteel geopereerd. Alles bij elkaar genomen had het nog veel erger kunnen zijn.'

'Heeft Brady teruggeschoten?'

'Nee, en dat was maar goed ook, want het was druk op straat.'

'Waar zijn Gil en Grant nu?' vroeg Oliver.

'Dat is de grote vraag. Ze zijn samen met Resseur vertrokken in de wachtende limousine. Misschien weet Brady waar ze naartoe zijn, maar hij wordt momenteel geopereerd. Agenten van West Hollywood zijn al bij Resseur thuis geweest. Er doet niemand open en we hebben geen huiszoekingsbevel, dus we kunnen weinig doen.'

'Weten we iets over de daders?' vroeg Marge.

'Brady was zo snugger om naar de auto te kijken toen die wegscheurde. Hij en Kotsky zeiden dat het een rode personenwagen was, een Japans merk, Honda of Toyota. Een kwartier geleden hebben patrouilleagenten op een kilometer afstand van het ziekenhuis een bruine Honda Accord zonder kentekenplaten gevonden. Ik heb Messing en Pratt erop afgestuurd. Hoe ver zijn jullie van het St. Joseph?'

'We lopen net de aankomsthal uit. We kunnen over een kwartier bij je zijn.'

'We zitten op de tiende etage. Bel me niet, want ik moet volgens de regels hier mijn mobieltje uitzetten. Tot zo.' Hij verbrak de verbinding.

Marge trok de stang van haar rolkoffer omhoog. 'Rij jij maar.' Ze gooide Scott de autosleuteltjes toe. 'We hebben een lange nacht voor de boeg.'

'Na een lange dag,' zei Oliver.

'Ja, de laatste tijd draaien we diensten van vierentwintig uur. Als ik toch zo hard moet werken, had ik beter medicijnen kunnen gaan studeren, dan was ik er tenminste rijk van geworden.'

'Ik heb een keer een vriendin gehad die arts was. Die zat constant te zeuren over hoe hard ze moest werken en hoe weinig ze verdiende. Maar ja, zo zijn vrouwen. Die doen niks anders dan klagen.'

'Niet zeuren, Oliver. Jij klaagt net zo hard als iedereen.'

'Maar dat is mijn imago: ik ben de eeuwige zuurpruim.'

'Waarom mag jij de eeuwige zuurpruim zijn en ik niet?'

'Jij had het ook kunnen zijn, Margie, maar in plaats daarvan heb jij gekozen voor opgewekt, optimistisch en opbeurend. Dus heb ik de zuurpruim genomen. Als jij daar nu spijt van hebt, is dat jammer. Geef mij niet de schuld van jouw verkeerde beslissingen. Daar schiet je toch niks mee op.'

De schoten waren gelost op het parkeerterrein, maar daar gebeurde nu niet veel. Op de tiende etage, daarentegen, was het een gekkenhuis. Het wemelde er van de uniformen – bewakers van het ziekenhuis in het bruin, Kaffeys lijfwachten in kaki en politieagenten in het blauw. Decker was in gesprek met Piet Kotsky, de grote man met de gelige huidskleur. Toen hij Marge en Oliver zag, wenkte hij hen.

'We moeten dit snel coördineren,' zei Decker. 'Op sommige plaatsen zijn te veel mensen en op andere plaatsen is niemand. Regel het met de veiligheidsdienst van het ziekenhuis dat onze eigen mensen overal bij betrokken worden.'

'Zijn Gil en Grant al terecht?' vroeg Oliver.

Decker trok een zuur gezicht en keek naar Kotsky. 'Er zijn misschien mensen die weten waar ze zijn, maar die hun mond niet opendoen.'

'Kijk maar niet naar mij.' Kotsky stond met zijn armen over elkaar geslagen. 'Ik heb me nergens verstopt. Ik wacht op instructies van meneer Brady.'

Decker had moeite kalm te blijven. 'Ik heb geprobeerd meneer Kotsky duidelijk te maken dat het leven van Gil Kaffey in gevaar is.'

'Zijn broer is bij hem,' zei Kotsky.

'Grant is nog steeds een verdachte, meneer Kotsky. Ik zou een dagvaarding kunnen aanvragen om u te dwingen me te vertellen waar hij is, maar voordat ik die ontvang, is Gil Kaffey misschien al dood.'

Kotsky wuifde dat opzij. 'Ik geloof niet dat Grant zijn broer iets zal aandoen.'

'Mag ik u citeren als Gil onverhoopt het loodje mocht leggen? Misschien hebben de daders de achtervolging op hen al ingezet.'

'Waarom?'

'Waarom?' herhaalde Decker verbijsterd. 'Om het karwei af te maken.

Om Gil alsnog dood te schieten. Misschien lukt het deze keer en vermoorden ze hen alle drie.'

Kotsky bleef onverstoorbaar. 'Ik wacht op Neptune Brady. Hij is baas. Hij is al geopereerd en dokter zei dat we misschien over half uur met hem kunnen praten.'

Het klonk als 'over chalf uur'.

'Wat is er gebeurd?' vroeg Marge aan Decker.

'Dat moet je maar aan hem vragen.' Decker wees met zijn duim naar Kotsky. 'Hij was erbij.'

Kotsky zei: 'Iemand schiet. Meneer Brady springt op Gil en Grant en gooit ze op grond, ik trek Mace neer, maar hij wordt in arm geraakt. Ik voel de kogel... de wind.' Hij bewoog zijn hand langs zijn rechterwang. 'Ik hoor het als hommel die langs mijn oor vliegt. Ik heb geboft.'

'En de daders?' vroeg Oliver.

'Ik heb niet veel gezien,' zei Kotsky. 'Ik keek om, zag rode personenwagen. Ik denk Toyota of Honda.'

'En Antoine Resseur?' vroeg Marge.

'Die is niet geraakt. Hij is ook weg.'

Decker zei tegen Kotsky: 'Verroer u niet.'

'Was ik niet van plan.'

Decker liep met Oliver en Marge naar een stil hoekje. 'Rina heeft Alejandro Brand geïdentificeerd als een van de mannen die Brett Harriman over de moorden heeft horen praten. Ik heb Foothill gebeld om te vragen of ze naar hem kunnen uitkijken. Ik heb Messing en Pratt opdracht gegeven naar hem te zoeken. Ik wil erg graag weten waar Brand de afgelopen paar uur heeft uitgehangen, aangezien we behalve hem niets concreets hebben.'

'Wie is er op zoek naar de Kaffeys en Resseur?' vroeg Marge.

'Ik heb een opsporingsbevel laten uitvaardigen.'

'Misschien was het een list en spelen ze met hun drieën onder één hoedje,' zei Oliver. 'Gil en Grant omdat ze het geld willen, en Resseur omdat hij Gil terug wil. Je zei zelf dat hij de smoor in had dat het uit was met Gil en dat hij Gils ouders de schuld gaf.'

'Dit zijn nogal extreme maatregelen om een minnaar terug te krijgen.'

'Als er hartstocht in het spel is...' zei Oliver. 'En waarom zouden ze ervandoor gaan als iemand echt probeerde hen te vermoorden? Je zou denken dat ze dan zo bang waren dat ze graag lijfwachten om zich heen zouden willen.'

'Lijfwachten hebben anders tot nu toe niet geholpen,' zei Marge. 'Misschien durven ze juist niet hier te blijven. Misschien vertrouwen ze niemand meer, behalve elkaar.'

'Laten we er even van uitgaan dat de daders echt moordenaars zijn,' zei Oliver. 'Wie is het doelwit?'

'Moeilijk te zeggen. De enige Kaffey die tot nu toe niet is geraakt, is Grant,' zei Marge. 'Dus moeten we hem misschien nog een keer onder de loep nemen.'

'Ik zit te denken aan de oom die geld verduisterde,' zei Oliver. 'Hoe ernstig is de wond die Mace heeft opgelopen?'

Decker zei: 'Niet levensgevaarlijk, maar een kogel in je arm is evengoed niets niks. Er wordt ook nog steeds een bewaker vermist, jongens. Hoe zit het met Rondo Martin?'

'Zelfs in Ponceville konden ze ons weinig over hem vertellen. Ze weten daar zelfs niet zeker waar hij is geboren,' zei Marge.

'Martin was niet erg sociaal voelend. Af en toe dronk hij een biertje in de plaatselijke kroeg, maar meer ook niet. Zijn vrije tijd bracht hij door bij de seizoenarbeiders. Die wonen in steden die ze *ciudads* noemen en die rond het agrarische gebied liggen. Op een slechte dag waan je je daar in Tijuana.'

'Het is eerder een krottenwijk dan een stad,' zei Marge. 'En er is waarschijnlijk sprake van prostitutie.'

'Er valt daar verder ook niet veel te beleven,' zei Oliver.

'Rondo Martin ging vaak naar de stad in het noordelijke district.'

'Zijn die *ciudads* dan verdeeld over vier districten?' vroeg Decker.

'Ja,' antwoordde Marge. 'De sheriff heet Tim England, maar iedereen noemt hem T. Zijn secretaresse ratelde wat namen af van families die in de noordelijke ciudad wonen. Een van de namen was Mendez.'

Decker zei meteen: 'Wij hebben een Ana Mendez.'

'Precies,' zei Marge. 'We hadden geen tijd om dat verder uit te diepen en misschien heeft het niets te betekenen. Mendez is immers een veel voorkomende Spaanse achternaam. We kunnen Ana natuurlijk aan de tand voelen, maar we willen haar niet afschrikken.'

'Dus hadden we gedacht dat jij en Brubeck misschien een kijkje konden gaan nemen in die *ciudads*,' zei Oliver.

Decker glimlachte. 'Je geeft me een opdracht.'

'Brubeck is er bekend en jij spreekt Spaans,' zei Marge.

Oliver zei: 'Ik zou sheriff T in het ongewisse laten. Ik vermoed dat hij het niet leuk zou vinden als je op zijn terrein kwam rondneuzen.'

'Mochten jullie sheriff T niet?'

'Hij is nogal effen. Hij liet niet veel over zichzelf los, al is hij dat natuurlijk niet verplicht.'

'Goed,' zei Decker. 'Daar ben ik dan wel een hele dag zoet mee. Hoe is het in Oakland gegaan? Zijn jullie bij Neptunes vader geweest?'

'Het is eigenlijk zijn grootvader,' vertelde Oliver. 'Porter Brady. Neptunes vader was zwart en zijn moeder blank. Dat verklaart waarom hij er zo gebruind uitziet.'

'Wat heeft zijn ras te maken met de moorden op de Kaffeys?' vroeg Decker. 'Misplaatste wrevel?'

'Volgens Porter had Neptune geen hekel aan zijn moeder.' Oliver vatte voor hem samen wat ze te weten waren gekomen.

'Nu is ook duidelijk waarom Brady begin dertig is en de oude man al dik in de zeventig,' zei Marge.

'Volgens de belgegevens van Brady's telefoon was hij in Oakland ten tijde van de moorden,' zei Oliver. 'Beschouw je hem nog steeds als een belangrijke verdachte, rabbi?'

'Ik streep zijn naam nog niet door. Ik streep niemand door, ook die daar niet.'

Hij bedoelde Kotsky, die nog op precies dezelfde plek stond met zijn armen over elkaar. De man zou geschikt zijn als lijfwacht voor Buckingham Palace.

'Dan zullen we moeten wachten tot we met Neptune kunnen praten. Die is de baas. Misschien in meerdere opzichten.'

Omdat dokter Rain Decker kende, stond hij hem een gesprek met Brady toe, maar Decker was de enige die naar binnen mocht en hij moest het kort houden. Neptune zag er vaal uit en zijn huid was vlekkerig. Er zat een zuurstofslangetje in zijn neus en een infuusslang in zijn arm. Zijn lippen waren krukdroog, maar zijn ogen waren open. Zijn onderlichaam was door een laken bedekt en zijn naakte bovenlichaam was gedeeltelijk verbonden. Hij lag schuin tegen de kussens en bekeek Decker met een wazige blik. 'Ik ken u.'

'Inspecteur Decker. Hoe gaat het ermee?'

'Ik ben zo high als een papegaai en dat mag van mij zo blijven. Bent u wel eens neergeschoten?'

'Een paar keer.'

'Alsof iemand een hete pook in je steekt. Het brandt als de pest.'

'Ik weet het.'

'Maar nu is alles heerlijk wazig.'

'Ik zal mijn vragen kort houden.'

'Kort is goed.'

'Neptune, weet jij waar Gil en Grant zijn?'

'Nee. Geen idee.'

'Zijn ze zomaar in de limousine gestapt en weggereden?'

'Ja, omdat ik dat had gezegd... Dat ze moesten maken dat ze wegkwamen.'

'En Antoine Resseur?'

'Wat is er met hem?'

'Is hij met hen meegegaan?'

'O ja?'

'Ik weet het niet,' zei Decker. 'Ik vraag het aan jou.'

'Ik weet het ook niet.'

'Enig idee waar ze naartoe zijn?'

'Naar daar, waar niemand ooit is voorgegaan...' Hij gaf het v-teken van Star Trek. Wijs- en middelvinger samen aan de ene kant van de v en de ringvinger en pink aan de andere kant. Decker wist dat dit een ritueel gebaar van de joodse priesters was, de Kohanim, als ze het volk zegenden. Een gebaar dat al tweeduizend jaar oud was.

'Kun je het bij aardse begrippen houden?'

'Ik weet niet waar ze zijn.' Hij glimlachte lodderig. 'Maar ik heb iets goedgemaakt. Ik ben gewond geraakt, maar de Kaffeys niet.'

'Mace wel.'

Brady dacht ingespannen na. 'Ja... dat is pech.' Even zweeg hij. 'Die Demerol is goed spul. Kan ik aan verslaafd raken. Ze wilden me minder geven, maar ik zei nee, nee, daar komt niks van in.'

'Neptune, wie wist, behalve jij en Kotsky, dat Gil vandaag naar huis mocht?'

Hij hoestte en trok een pijnlijk gezicht. 'Godsamme, wat schrijnt dat.'

'Zal ik iemand roepen?'

'Ik wil wel wat meer verdoving.'

Decker drukte op de knop. Hij besloot zijn vragen nog eenvoudiger in te kleden. 'Klopt het dat jij wist wanneer Gil uit het ziekenhuis zou komen?'

‘Ja.’

‘En Grant, Mace, Antoine Resseur, en Piet Kotsky wisten dat ook?’

‘Ja.’

‘Wie nog meer?’

‘Wie nog meer wat?’

‘Wie wist er nog meer dat Gil uit het ziekenhuis zou komen?’ Decker probeerde het op een andere manier. ‘Had je mensen ingehuurd die samen met Piet Kotsky de Kaffeys moesten bewaken?’

Hij had moeite met die vraag. ‘Dat geloof ik niet… ik kan het me niet precies herinneren.’

‘De enigen die tot nu toe niet gewond zijn geraakt, zijn Grant en Resseur,’ zei Decker. ‘Wat vind je daarvan?’

‘Dat ik mijn werk heb gedaan. Anders zouden hun hersenen nu aan mijn bomberjack kleven.’

‘Heb je ooit een man genaamd Alejandro Brand in dienst gehad?’

Hij knipperde een paar keer met zijn ogen. ‘Komt me niet bekend voor. Wie is dat?’

‘Je ziet eruit alsof je pijn lijdt.’

‘Nog zo’n spuit geluk zou welkom zijn.’

Decker drukte nogmaals op de knop. Hij besloot een trucje uit te halen. ‘Wist je dat Rondo Martin en Ana Mendez een stelletje zijn?’

‘Het dienstmeisje?’ vroeg Brady.

‘Ja. Ik heb gehoord dat ze verkering hadden.’

‘Nou…’ Brady keek nadenkend. ‘Ik was een keer in het huis van de bewakers.’ Hij haalde langzaam en voorzichtig adem. ‘Rondo zat daar, in burger, met een bord Mexicaans voedsel voor zijn neus.’ Hij sloot zijn ogen. ‘Taco’s, enchilada’s, rijst, bonen. We krijgen geen blikvoer op de ranch.’

‘Dat zou ik denken. Heb je hem er iets over gevraagd?’

‘Ja. Hij zei dat hij kon koken en vroeg of ik ook wat wilde. Ik zei, nee dank je, en hij zei, zoals je wilt. Toen stond hij op, gooide wat hij over had in de vuilnisemmer en zei dat hij zich moest omkleden om aan het werk te gaan.’ Weer vertrok zijn gezicht van pijn.

‘Had Ana die maaltijd voor hem gemaakt?’

‘Weet ik niet. De kookplaat en de magnetronoven waren schoon. Daar had hij niks opgewarmd. En het rook niet als diepvriesspul… Ik ben moe.’

'Dat weet ik, maar ik moet Gil en Grant zien te vinden. Ik maak me zorgen over hen.'

'Ga liever verkrachters en overvallers arresteren... Gil en Grant komen vanzelf wel weer boven water.'

Een verpleegkundige kwam binnen en bekeek de kaart en het infuus. 'Hoe voelen we ons nu?'

Brady zei: 'Van u weet ik het niet, maar ik voel me belabberd.'

'Ik zal nog wat medicijnen aan uw infuus toevoegen,' zei ze. 'Daar wordt u slaperig van.'

'Mij best,' zei Brady. 'Als het maar helpt tegen die ellendige pijn.'

24

De kamer van Mace was een paar deuren verderop in de gang. Hij moest vanwege zijn verwonding een nacht in het ziekenhuis blijven, maar als alles goed ging, kon hij de volgende dag naar huis. Hij zat rechtop in bed met zijn arm in een mitella televisie te kijken, gekleed in een pyjama en badjas. Op de donkere kringen rond zijn diepliggende ogen na zag hij erg bleek. Zijn lippen waren droog en kleurloos en zijn donkere haar glom vettig.

'Ik wou dat ik niet hoefde te blijven,' zei hij tegen Decker. 'Het is hier een gekkenhuis.'

'Wanneer gaat u naar huis?' vroeg Decker.

'Zodra ik mag reizen, al moet ik een privévliegtuig charteren.' Hij zette de televisie uit. 'Guy bracht me steeds in de problemen. Toen hij nog leefde en ook nu hij dood is.'

'Daar heb ik over gelezen,' zei Decker. 'Over de rechtszaak.'

Mace wuifde dat opzij. 'Een misverstand. Ik had het kunnen doordrukken, maar dan zouden we alleen de kas van de advocaten gespekt hebben. Uiteindelijk heb ik gekregen wat ik wilde en hij ook. Als u het niet erg vindt, wil ik het er verder niet over hebben.'

'Ik heb wat vragen over wat er op het parkeerterrein is gebeurd,' zei Decker. 'Hebt u iets gezien?'

Mace schudde zijn hoofd. 'Het gebeurde allemaal heel snel.'

'Brady en Kotsky herinneren zich dat er een auto is weggespurt nadat de schoten waren gelost.'

'Dan weten ze meer dan ik. Ik herinner me niets, behalve dat ik dacht dat het mijn einde was. Ik wist dat ik was geraakt. Alles zat onder het bloed. Ik was zo in de war dat ik dacht dat ik een kogel in mijn borst had gekregen. Godzijdank ben ik alleen in mijn arm geraakt.'

'Kunt u me vertellen hoe het is gegaan? U kwam uit het ziekenhuis en toen?'

'Even nadenken.' Mace deed zijn ogen dicht. 'Gil zat in een rolstoel. Antoine liep rechts van hem, Grant links. Brady liep voor ons uit, en hoe heet hij liep achter ons.' Hij pauzeerde. 'En ik?' Nog een pauze. 'Ik liep tussen Gil en hoe heet hij.'

'Kotsky?'

'Ja. Ik liep voor Kotsky, achter Gil, Grant en Resseur. Ik hoorde een knal en meteen trok Kotsky me op de grond. Ik beefde als een riet en dacht: God, laat me alstublieft niet doodgaan, en niet hier, niet in Los Angeles.'

'God heeft uw gebed verhoord.'

'Daar lijkt het op, ja.' Half binnensmonds voegde Mace eraan toe: 'Voorlopig tenminste.'

Decker gaf hem zijn visitekaartje. 'Voor als u iets nodig hebt of als u zich nog iets anders herinnert.'

Mace pakte het kaartje aan en zette de televisie weer aan.

Einde van het gesprek.

'De laatste uitdraaien over Greenridge.' Lee Wang legde een pakketje papier op Deckers bureau, streek een lok haar van zijn voorhoofd en ging zitten zonder daartoe te zijn uitgenodigd.

Decker schoof een stapeltje telefoonbriefjes opzij en pakte de uitdraaien, een geeuw onderdrukkend. Hij had die nacht slechts vier uur zeer onrustig geslapen en had ondanks diverse kopjes koffie moeite om zich te concentreren.

'Wat is dit precies, Lee?'

'Bovenop liggen de recentste artikelen over Paul Pritchard, de directeur van Cyclone Inc.'

'De aartsvijand van Greenridge. Kun je de inhoud in tien woorden voor me samenvatten?'

'Volgens Pritchard zal Greenridge falen, omdat het huidige voorstel niet haalbaar is. Dat zijn twaalf woorden, maar met minder red ik het niet.'

'Zegt hij dat misschien uit afgunst?'

'Dat speelt ongetwijfeld mee, maar het is een interessant artikel. Pritchard zegt dat de kosten van Greenridge zo zijn gestegen dat het project in feite al dood is. Hij wacht alleen nog op de officiële begrafenis.'

'Hoe weet hij zo veel over de financiële situatie van Kaffey Industries?'

'Niet Kaffey Industries staat hier op de tocht, maar het Greenridge Project. De beraamde begroting stond in het prospectus dat ze aan de kredietverzekeraars hebben gegeven om de benodigde leningen te kunnen afsluiten, maar nu de markt zo aan het wankelen is gebracht, heeft ook Kaffey Industries een opdonder gekregen. Daarnaast kampt het project met extra kosten wegens de vertragingen in de bouw en de veranderingen die op last van de plaatselijke autoriteiten in de bouwplannen moesten worden aangebracht. Bovendien is de oorspronkelijk begrote waarde van de aandelen gekelderd vanwege de belabberde situatie op de effectenmarkt. Alles bij elkaar houdt het in dat Kaffey Industries nu een heel hoge rente moet bieden als ze financiële steun voor hun project willen.'

'Nog meer onkosten dus.'

'Ja,' zei Wang. 'Als je het mij vraagt, zou zo'n geslepen zakenman als Guy Kaffey het hele project hebben geschrapt. Wat er gaat gebeuren nu hij er niet meer is, weet ik echt niet.'

'Is al bekend wie Kaffey Industries zal overnemen?'

'In de meeste artikelen wordt voorspeld dat de zonen de zaak zullen erven.'

'En Mace? Zei je niet dat hij nog een klein percentage van de aandelen bezit?'

'Ja.'

'Als Gil en Grant een verschil van mening hebben, kan dat kleine percentage van Mace heel veel waard zijn. Theoretisch kunnen Grant en Mace samenspannen tegen Gil om Greenridge draaiende te houden.'

'Als beide zonen een gelijk aantal aandelen erven, en Mace een of twee procent behoudt, is dat zeker waar.'

Decker leunde achterover in zijn stoel en streek over zijn snor. 'Lee, wat is jouw mening over de moorden? Had Gil samen met zijn ouders vermoord moeten worden?'

Wang dacht over de vraag na. 'Grant Kaffey is de enige van de familie die niet is verwond.'

Decker zette zijn vingertoppen tegen elkaar. 'Op dit moment worden Grant, Gil en Antoine Resseur vermist. Zou Grant de situatie aangrijpen als een unieke gelegenheid om zich van zijn broer te ontdoen?'

'Het zou erg verdacht zijn als Gil nu opeens zou komen te overlijden. En als Resseur bij hen is, moet Grant hem dan ook vermoorden.'

Decker knikte. 'Het was maar een idee.'

De telefoon ging. Decker nam op. 'Hé, Willy, welkom thuis... Dat geeft niks, Will, we hadden niet verwacht dat je hem zou vinden. Het was een gok. Ik heb trouwens een nieuwe opdracht voor je, voor wanneer je... Nee, je hoeft vandaag niet te komen. Geniet nog maar lekker na van je vaka- ' Hij glimlachte. 'Oké, als je gek van haar wordt, kun je tegen haar zeggen dat ik je dringend nodig heb. Goed, tot zo dan.'

Wang grijnsde. 'Zijn vrouw?'

'Omdat Willy nog een paar dagen vakantie heeft, wil ze dat hij de badkamervloer opnieuw betegelt.' Decker keerde meteen terug naar hun voorgaande gesprek. 'Ik ga even voor advocaat van de duivel spelen. Guy Kaffey was een man die alles groots aanpakte. Neem zijn ranch. Die heeft de afmetingen van een klein Europees land. Hij hield bovendien van winnen en nam met zijn bedrijf risico's, soms zelfs bijzonder gevaarlijke risico's.'

'Dat komt overeen met wat ik heb gelezen,' zei Wang.

'Denk je dan niet dat hij Grant en Mace eerder toestemming zou hebben gegeven door te gaan met het Greenridge Project dan toe te geven dat hij was verslagen en het hele plan te schrappen?'

'Wél als Greenridge een idee van Gúy was geweest, maar Greenridge was het geesteskind van Grant. Van Grant en Mace. Het is een project dat zelfs als de markt gezond was geweest, in de kiem gesmoord had moeten worden. In deze tijd van recessie en bezuinigingen is Greenridge volkomen achterhaald.'

Wang dacht even na.

'Misschien zou Guy Greenridge op een kleinere schaal hebben gebouwd. Maar zelfs dan zou hij het geld ervoor uit andere delen van Kaffey Industries hebben moeten halen.'

'Laten we nog een stap verder gaan,' zei Decker. 'Als Grant en Mace Greenridge per se wilden bouwen, hadden Guy en Gil dan van het toneel moeten verdwijnen?'

'Gil zou in elk geval een obstakel zijn, maar de dader, wie dat ook mag zijn, kan moeilijk iedereen vermoorden.' Wang stond op. 'Ik heb vanmiddag wat tijd over. Zal ik op zoek gaan naar Grant, Gil en Antoine?'

'Daar zijn al genoeg mensen mee bezig. Ga liever naar een rechter om dagvaardingen voor hen aan te vragen, waarin staat dat ze moeten voorkomen als getuigen van de schietpartijen. Dan werken we wel achterstevoren, maar hebben we dat alvast klaar voor als ze terecht zijn.'

De telefoon ging weer. Wang stak groetend zijn hand op en verliet het kantoor.

'U spreekt met Mallory Quince. We hebben Alejandro Brand opgepakt.'

'Wauw!' Decker ging rechtop zitten. 'Dat is snel. Mooi werk. Hoe hebben jullie dat voor elkaar gekregen?'

'Hij heeft het aan zichzelf te wijten. Zijn drugslab is ontploft.'

Op het scherm van de videocamera in de verhoorkamer was een man van een jaar of negentien te zien, in een wijd, wit T-shirt en een zakkerige, groene korte broek tot op zijn knieën. Hij had een pet van de Dodgers op waarvan de klep een schaduw wierp op zijn ogen en neus. Decker zag een smalle mond en een spitse kin die gesierd was met een sikje. De huid van zijn armen en nek zat onder de blauwe inkt. Er kronkelden twee anacondaslangen over zijn armen en in zijn nek prijkte B12.

Mallory Quince keek over Deckers schouder naar het scherm en klakte met haar tong. 'Ik hoor dat ze het bij Narcotica niet leuk vinden dat hun verdachte strafvermindering zou krijgen omdat een blinde vent stemmen hoort. De enige reden waarom ze hierin hebben toegestemd is dat u de rang van inspecteur hebt en omdat het om de Kaffey-moorden gaat.'

'Dat zijn twee redenen. Maar wat kan het voor kwaad als we die blinde man naar de band laten luisteren? Hij heeft een erg scherp gehoor.'

Mallory richtte zich op, sloeg haar armen over elkaar en plukte aan de mouwen van haar oranje jasje. Haar stem klonk gespannen. 'Hoe weet u dat die blinde niet gewoon zegt "Ja, dat is de schoft die ik heb gehoord", om zich belangrijk te voelen en een beloning op te strijken?'

'Omdat ik tegen hem heb gezegd dat de ooggetuige vier mogelijke verdachten heeft aangewezen. Harriman heeft al twee Spaanssprekende Mexicaanse politieagenten "ontmaskerd".'

'Misschien had hij door dat u probeerde hem erin te luizen.'

Decker haalde zijn schouders op. 'Je kunt tegen de mensen van Narcotica zeggen dat ik Brand niets aanbied. Ik wil alleen dat hij in het Spaans spreekt vanwege de stemidentificatie.'

'Wordt zoiets bij een rechtszaak geaccepteerd als bewijsmateriaal?'

'We beschuldigen Brand nergens van. We proberen er alleen maar achter te komen wat hij weet over de moord op de Kaffeys. Het is zo gebeurd. Ik zal niet eens iets over de moorden zeggen tot Harriman zijn stem heeft herkend.'

'Wat bent u precies van plan?' Mallory sprak nu op mildere toon.

'Hem vertellen waarvan hij wordt beschuldigd en proberen hem aan de praat te krijgen. De flat van zijn grootmoeder in Pacoima is uitgebrand. Ik wil hem laten denken dat ik hem ook voor brandstichting wil laten veroordelen.'

'Heeft hij die brand veroorzaakt?'

'Vermoedelijk. Misschien krijg ik een bekentenis los. Je weet maar nooit. Ik ga daar zitten.' Decker wees op het scherm de stoel tegenover Brand aan. 'Dan zit ik met mijn beste profiel naar de camera.'

Decker stelde zich in het Spaans voor en gaf de jongen een hand.

Brand krabde aan een litteken bij zijn oog en zei: 'Ik spreek Engels.'

Decker hield zijn gezicht in de plooi, maar vloekte inwendig. Hij ging over op Engels. 'Wat je zelf het prettigst vindt, Alejandro.'

De jonge crimineel vouwde zijn handen en legde ze op de tafel. De haartjes op zijn onderarmen roken naar barbecue. Zeker van toen zijn laboratorium was ontploft. Misschien had hij dat litteken aan de eerste keer overgehouden.

'Weet je waarom je bent opgepakt?' vroeg Decker.

'Nee.'

'Omdat je flat is ontploft.'

'Nou en? Daar had ik niks mee te maken.'

'Vertel eens wat er is gebeurd.'

'Dan kan ik u niet vertellen, omdat ik het niet weet.' Hij ging over op Spaans. '*Estallado*... boem. *Comprende?*'

'*Sí.*'

'Volgens mij kwam het door een lekke gasleiding. Ik rook gas.'

Decker vroeg in het Spaans: 'Hoe lang woonde je daar?'

'*Posible seis meses.*' Zes maanden.

'En hoe lang was je in de flat toen die ontplofte?'

'*Eh... posiblemente viente minutos.*'

Misschien twintig minuten. Hij sprak niet in volzinnen, maar ze converseerden nu tenminste in de gewenste taal. 'En je rook gas?' vroeg Decker.

'Ja.' Misschien zag Brand een uitweg, want hij ging er nader op in. 'Het stonk.'

'Waarom heb je het gasbedrijf dan niet gebeld?'

'Omdat het allemaal zo snel ging.'

'Je zat daar gewoon... *usted acaba sentarse alli y... boem?*'

'*Sí, sí, exactamente.*'

Decker vervolgde in het Spaans: 'De politie heeft tussen de rommel flesjes antivries gevonden.'

In het Spaans: ''s Winters is het koud.'

'In Zuid-Californië vriest het eens in de zes jaar.'

'Ik heb niet zo'n goede auto.'

'Ze hebben ook flesjes aceton, verfverdunner, freon en zwavelzuur gevonden... dat is allemaal zeer explosief spul.'

'Ja, dat heb ik gemerkt.'

'En lege frisdrankflesjes, slangetjes, een heleboel lucifers en een kookplaat.'

'Ik heb een kookplaat omdat er geen fornuis is. Ga daarover maar met de huisbaas praten.'

'Alex.' Decker leunde naar voren. 'Wat deed jij met al die spullen?'

'Is het verboden om spullen te hebben?'

'Het is niet verboden om verfverdunner in huis te hebben als je schilder bent. Het is niet verboden om antivries te kopen als je van plan bent in de winter naar Colorado te rijden. Het is niet verboden om aceton in te slaan als je manicure bent. Maar het ziet er verdacht uit als je al die dingen in huis hebt terwijl je geen schilder bent, geen plannen hebt om naar een koude streek te rijden en geen manicure bent.'

De jongen haalde zijn schouders op.

'Er zijn zware aanklachten tegen je ingediend, Alejandro. Je kunt jezelf een plezier doen door ons te vertellen hoe het in elkaar zit. Rechters houden van mensen die eerlijk zijn.'

Weer haalde hij zijn schouders op.

'Als je ons de waarheid vertelt, kunnen we misschien zelfs iets minder streng zijn betreffende de beschuldiging van brandstichting in je grootmoeders flat.'

Hij hief met een ruk zijn hoofd op. 'Welke brandstichting?'

'Schei uit, zeg.' Stilte. 'Iedereen heeft je zien wegrennen. We hebben tientallen ooggetuigen.'

'Dat zijn dan allemaal leugenaars en u zit ook te liegen. U hebt niks.'

'Alex, het ziet er slecht voor je uit. De spullen in je flat geven ons de indruk dat je bezig was met illegale activiteiten... dat je niet alleen in drugs dealt, maar ze ook zelf maakt. Daar staat twintig jaar celstraf op.'

De ogen van de jongen deden een dansje in zijn oogkassen. 'Die spullen waren niet van mij.'

Smoes nummer twee. 'Van wie waren ze dan?'

'Van La Boca.'

De Mond. 'Is dat een persoon?'

'Ja.'

'Vertel me over La Boca en over hoe die spullen in jouw flat terecht zijn gekomen.'

Alex begon zijn verhaal met horten en stoten. Dat vrienden van La Boca hun zaak waren kwijtgeraakt en een plek nodig hadden gehad om hun spullen op te slaan. Dat hij had gezegd dat ze het wel bij hem konden neerzetten, omdat hij een aardige jongen was. Toen Brand merkte dat Decker hem niet interrumpeerde, breidde hij zijn verhaal steeds verder uit. Het maakte niet uit, omdat het toch allemaal gelogen was. Maar toen de jongen eenmaal aan de praat was, kon hij niet meer ophouden.

En dat was precies wat Decker wilde: de stem van Brand, die in het Spaans op de band werd opgenomen.

25

Ook als het wettelijk niet verboden was, druiste het tegen de etiquette in dat hij naar hun huis was gekomen. Rina bekeek Brett Harriman door het spionnetje om te zien of hij iemand bij zich had, maar zag niemand.

'Wat wilt u?' vroeg ze vanachter de gesloten deur.

'Mag ik binnenkomen? Ik wil alleen even met u praten en het is niet prettig om door een deur heen te moeten praten.'

Rina deed de deur open, maar liet de ketting erop. 'U had niet naar mijn huis mogen komen en we hebben niets te bespreken.'

'Ik heb de stem geïdentificeerd van de man die ik in de rechtbank heb afgeluisterd.' Een korte stilte. 'Misschien kunt u nu naar het politiebureau gaan om de identificatie te bevestigen.'

Rina gaf geen antwoord. Ze vond zijn inbreuk op haar privacy stuitend.

Harriman zei: 'Ik vind dat we trots mogen zijn op ons teamwerk. Uw man is vast erg geholpen met de identificatie.' Rina bleef zwijgen. 'Ik ben in elk geval trots op wat ik heb gedaan.'

Je mocht er trots op zijn als je je burgerplicht vervulde, maar het was nou ook weer niet nodig om een fles champagne te ontkurken. Misschien was hij uit op de beloning van de Kaffeys. Maar waarom was hij dan hierheen gekomen? Ze besloot te blijven zwijgen in de hoop dat hij de hint zou begrijpen.

Even later gaf Harriman het inderdaad op. 'Sorry dat ik u heb lastiggevallen.'

Nu voelde Rina zich bezwaard. Ongastvrij was een woord dat in haar woordenboek niet voorkwam, maar Harriman was een vreemde snuiter en ze was alleen thuis. Ze keek hem na toen hij het trapje af liep, met de punt van zijn schoen naar de rand van de treden tastend. Toen ze hem door het spionnetje niet meer kon zien, liep ze naar het raam, trok het gordijn opzij en zag hem aan de passagierszijde in een zwarte Honda Accord stappen. Natuurlijk was hij niet in zijn eentje gekomen. Hij kon immers niet autorijden.

Haar blik ging door de verlaten straat.

De bijna verlaten straat.

Aan de overkant stond Addison Ellerby's vijfentwintig jaar oude, witte Suburban. Een paar meter bij de pick-up vandaan stond een donkerblauwe Saturn met getinte ruiten. Ze kon zich niet herinneren die auto ooit bij hen in de straat te hebben gezien, maar schonk nooit veel aandacht aan de auto's. Die waren achtergrondelementen, kleurvlekken in het landschap, net als de bomen en de rozenstruiken.

Toen de Honda optrok, werd de Saturn gestart en reed hij achter de auto van Harriman aan. Rina had toevallig goed zicht op het nummerbord, maar daar had ze niets aan, want in plaats van het nummerbord zat een stuk karton waarop stond: OOK DEZE SATURN IS GEKOCHT BIJ POPPER MOTORS.

Decker sprak uitermate kalm, waardoor zijn dreigement nog onheilspellender klonk. 'Ik draai hem zijn nek om!'

Rina pakte een broodje rosbief voor hem uit. Ze zaten aan zijn bureau. Peter had ooit tegen haar gezegd dat hij vond dat hij het helemaal gemaakt had sinds hij een echt kantoor had in plaats van alleen een bureau, ook al had het kantoor de afmetingen van een inloopkast. 'Ik geloof niet dat hij het kwaad bedoeld had.'

'Dat interesseert me niet.' Hij nam een hap en zei met bolle wangen: 'Dat hij bij ons is gekomen, is niet zoals het hoort. Ik vind hem een griezelige figuur.'

'Ik ook. Slaatje?' Ze gaf hem het bakje voordat hij antwoord gaf. 'Niet dat ik een blinde niet aan zou kunnen, al ben ik Xena, de Warrior Princess niet.'

'Misschien is hij niet blind. Misschien belazert hij ons allemaal.'

'Door te doen alsof hij blind is?' Rina lachte.

'Hij is een aandachttrekker. Heb jij zijn ogen ooit gezien? Misschien kan hij gewoon zien en is hij er alleen maar op uit om jou in bed te krijgen.'

'Doe niet zo raar.'

'Als hij weer komt, moet je me ogenblikkelijk bellen.'

'Ik kijk wel uit. Jij bent gewapend.'

'Daarom juist. Wat kun je me over de Saturn vertellen?'

Ze beet een punt van haar broodje af. 'Niet meer dan ik je al verteld heb. Het was een donkerblauwe auto met getinte ruiten, twee tot drie jaar oud, zonder nummerbord.'

'Wat voor auto? Een gewone personenauto? Een stationwagen? Een SUV?'

'Een gewone personenauto.'

'Dan moet het een Astra of een Aura zijn. En er zat geen nummerbord op, zeg je, alleen een stuk karton waarop stond dat de auto was gekocht bij Popper Motors.'

'Ja. En hij reed meteen na Harriman weg.'

'Maar je hebt niet gezien wie erin zat?'

'Ik wist niet eens dat er iemand in zat tot hij wegreed. De ramen waren erg donker. Ik vond die auto eerlijk gezegd griezeliger dan Harriman.'

'Waarom?'

'Omdat ik niet kon zien wie erin zat. Je moet maar gauw navraag doen bij Popper Motors.'

'Daar is Marge al mee bezig. Denk je dat de mensen in die auto ons huis in de gaten hielden, of Harriman?'

'Dat weet ik niet. Ik denk Harriman. Of niemand.'

'Konden ze vanuit de Saturn het raam zien waar jij achter stond?'

'Geen idee.'

'Die stommeling is dus niet alleen naar ons huis gegaan, waardoor hij misschien alle nuttige informatie die hij mij heeft gegeven, heeft gecompromitteerd, maar heeft jou misschien ook in gevaar gebracht.' Decker had moeite zijn woede te bedwingen. 'Voorlopig moeten jij en Hannah maar niet alleen thuis blijven, zonder dat ik er ben.'

'Is dat niet een beetje overdreven?'

'Er stond een onbekende auto met getinte ramen en een kartonnen nummerbord tegenover ons huis geparkeerd en ik werk aan een sensationele moordzaak. Misschien had die auto niets te maken met Harriman. Misschien is iemand op mij uit.'

'Waarom zijn ze dan achter Harriman aan gereden?'

'Dat weet ik niet, Rina, maar tot ik daarachter ben, moeten we voorzichtig zijn. Doe me een plezier. Ga overdag naar je ouders.'

'Mijn ouders wonen bijna een uur bij ons vandaan en Hannah moet naar school.'

'Hannah kan 's middags wel naar een vriendin. Ga naar je ouders, oké?'

'Tot uw orders.' Ze glimlachte. 'Maar dan krijg je voorlopig geen zelfgemaakte maaltijden. En hoe moet het met de sjabbes?'

'Bel vrienden, dan worden we vanzelf wel uitgenodigd.'

Als Peter zelfs daartoe bereid was, maakte hij zich echt zorgen. 'Je vindt niet dat je een tikje overdrijft?'

'Nee, en zelfs al was dat zo, dan is het nog altijd beter om op safe te spelen.' Weer viel Peter boos uit: 'Dat hij naar ons huis is gekomen! Hoe heeft hij zo stom kunnen zijn! Zou hij soms niet helemaal goed bij zijn hoofd zijn? God, ik heb veel zin om die vent te vermoorden!'

'Doe dat alsjeblieft niet, Peter.' Rina pakte zijn hand en glimlachte. 'Voor een politieman is het leven achter de tralies niet prettig.'

Hij lachte niet. Rina probeerde het nog een keer. 'Als ik je niet voor honderd procent vertrouwde, zou ik denken dat je probeert van ons af te komen. Als ik onverwacht thuiskom en zie dat je aan het lapdansen bent met een wulpse meid, is het met je gedaan.'

'De enige met wie ik momenteel wil dansen, is mijn Beretta. Wie aan mijn vrouw komt, komt aan mij.'

Het telefoontje naar Harriman was kort. Blijf bij mijn huis vandaan en blijf bij mijn vrouw vandaan.

'Ik bedoelde er niets mee.' Hij klonk berouwvol. 'Ik wilde haar alleen laten weten dat...'

'Dat is niet jouw taak, Brett, dat is mijn taak. Jouw aandeel in dit onderzoek is beëindigd. Klaar. Afgelopen. Is dat duidelijk?'

'Inspecteur, ik weet dat u denkt dat ik een rare figuur ben, maar dat ben ik niet. Ik werk al vijf jaar voor de rechtbank en krijg niet vaak de kans iets nieuws te doen. Ik heb de waarde van mijn deelname aan uw onderzoek blijkbaar overschat. Belt u me gerust als u me nogmaals nodig mocht hebben.'

'Goed,' zei Decker. 'Laten we het daarop houden. Voordat ik ophang, heb ik echter nog een paar vragen voor je. Wie heeft je naar mijn huis gebracht?'

'Mijn vriendin, Dana. Wilt u haar telefoonnummer?'

'Graag.'

Harriman ratelde een paar nummers af. 'Ze is op haar werk. Ik heb haar net gesproken. U kunt haar daar bellen.'

'Is je iets bijzonders opgevallen toen je bij mijn huis was?'

'Of me iets is opgevallen?' Hij grinnikte zachtjes. 'Ik ben blind.'

Oké. Daar trapte hij dus niet in. 'Heb je iets bijzonders gehoord toen je vertrok?'

'Zoals?'

'Dat mag je zelf zeggen.'

'Iets bijzonders?' Harriman zweeg terwijl hij terugdacht aan dat moment. 'Ik ben teruggelopen naar de auto... uw vrouw deed de deur dicht...'

'Ze zei dat ze niet had opengedaan.'

'Het spijt me dat ik u moet tegenspreken, maar ze heeft de deur wel geopend. Waarschijnlijk slechts op een kier, want haar stem bleef een beetje gedempt klinken. Hebt u een ketting op de voordeur? Misschien heeft ze die erop laten zitten.'

Decker gaf daar geen antwoord op. 'Ga door. Je hoorde dat ze de deur dichtdeed...'

'Ik hoorde geen voetstappen, maar wel een hond die blafte. Het klonk als een golden retriever of een labrador, een middelgrote tot grote hond. Ik heb geen stemmen gehoord. In de verte klonken verkeersgeluiden. We zijn weggereden...' Een lange stilte. 'Ik geloof dat er een auto achter ons zat. Dat kunt u aan Dana vragen.'

'Dat zal ik doen. Hoe heet Dana van haar achternaam?'

'Cochelli. Ik moet terug naar de rechtszaal. Het spijt me dat ik wat overijverig ben geweest.'

'Laat maar zitten.' Decker hing op. Hij wilde net Harrimans vriendin bellen, toen Grant Kaffey de recherchezaal binnenstormde. Hij had een wilde blik in zijn ogen en zijn haar zat in de war, alsof hij er nerveus in had zitten woelen. Decker schoot overeind en probeerde hem naar zijn kantoor te loodsen, maar Grant was te opgewonden.

'Hij is verdwenen!' riep hij.

'Wie?' vroeg Decker.

'Gil! Ik was even naar de supermarkt en toen ik terugkwam, was hij er niet meer!' Grant greep Deckers armen. 'U moet hem gaan zoeken!'

'Laten we even naar mijn kantoor gaan om erover te praten.'

'Wat valt erover te praten?' riep Grant. 'Hij is weg! U moet hem gaan zoeken! Dat is uw taak, of niet soms?'

Decker sloeg een bedaarde toon aan. 'Als jullie niet waren ondergedoken, zouden we dit probleem helemaal niet gehad hebben. Als je wilt dat ik je broer ga zoeken, moet je eerst even meegaan naar mijn kantoor om me te vertellen wat er precies is gebeurd. Als je verhaal geloofwaardig op me overkomt, zal ik een opsporingsbevel laten uitvaardigen. Maar eerlijk gezegd ben jíj in mijn ogen de belangrijkste verdachte.'

Grant trok wit weg. 'Denkt u dat ik hem iets heb aangedaan?' Nu werd hij vuurrood. 'U denkt dat ik mijn eigen broer iets heb aangedaan!'

Decker zette de deur van zijn kantoor open. 'Na jou.'

Kaffey begreep dat hij geen keus had en liep met driftige stappen Deckers kantoor in.

Een-nul voor de inspecteur.

Decker deed de deur dicht. 'Heb je het alarmnummer gebeld?'

'Ik heb de politie gebeld,' zei Grant. 'Daar zeiden ze dat ze er niets aan deden als een volwassen man één uur vermist werd. Ik heb geprobeerd de situatie uit te leggen, maar de agent die ik aan de lijn had was zo'n hufter.' Hij ijsbeerde door de kleine ruimte. 'Ik heb opgehangen en ben hierheen gekomen.'

'Waar verblijven jullie?'

'In Hollywood Hills, in een huis van een vriend van Gil. Hij heeft gezegd dat we een paar weken kunnen blijven.'

'Ben je dan helemaal uit Hollywood hierheen gekomen?' vroeg Decker.

'Ik was in paniek! Ik wilde niet in mijn eentje in dat huis blijven en wist niet wat ik moest doen. U bent de vijand die ik ken, in tegenstelling tot de vijanden die ik niet ken.'

'Ik ben je vijand niet, Grant. Wat is het adres?'

Grant bleef ijsberen. 'Dat weet ik niet, maar ik kan het huis aanwijzen. Het staat in een brede straat met een heleboel cafeetjes. Gil en ik hebben daar gisteren gegeten.'

'Bedoel je soms Hillhurst?'

'Ja! Zo heet het!'

'Oost of West?'

'West. Tussen Hillhurst en Tower.'

'Gower.'

'Als we over Hollywood rijden, kan ik het u denk ik wel aanwijzen.'

'Hoe wist je de weg hierheen?'

'Er zit een Tomtom in de auto.' Grant bleef staan en keek Decker aan. 'Laten we gauw gaan!'

'Waar is Antoine Resseur?'

'Antoine?' Grant keek verward. 'Thuis, neem ik aan. Hoezo? Waar zou hij moeten zijn?'

'Ik dacht dat Gil bij Antoine Resseur zou gaan logeren. Waarom is hij van gedachten veranderd?'

'Volgens Resseur is zowel de flat van Gil als die van hemzelf een doelwit. Daarom is Gil ook niet naar huis gegaan. Maar waarom vraagt u naar Antoine?'

'Omdat hij ook wordt vermist. Ik had de indruk gekregen dat hij met jullie samen was vertrokken.'

'Dat is ook zo, maar toen is hij weggegaan. Ik dacht naar zijn eigen huis.' Hij pauzeerde kort. 'Denkt u dat Antoine er iets mee te maken heeft?'

Decker gaf geen antwoord op die vraag. Resseur was de afgelopen twee dagen niet in zijn flat geweest. Daardoor was hij ofwel een verdachte, ofwel een heel bang mens. 'Weet je toevallig wat de naam is van de man die jullie naar dat huis heeft gebracht? We zouden hem om het adres kunnen vragen.'

'Nee, dat weet ik niet.' Hij liep rood aan van woede. 'Waarom stuurt u er geen mensen op af?'

'Hoe moet ik dat doen, zonder adres? Laat me even nadenken.' Decker belde het politiebureau van Hollywood en vroeg naar rechercheur Kutiel. Hij bofte, want zijn dochter bleek aanwezig te zijn. 'Met je favoriete inspecteur. Ik heb Grant Kaffey hier. Zijn broer schijnt vermist te worden.'

'Hij schijnt niet vermist te worden. Hij wórdt vermist!' riep Grant. 'Waarom gelooft u me niet?'

Cindy zei door de telefoon: 'Dat kon ik hier helemaal horen. Hoe lang wordt hij vermist?'

'Een uur ongeveer, misschien iets langer,' zei Decker.

'Een uur?' herhaalde Cindy. 'Dan is hij misschien gewoon een eindje gaan wandelen.'

'Dat denk ik niet, want hij is onlangs uit het ziekenhuis ontslagen. Misschien is er iemand langsgekomen en is hij met die persoon meegegaan.'

'Dat bestaat niet!' zei Grant.

'Meegegaan om bij zijn broer vandaan te komen?' vroeg Cindy.

'Dat is heel goed mogelijk,' antwoordde Decker. 'Antoine Resseur, de ex van Gil, wordt vermist sinds de schietpartij bij het ziekenhuis. Misschien zijn ze er samen tussenuit geknepen.'

'Hij is niet met Antoine vertrokken!' zei Grant. 'Iemand heeft hem ontvoerd!'

'Ogenblik.' Decker legde zijn hand op het mondstuk. 'Laat me alsjeblieft even rustig telefoneren. Ik sluit je niet buiten, maar als je wilt dat we je helpen, moeten we een plan opstellen.' Tegen Cindy: 'De gebroeders Kaffey logeren in een huis in jouw district. Tussen Gower en Hillhurst, maar ik heb het adres niet.'

'Beachwood!' zei Grant triomfantelijk. 'Is er een Beachwood Street of een Beachwood Boulevard?' Toen Decker knikte, zei hij: 'Daar is het.'

Decker gaf het aan Cindy door. 'We gaan nu op weg. Hij kan het huis aanwijzen. Heb je tijd?'

'Wat wil je dat ik doe? In mijn auto stappen en op straat rondkijken?'

'Om te beginnen.'

'En waar moet ik precies naar uitkijken?'

'Allereerst naar de auto van Antoine Resseur. Het is een rode BMW 328i, bouwjaar 2006.' Hij gaf haar het kentekennummer. 'Als Gil door iemand is opgepikt, zal hij het zijn geweest. Misschien zijn ze gewoon uit lunchen.'

'Godverdomme nog aan toe!' schreeuwde Grant. 'Gil is niet in staat om uit eten te gaan!'

'Waarom niet?' zei Decker. 'Jullie hebben gisteravond toch ook buiten de deur gegeten?'

'Ja, maar het heeft me een dik kwartier gekost om hem in zijn rolstoel de straat op te krijgen. Bovendien zou hij een briefje voor me hebben achtergelaten als hij uit eten was gegaan.'

Niet als hij bij je vandaan probeert te komen, dacht Decker, maar hardop zei hij: 'Staat de rolstoel nog in het huis?'

Grant was traag met antwoorden. 'Dat weet ik niet.'

Decker zei weer in de telefoon: 'Geef alvast aan de patrouillewagens door dat ze moeten uitkijken naar Resseurs auto.'

'Goed. Mijn dienst zit er toevallig net op en ik vind het niet erg om wat rond te rijden. Koby is toch nog op zijn werk. Bel me maar als je hier bent.'

'Goed. Bedankt.' Hij hing op. 'Grant, denk goed na. Waar kan je broer naartoe zijn gegaan?'

Hij zakte neer op een van de stoelen tegenover Deckers bureau. 'Dat weet ik niet.'

'Heb je Neptune Brady al gebeld?'

'Nee.' Hij aarzelde. 'Eerlijk gezegd vertrouw ik hem niet. U bent tenminste neutraal.'

'Hoe ben je hier gekomen?'

'Ik heb een auto. Gil had die voor ons gehuurd.'

'Gil?'

'Misschien Antoine.' Grant sprong overeind en begon weer te ijsberen. 'Ik weet het niet. Daarom ben ik hier. Omdat ik niets weet!'

'Waar is je oom?'

'Mace?' Grant trok een gezicht. 'Dat weet ik ook niet. Ik dacht dat hij naar huis was.'

'Kon hij dan reizen?'

'Dat weet ik niet. Ik heb hem niet gesproken. Ik weet ook niet of ik hém kan vertrouwen. Ik weet niet wie ik nog kan vertrouwen. Ik wil alleen mijn broer terug.'

Tranen in Grants ogen. Zijn stem brak. 'Kunnen we nu gaan?'

Decker pakte zijn autosleutels. Hij had nog meer vragen, maar die kon hij bewaren voor onderweg. Misschien was Grant dan iets inschikkelijker.

Er ging niets boven een aandachtig publiek.

26

Het huis dat Grant aanwees, stond boven op een heuvel. Het was een moderne bungalow uit de jaren zestig, een laag huis dat tegen de rotswand was gebouwd. Vanbuiten bestond het uit glas, staal en wit pleisterwerk en rondom stonden grote cameliastruiken met roze bloemen. Grants identificatie werd bevestigd toen zijn sleutel in het slot bleek te passen.

Het eerste wat Decker binnen opviel was het duizelingwekkende uitzicht op het bekken waarin Los Angeles was gelegen. Een naadloze glaswand gaf het huis het aanzien van een levensgrote serre. Alle kamers waren gelijkvloers, wat erg handig was voor iemand in een rolstoel, zolang die niet tegen die grote glaswand botste. De houten vloeren waren zwart gelakt en de rest van het huis, inclusief de gewelfde plafonds en muren, was donkergrijs geverfd.

Ook het meubilair had de stijl van de jaren zestig, maar zag er te nieuw uit om ook echt uit die tijd te kunnen zijn: een lage, grijze, fluwelen bank, een tweezitsbank van kleurige, ronde, leren lapjes en een aluminium buisframe, een rode, plastic stoel in de vorm van een hand en op de vloer lag een psychedelisch tapijt.

Decker en zijn dochter keken elkaar aan. Op het oog leek alles in orde te zijn. Nergens waren tekenen van geweldpleging te bespeuren. Vazen en snuisterijen stonden netjes op tafels en planken. De eetkamerstoelen stonden keurig in het gelid rond de tafel en aan de keukenapparatuur en het gereedschap op het aanrecht was niets bijzonders te zien.

Links en rechts van de open ruimte met de zitkamer, eetkamer en keuken liepen twee gangen naar de rest van het huis. Grant was op de bank gaan zitten en had zijn ogen gesloten. Hij zag er bleek en betrokken uit.

Decker zei: 'Wanneer heb je voor het laatst iets gegeten, Grant?'

'Dat weet ik niet.'

'Eet dan iets. Anders word je helemaal slap. Waar is de kamer van Gil?'

'Linkergang, aan het eind. Dit huis heeft twee slaapkamers, elk met een eigen badkamer. Dat vond Gil erg handig.'

Decker zei tegen Cindy: 'Ik neem de linker, jij de rechter.'

'Gaat u in mijn spullen snuffelen?' vroeg Grant aan Cindy.

'Vluchtig.'

'Misschien kan ik dan beter met u meegaan.'

'Eet nu eerst even iets,' zei Decker. 'En laat ons rustig ons werk doen.'

Tot zijn verbazing stemde Grant met een kort knikje in.

'Kom maar als je je wat beter voelt,' zei Cindy. Hoewel ze van makkelijke kleding hield, zag ze er toch stijlvol uit: een bruine broek, een goudkleurige trui en een oranje jasje dat bij haar rode haar kleurde. Ze had haar dikke bos krullen tot een staart gebonden die heen en weer zwaaide als ze liep. Paarlen oorknopjes waren de enige sieraden die ze droeg. Toen zij en Decker na een kwartiertje terugkeerden naar de zitkamer, was de hemel boven Los Angeles roze en oranje gestreept.

Grant zat te bellen, maar hing meteen op. 'Iets gevonden?'

'Voor zover ik het kan beoordelen, staat alles op zijn plek,' zei Cindy. 'U bent erg ordelijk. Ik heb geprobeerd die orde zo weinig mogelijk te verstoren.'

'Heb jij ergens een rolstoel gezien?' vroeg Decker.

Cindy schudde haar hoofd.

'Ik ook niet.' Hij keek naar Grant. 'Je broer heeft niet veel kleren. Drie overhemden, twee broeken, twee pyjama's, twee kamerjassen en een paar instapschoenen.'

'Hoeveel kamerjassen?'

Decker keek op zijn lijst. 'In de badkamer hangt een witte badjas van badstof en in de kast hangt een bruine, zijden kamerjas.'

'Gil heeft veel meer zijden kamerjassen. Daar loopt hij thuis graag in. Een zijden pyjama met daaroverheen een zijden kamerjas.'

Decker schudde zijn hoofd. 'Er hangen lege hangertjes in de kast.' Hij ging naast Grant zitten. 'Ik weet dat je dit niet wilt horen, Grant, maar ik heb de indruk dat je broer tijdens je afwezigheid is vertrokken.'

'Hij is in geen conditie.' Grant keek oprecht verbluft. 'Waarom zou hij zoiets doen?'

'Geen idee.'

'Misschien heeft iemand hem onder bedreiging meegenomen.'

'Dat zou kunnen,' zei Decker. 'Maar zijn kamer ziet er netjes uit. Als hij haastig een koffer had gepakt terwijl hij werd bedreigd, waren er vast wel wat hangertjes op de grond gevallen of zou alles er rommeliger uitzien.' Hij keek naar Cindy. 'Heb jij iets gevonden wat erop wijst dat hij onder dwang is meegenomen?'

'Integendeel. Alles ziet er volkomen normaal uit.'

Grant keek met tranen in zijn ogen naar Cindy. 'Maar waarom zou hij zomaar weggaan? Zonder iets te zeggen. Zonder een briefje achter te laten.'

Decker trok zijn wenkbrauwen op. 'Je wilt ook dit waarschijnlijk niet horen, maar het kan zijn dat hij je niet vertrouwt.'

'Dat slaat nergens op,' sputterde Grant. 'Hij is niet alleen mijn broer maar ook mijn beste vriend. Als er iemand achterdocht zou moeten koesteren, ben ik het. Hij heeft mij nu in mijn eentje achtergelaten. Dat doe je alleen als je probeert iemand ergens in te luizen.'

Decker haalde zijn schouders op. 'Tot we weten wat er aan de hand is, doe je er verstandig aan voorzichtig te zijn. Neem een lijfwacht. Als je Brady niet vertrouwt, zoek dan iemand anders. En je kunt hier beter niet blijven. Maar laat me weten waar je naartoe gaat, oké?'

'Denkt u dat ik naar het huis in Newport kan gaan?'

'Daar heb je een heel legertje bewakers nodig. Ik zou iets kleiners kiezen, als ik jou was.'

'Wat vindt u van Neptune? Denkt u dat ik hem kan vertrouwen?'

'Laten we dit op de terugweg naar het politiebureau bespreken. Ga je koffers pakken, dan kunnen we gaan.'

'Is het niet gevaarlijk om naar de slaapkamer te gaan?'

'Ik ga wel even met je mee, voor het geval er iemand op je loert,' zei Cindy. 'Er zijn veel ramen zonder gordijnen.'

Grant had er twintig minuten voor nodig om zijn spullen in twee koffers te pakken. Tegen die tijd was het uitzicht veranderd in een inktzwarte massa en flonkerden er sterren boven de knipperende lichtjes van de stad. Buiten bleek de temperatuur mild te zijn en sjirpten de krekels. De straat was erg donker en de weinige lantaarnpalen stonden ver uit elkaar. Grant had moeite de sleutel in het slot te krijgen in het zwakke licht van de gele lamp boven de deur. Omdat het zo stil was, hoorde Decker de zachte knallen en omdat het zo donker was, zag hij de felle, oranje flitsen.

Instinctief duwde hij Cindy in de cameliastruiken rechts van de deur terwijl hij zich boven op Grant Kaffey stortte en samen met hem in de struiken aan de linkerkant neerkwam. Liggend op Grant slaagde hij erin zijn pistool te trekken terwijl hij naar Cindy riep om te vragen of ze gewond was.

'Nee, alles in orde,' riep ze terug. 'En ik ben gewapend.'

'Niet schieten!' riep Decker.

Toen werd het weer doodstil.

Hij vroeg op fluistertoon. 'Kun je me horen?'

'Ja.'

'Niet schieten. Laat je ogen aan het donker wennen.'

'Goed.'

Hij spande zijn ogen in en tuurde door de struiken naar de dingen die hij kon onderscheiden: hier en daar pinkelde een lichtje, maar verder zag hij hoofdzakelijk donkere massa's. Huizen, geparkeerde auto's, bomen. Nergens bewoog zich iets wat een menselijke gedaante had. Hij fluisterde tegen Grant: 'Gaat het?'

'Ja. Alleen heb ik pijn in mijn been.'

Grant kreunde een beetje, wat niet verrassend was, want Decker woog bijna dertig kilo meer dan hij. 'Doet het erg pijn?'

'Nee. Een schaafwond, denk ik.'

Decker spitste zijn oren toen hij het geluid van voetstappen hoorde, maar hij zag niemand. Even later werd er een motor gestart, meteen gevolgd door het geluid van slippende banden. Het geronk verflauwde terwijl de seconden wegtikten.

'Kun je bij je telefoon?'

'Dat denk ik wel...'

Decker bleef doodstil liggen wachten, speurend naar veranderingen in de schaduwen. 'Toets het alarmnummer in en hou de telefoon bij mijn oor. Gaat het nog, Cin?'

'Ja, ik ben er nog.'

De krekels begonnen weer te sjirpen. Het duurde voor Deckers gevoel een eeuw voordat het mobieltje eindelijk tegen zijn oor werd gedrukt en hij iemand de welkome woorden 'Alarmcentrale' hoorde zeggen.

Op een kalme fluistertoon die geheel in strijd was met zijn snel kloppende hart, legde Decker uit dat hij van het LAPD was, dat er op hen was geschoten, dat één persoon mogelijk gewond was en dat ze versterking nodig hadden. Hij gaf het adres door en zei dat de patrouillewagens alle auto's die ze op de heuvelweg tegenkwamen, moesten aanhouden. 'Laten ze wel voorzichtig zijn. De bestuurder van de auto is waarschijnlijk gewapend.'

De telefoniste herhaalde het adres dat hij haar had gegeven.

Decker bevestigde het. Hij was zich er niet eens van bewust geweest dat hij het nummer had onthouden, maar dat was de macht der gewoonte na meer dan dertig jaar bij de politie. Hij zorgde er altijd voor dat hij wist waar hij zich bevond en had dat nu onbewust ook gedaan.

Vijf minuten later hoorde Decker het loeien van sirenes. Hij gebruikte Grants mobieltje om de agenten naar het huis te loodsen en toen duurde het nog even voordat ze het terrein hadden afgezet en hen uit de struiken bevrijd.

Ze stonden te midden van de patrouillewagens. Nieuwsgierige buren verzamelden zich achter het gele lint. Toen Decker, Cindy en Grant het stof van hun kleren sloegen, merkte Grant dat er een scheur in zijn broek zat en dat zijn been bloedde. Decker nam de zaklantaarn van een van de agenten over, knielde en opende voorzichtig de scheur in de broekspijp.

Het kon een schaafwond zijn of de wond van een kogel die hem had geschampt. Als hij beter licht had gehad, had hij kunnen zien of de huid geschroeid was of niet. Er sijpelde bloed uit de wond, nat en glanzend, maar het spoot er niet uit. Hij legde zijn arm rond Grants middel en verzocht Cindy hem te helpen Grant naar een van de patrouilleauto's te brengen. Het was verreweg het best om hem daarin te zetten en hem verder aan het ambulancepersoneel over te laten.

Zodra Kaffey in de auto zat, meldde Decker via de mobilofoon dat ze een ambulance nodig hadden.

'Ik ben nog aan het werk.' Decker probeerde zijn stem neutraal te houden. 'Doe me een plezier. Blijf vannacht bij je ouders slapen.'

'Wanneer denk je klaar te zijn?' vroeg Rina.

'Geen idee. Ik ben op een plaats delict. Het kan laat worden.'

'Welke plaats delict?'

'Daar kan ik niet over uitweiden. Ik bel je straks nog wel. Bel me zodra je bij je ouders bent.'

'Je klinkt erg gespannen, Peter. Wat hou je voor me achter?'

'Daar kan ik niet op ingaan.'

Rina hoorde stemmen op de achtergrond. Een ervan klonk als die van haar stiefdochter. 'Is Cindy daar?'

'Waarom denk je dat?'

'Omdat ik haar stem hoor. Waarom ben je in Hollywood?'

'Misschien is zij in West Valley. Ik moet ophangen.'

'Je moet me eerst vertellen wat er aan de hand is. Ik ben nu al zeventien jaar de vrouw van een politieman. Ik raak niet snel in paniek.'

Decker gaf haar een beknopte versie van de gebeurtenissen, in de hoop dat ze daarmee genoegen zou nemen.

'Cindy en jij zijn dus ongedeerd?' Haar stem beefde een beetje.

'Ja. Ik heb misschien wat schrammetjes in mijn gezicht, maar verder ben ik helemaal heel.'

'Baroech Hasjeem. Ik zal de gomel voor je bensjen.' Het gebed voor wie een gevaarlijke situatie had overleefd.

'Doe dat dan ook voor Cindy.'

'Goed.' Nu klonk ze huilerig. 'Wat ben je op dit moment aan het doen?'

'We proberen alle kogels te vinden om te zien waarvandaan ze zijn afgevuurd.'

'Om te zien hoeveel geluk jullie hebben gehad, bedoel je.'

Decker glimlachte. 'Ik wou dat ik iets had gezien. Je weet hoe donker het is in de heuvels en ik lag letterlijk in de struiken.'

'Heb je iets kunnen horen?'

'Voetstappen van iemand die wegliep en de slippende banden van een auto. Ik heb iemand van de technische recherche laten komen om te zien of we een bandafdruk kunnen krijgen. Misschien boffen we.'

Rina gaf geen antwoord.

'Ben je er nog?' vroeg Decker.

'Ik zit te denken aan de blauwe Saturn die tegenover ons huis stond.'

'Met de getinte ruiten en het stuk karton van Popper Motors. Marge heeft navraag gedaan. Ze verkopen daar inderdaad nieuwe en tweedehands Saturns. Marge heeft met een van de verkopers gesproken, ene Dean Reeves. Ze zullen hun boeken erop nakijken. Als de auto bij hen vandaan komt, weten ze welke banden erop zitten.'

'Het zou interessant zijn als die overeenkomen met die van de auto bij jullie.'

‘Niet alleen interessant, maar angstaanjagend. Ik moet ophangen. Bel me zodra je bij je ouders bent.’

‘Doe ik. Jij zit trouwens niet ver bij hen vandaan. Misschien ben je sneller klaar dan je denkt.’

‘Ik kom zodra het kan.’

‘Ja, doe dat alsjeblieft,’ zei Rina. ‘Ik laat het leeslampje branden en zal het bed warm houden.’

27

Het stel zag eruit als Marge en Oliver. De vrouw droeg een grijze trui met opgestroopte mouwen, een donkerblauwe broek en gymschoenen, maar de kleding van de man verraadde hen: een elegant sportjasje, een kakibroek en leren veterschoenen. Toen ze dichterbij kwamen, kregen hun gezichten contour.

'Wat doen jullie hier?' vroeg Decker.

'Ik heb Marge gebeld,' zei Cindy. 'Ik dacht dat ze wel op de hoogte zou willen zijn.' Ze wuifde naar Oliver. 'Hallo, Scott, hoe gaat het?'

'Prima, Cynthia. Hoe bevalt het leven als getrouwde vrouw?'

'Tot nu toe uitstekend.'

'Ik ben blij dat te horen.'

'Dank je.'

Marge zei: 'Mogen we na deze uitgebreide begroetingen nu eindelijk weten wat er is gebeurd?' Ze keek naar Peter en Cindy. 'Wie van de twee?'

Hoewel ze echt niet speciaal hadden hoeven komen, was het fijn om bekende gezichten te zien. Decker zei: 'Toen we uit het huis kwamen, is er op ons geschoten. Wij tweeën zijn nog helemaal heel, maar Grant moest met een bloedende wond aan zijn been naar het ziekenhuis.'

'Een kogelwond?' vroeg Oliver.

'Dat weet ik niet. Het was donker, dus ik kon het niet goed beoordelen. Misschien heeft hij de wond opgelopen toen ik me op hem liet vallen.'

'Heeft een van jullie tweeën teruggeschoten?' vroeg Oliver.

'Nee.'

'Gelukkig,' zei Marge. 'Dat scheelt een hoop administratie.'

Cindy zei: 'Ze kwamen, ze schoten, ze vertrokken.'

'Ze? Meer dan één?'

'Weet ik niet. We konden niks zien,' zei Cindy. 'En we wilden natuurlijk niet per abuis een buurman neerschieten die zijn hond uitliet.'

Marge zei: 'Als de wond van Grant een kogelwond is, wil dat zeggen dat alle leden van de familie Kaffey nu een ontmoeting hebben gehad met het hete lood.'

Decker wreef over zijn voorhoofd. 'Dat zat ik ook al te denken. We raken door onze verdachten heen.'

'Misschien gaat het daar juist om,' zei Marge. 'Misschien proberen ze ons in de war te brengen. Alle drie de Kaffeys leven nog.'

'Misschien hebben ze het samen gepland,' zei Oliver.

'Zou kunnen,' zei Marge. 'Al heeft Grant het minste letsel opgelopen.'

'De wond van Mace was ook niet ernstig voor een kogelwond,' merkte Decker op. 'En vergeet niet dat Antoine Resseur nog wordt vermist.'

'Waarom zou die op Grant schieten?' vroeg Oliver.

'Om Gil helemaal voor zichzelf te krijgen?' Decker stak verdedigend zijn handen op. 'Je vroeg om een motief en dit was het eerste wat in mijn hoofd opkwam.'

Cindy keek op haar horloge. Het was bijna tien uur. Ze waren hier al drie uur. 'Gelukkig had ik geen dienst en heb ik dankzij de instructies van mijn pa geen gebruikgemaakt van mijn vuurwapen. Ik hoef dus geen formulieren in te vullen en kan lekker naar huis gaan.'

'Dat klinkt goed.' Decker gaf zijn dochter een zoen. 'Blijf wel op je qui-vive tot we weten wie de goeden en wie de slechten zijn.'

Cindy wees op haar borst. 'Wij zijn de goeden.' Toen maakte ze een weids gebaar naar het twinkelende Los Angeles. 'Daar zitten de slechteriken.' Ze omhelsde Marge en Scott. 'Passen jullie goed op mijn pa?'

Decker keek zijn dochter na tot ze in haar auto was gestapt en bleef die nastaren tot de achterlichtjes waren verdwenen. 'Ik zet er voor vandaag ook een punt achter.'

'Zei ik niet dat het niet de moeite waard zou zijn?' zei Oliver tegen Marge.

'En zei ik niet dat je niet per se mee hoefde te gaan?' was haar repliek.

Decker zei: 'Omdat jullie zo vriendelijk zijn geweest helemaal hierheen te komen, nodig ik jullie uit met me mee te gaan naar Beverly Hills. Misschien kunnen we nog wat verse ideeën in de groep gooien.' Hij slaakte een zucht. 'Mijn hersenen draaien nog op volle toeren en ik kan wel een frisse kijk op de zaak gebruiken.'

'Wat is er in Beverly Hills?' vroeg Oliver.

'Rina's ouders. We logeren vannacht bij hen.' Hij gaf hun het adres. 'Het is ongeveer twintig minuten rijden.'

Oliver keek verbijsterd. 'Ga jij uit vrije wil bij je schoonmoeder overnachten?'

'Bij mijn schoonouders,' zei Decker. 'En ik mag Magda graag. Ze staat dag en nacht klaar met lekkere hapjes die ze je zelfs op bed komt brengen, als je dat wilt. Bovendien is het logies goedkoop en zijn de kamers ruim.'

Oliver dacht erover na. 'Zou ze een huurder willen? Misschien kan ze wel een knappe rechercheur als waakhond gebruiken.'

'Die heeft ze al. Haar schoonzoon.'

Magda's hapjes bestonden uit kleine, belegde sneetjes brood, een assortiment rauwkost met uiendip, vers fruit, vruchtengebak, chocoladecake, amandelkoekjes, chips (voor de knapperigheid), gemengde noten en pepermuntjes.

'Ik ga nog een pot cafeïnevrije koffie zetten voor de liefhebbers,' zei ze.

Ze was dik in de tachtig, zo dun als linguini, en verscheen nooit in het openbaar zonder make-up. Haar blonde haar was zorgvuldig gekapt, getoupeerd en met haarlak bespoten om het zo veel mogelijk volume te geven. Rina zei vaak dat haar moeder een avondmens was, terwijl haar vader, Stephan, bij het krieken van de dag opstond. Hij sliep terwijl zij zich uitleefde als gastvrouw. Ze droeg een zwarte broek die rond haar magere heupen hing als aan een hangertje, en een rode kasjmier trui.

'Ik lust wel een kopje, als u zelf ook neemt,' zei Oliver.

'Ja, ik neem een kopje,' antwoordde ze. 'Je kunt geen cake eten zonder koffie.'

Rina zei: 'Zal ik even koffiezetten, mam?'

'Nee,' zei Magda. 'Ik vind het leuk om te doen. Blijf jij nu maar lekker zitten, Ginny.' Ze glimlachte naar Oliver. 'Tussen haakjes, mijn kleindochter heeft het vruchtengebak gemaakt.'

'Hannah heeft het duidelijk van een expert geleerd,' zei Marge.

Magda legde haar hand op Rina's schouder. 'Ik weet niet of je mij bedoelt of mijn dochter, maar bedankt voor het compliment.' Ze liep naar de keuken.

Rina zei tegen Decker: 'Je hebt haar helemaal gelukkig gemaakt toen je zei dat je trek had.'

Hij glimlachte. 'Ik ken mijn schoonmoeder al langer dan vandaag.'

'Het is allemaal even lekker,' zei Marge, die een hap nam van een sneetje met eiersalade. 'Het lijkt wel een high tea.'

'Als jullie haar nog iets meer tijd hadden gegund, zou ze scones hebben gebakken.' Rina stond op. 'Ik ga haar toch maar even helpen. Houden jullie tweeën hem in de gaten? Als ik hem ook maar een seconde alleen laat, wordt er op hem geschoten. Daar word ik niet blij van.'

Toen Rina naar de deur liep, zei Decker: 'Ik had het niet gepland, hoor.'

Ze keek om. 'In tegenstelling tot de vorige keer?'

'Hoe vaak moet ik me daarover nog verontschuldigen...?' Rina was echter al verdwenen. 'Mijn vrouw heeft een gigabyte aan herinneringen, hoofdzakelijk van overtredingen die ik de afgelopen negentien jaar heb begaan.'

'Dat is het hem juist,' zei Oliver. 'Jij bestaat opdat zij je kan vertellen wat je allemaal fout hebt gedaan.'

'Jullie zijn niet erg aardig,' zei Marge. 'Zo is Rina helemaal niet. Het was een bijzondere situatie.'

Decker zei: 'Laten we ergens anders over praten.'

Oliver zei meteen: 'Wat vinden jullie ervan dat alle Kaffeys oorlogswonden hebben opgelopen? Zou iemand de hele familie willen uitmoorden, of zou het een samenzwering zijn?'

Decker stak een cashewnoot in zijn mond. 'Wie draagt de familie een kwaad hart toe?'

Oliver nam nog een plak chocoladecake. 'Die vent aan de oostkust die zich zo tegen het Greenridge Project verzet?'

'Paul Pritchard van Cyclone Inc.' Decker pakte een pepermuntje. 'Lee Wang heeft me wat artikelen gegeven waarin Pritchard wordt geciteerd. Hij zegt dat hij zich geen zorgen maakt over Greenridge. Volgens hem zal het project een flop worden. Dat kan natuurlijk bravoure zijn. Maar ook al maakte Pritchard zich zorgen, zou dat een reden zijn om een hele familie te vermoorden?'

'Vergezocht, maar niet onmogelijk.' Marge nam nog een sneetje met eiersalade. 'Zijn er nog andere familieleden die de zaak zouden erven als de rest van de familie werd vermoord?'

Oliver sprak met zijn mond vol. 'Heeft Mace niet een zoon?'

'Ja,' antwoordde Decker. 'Sean.'

Marge zei: 'Zelfs als alle Kaffeys die in de zaak zitten dood zouden zijn, zou Sean Kaffey niet alles erven. Grant heeft een kind. En zou Sean zo dom zijn binnen tien dagen op al zijn familieleden te schieten?'

'Ik kan hem wel eventjes onder de loep nemen,' zei Oliver. 'Dat kan nooit kwaad. Het klinkt inderdaad dom, maar hebberige mensen doen vaak domme dingen.'

'Je mag Sean best onder de loep nemen, als je ons eigenlijke werk maar niet verwaarloost. We moeten Gil Kaffey en Antoine Resseur zien te vinden.'

Marge pakte haar notitieboekje. 'Zal ik dat op mijn lijstje zetten?'

'Ja, bovenaan,' zei Decker tegen haar. 'Probeer zo veel mogelijk over Resseur te weten te komen. Grant zei dat Gil en hij als vrienden uit elkaar waren gegaan, maar misschien is dat niet zo.'

'Misschien waren ze zogenaamd uit elkaar gegaan om Resseur uit beeld te houden terwijl Gil zijn familie uitmoordde. Ik blijf het vreemd vinden dat degene die Guy en Gilliam heeft vermoord, niet de moeite heeft genomen Gil ook af te maken.'

'Dat ben ik met je eens.' Decker pakte nog een handvol noten. 'Maar we weten dat als Gil achter de moorden zit, hij niet degene is die de schoten heeft gelost.'

De anderen knikten instemmend.

'O, we hebben vandaag goed nieuws ontvangen,' zei Decker. 'Sheriff T uit Ponceville heeft ons eindelijk een kopie van de vingerafdrukken van Rondo Martin gestuurd, per FedEx. En die kwamen overeen met een bloederige vingerafdruk op de ranch.' Ze gaven elkaar een high five. Toen zei Decker: 'Nu hebben we bewijs dat Rondo Martin erbij was. We moeten hem alleen nog zien te vinden.'

'Ik zet dat als tweede punt op mijn takenlijst,' zei Oliver.

'Dan geef ik je meteen nummer drie. Brett Harriman heeft de stem van Alejandro Brand geïdentificeerd als een van de stemmen die hij in het gerechtshof heeft gehoord. Jammer genoeg is dat niet voldoende om Brand te laten oppakken op verdenking van moord.'

'Denk je dat hij het heeft gedaan?' vroeg Marge.

'Hij weet in elk geval iets.' Decker stak een paar noten in zijn mond en kauwde erop. 'Foothill heeft Brand inmiddels opgepakt op verdenking van het vervaardigen van drugs en ik heb een kopie van zijn vingerafdrukken gekregen. Die zitten niet in de databank en geen van de vingerafdrukken komt overeen met die op de ranch.'

'Balen,' zei Oliver.

'Je kunt niet altijd mazzel hebben,' zei Decker. 'Maar Brand zit voorlopig nog wel in hechtenis en ik wil proberen hem over te halen over de moorden te praten door hem een vermindering van straftijd in het vooruitzicht te stellen.'

'Denk je nog steeds dat de informatie van Harriman betrouwbaar is?'

'Hij heeft de stem van Alejandro Brand herkend nadat hij twee andere bandjes had afgewezen. Bovendien weet Rina zeker dat Brand de man is die ze in het gerechtshof heeft gezien. En als Harriman het allemaal maar had verzonnen, hoe kan hij dan iets weten over Joe Pine?' vroeg Decker. 'Aan de andere kant... Hij is een rare figuur. Vanmiddag stond hij opeens bij ons thuis op de stoep.'

Oliver fronste. 'Waarom?'

'Hij zei dat hij alleen maar even met Rina wilde praten. Hij vroeg of ik Brand in een verdachtenrij zou zetten, zodat ze hem officieel kon identificeren.'

'Dat zou de officier van justitie moeten weten!'

'Ze heeft hem weggestuurd,' zei Decker, 'maar toen ze hem nakeek, zag ze dat er een auto achter Harriman aan reed.'

Marge vertelde Oliver de rest van het verhaal. 'Ik heb bij Popper Motors al navraag gedaan over hun Saturns.'

Decker zei: 'Ik ben benieuwd of de bandafdrukken van de auto van vanavond overeenkomen met een van de auto's die door dat bedrijf zijn verkocht.'

'Maar we moeten die auto nog wel zien te vinden,' zei Marge. 'Als de mensen van Popper Motors me namen kunnen geven, kan ik bij die adressen langsgaan om te zien of een van hen een donkerblauwe Saturn met getinte ramen heeft.'

Decker keek verlekkerd naar de chocoladecake, maar besloot op de koffie te wachten. 'Willy Brubeck en ik gaan naar Ponceville om te zien of we meer te weten kunnen komen over Rondo Martin. Als we daar zijn, gaan we ook poolshoogte nemen bij de familie Mendez, kijken of het de familie van Ana Mendez is. Tijdens mijn afwezigheid moeten jullie Riley Karns en Paco Albanez nogmaals onder de loep nemen. Die wisten allebei waar de paarden begraven lagen, dus kunnen ze allebei Denny Orlando gedumpt hebben.'

'Ik neem Karns wel. Jij mag Albanez,' zei Marge tegen Oliver.

'Mij best.'

Decker zei: 'Tot slot moeten we Joe Pine alias José Pinon nog zien te vinden.'

'Weten we zeker dat het om één en dezelfde persoon gaat?'

'Dat is een goede vraag. Begin met José Pinon, want dat is de naam die Harriman noemde.'

Marge zei: 'We hebben nog steeds geen vingerafdrukken van hem. Brady heeft ze niet in zijn dossiers. We proberen het bij Jeugddelicten in Foothill voor elkaar te krijgen dat ze ons een kopie geven. Hij had als minderjarige een strafblad. Helaas is het dossier verzegeld. Maar we blijven het proberen.'

Magda kwam weer binnen met Rina, die een blad droeg met een zilveren koffieservies. Decker sprong overeind. 'Geef mij maar.'

'Dank je,' zei Rina.

'Wie wil er koffie?' vroeg Magda.

'Ik graag.' Decker nam een plak chocoladecake en had die in vier happen op. 'Heerlijk. Wie heeft deze gebakken?'

'Ik.' Magda straalde. 'En je vrouw heeft de amandelkoekjes gebakken.'

'Die zijn ook erg lekker,' zei Marge. 'Het is niet eerlijk. Ik ben niks waard in de keuken en jij hebt drie vrouwen die een banketbakkerij zouden kunnen beginnen.'

Decker aarzelde en nam toen nog een plak cake. 'Ja, en die vrouwen spannen samen om me vadsig en tevreden te houden.'

Hij klopte op zijn bollende buik.

'En op één punt lukt hun dat.'

28

Decker had gehoopt dat Brand door zijn verblijf in het huis van bewaring wat sneller zijn mond zou opendoen. In plaats daarvan zag de jongen eruit alsof hij naar een zomerkamp was geweest. Het sikje was verdwenen, samen met de jeugdpuistjes, en hij was gebruind, waardoor hij meer op een student leek dan op een lid van een straatbende. Toen Decker iets over zijn uiterlijk zei, schreef Brand dat toe aan 'het goede leven'.

'Drie maaltijden per dag en om tien uur naar bed,' zei Brand in het Engels tegen Decker. Hij droeg een donkerblauwe overall. 'Ik ben gewend om vier uur 's middags pas mijn nest uit te komen.' En hij voegde eraan toe: 'Misschien is zonlicht wel goed.'

'Ik ben blij dat je je verblijf hier zo aangenaam vindt.'

'Dat heb ik niet gezegd. Ik verwacht hier niet eeuwig te blijven.'

'Nee, je blijft hier niet lang,' zei Decker. 'Op jouw misdrijf staat een gevangenisstraf. De volgende halte is de gevangenis van Folsom.'

'Welnee. Je bent gekomen om met me te praten. Dat wil zeggen dat ik iets heb wat jij nodig hebt.' Hij leunde naar voren. Zijn adem stonk naar tabak. 'Dit is de tweede keer dat je bent gekomen. Dat is één keer meer dan die lul van een advocaat die ze me hebben toegewezen.' Hij leunde weer achterover. 'Maar ik kan je niks geven als ik niet weet wat je wilt.'

Decker haalde een pakje sigaretten uit zijn zak en stak er een op. 'Je bent een pientere jongen.'

'Dat zei mijn *abuela* ook altijd.'

'Maar je maakt verkeerde keuzes.'

'Dat zei zij ook. Waarom praat je nou opeens in het Engels tegen me?'

Decker gaf hem de sigaret en ging over op Spaans. 'Engels, Spaans, het maakt me niet uit.'

Brand zakte onderuit en nam een gretige trek. 'Je spreekt Spaans als een Cubaan.'

'Dat heb je goed gehoord, Alex. Ik ben opgegroeid in Florida. Vertel me over je amigo's.'

'Welke? Ik heb veel vrienden.' Hij grijnsde veelzeggend. 'Ik ben erg populair.'

Decker pakte een pen en een notitieboekje. 'Vertel me over La Boca.'

Even keek Brand hem wezenloos aan, toen lichtten zijn ogen op. 'Ja, die moet je gaan zoeken, man. Al die spullen waren van hem.'

'We zijn al aan het zoeken,' loog Decker. 'Maar we hebben hem nog niet gevonden. Waar denk je dat hij uithangt?'

'Dat weet ik niet. Gewoon, in de buurt.'

'Wat doet hij?'

Brand begon aan een ingewikkeld verhaal dat La Boca een belangrijke dealer was. Hij zei: 'Hij is gevaarlijk. Je mag wel uitkijken.'

'Jij schijnt veel gevaarlijke mensen te kennen, Alex. Wat kun je me nog meer vertellen over La Boca?'

'Niks.' Brand drukte de sigaret uit. 'Mag ik nog een peuk?'

Decker stak een sigaret op, nam een lange trek en blies de rook langzaam in Alex' gezicht. 'Misschien krijg je genoeg nicotine van meeroken.'

Brands ogen versomberden. 'Ik ben niet verplicht om met jou te praten.'

Decker zei: 'Is La Boca lid van de Bodega 12th Street-bende?'

'Dat weet ik niet.'

'Dat weet je wel.'

'Waarom zou ik jou iets aan je neus hangen?'

Decker zat nu al een half uur met Alex te praten, maar het klikte nog niet erg. De jongen was zo koel als ijs. 'Vertel me over je amigo's van de Bodega 12th Street-bende.'

'Het is geen bende, man. We zijn gewoon vrienden, we trekken met elkaar op.'

'Ik heb gehoord dat jullie keiharde gasten zijn.'

'Een man moet zich weten te verdedigen.'

'Dat is waar,' zei Decker. 'En soms lukt dat, maar soms gaat er iets fout, en dan zit je ermee.'

Brand zei niets.

'Bijvoorbeeld toen jouw flat explodeerde. Dat was goed klote. Maar dat interesseert me verder niet, Alex. Dat zoek je maar uit met die lul van een advocaat die je is toegewezen. Ik werk niet op Narcotica.'

‘Ik zeg niks meer tot je me vertelt wat je voor me kunt doen.’

‘Ik werk op Moordzaken, Alex. Ik onderzoek moorden.’

Brand keek verbluft. ‘Wat wil je dan van mij? Ik heb niemand vermoord.’

‘Heb ik gezegd dat je iemand hebt vermoord?’ Decker gaf Brand zijn half opgerookte sigaret. ‘Ik heb niet gezegd dat je iemand hebt vermoord. Misschien heb je dat wel gedaan, maar ik heb niet gezegd dat je dat hebt gedaan.’

‘Ik heb niemand vermoord.’ Brand inhaleerde de rook en leek zich bij iedere trek van de sigaret meer te ontspannen. Dat was gunstig. Als Decker hem nicotine bleef leveren zouden ze misschien iets bereiken.

‘Ik werk in de West Valley en ben bezig met een sensationele dubbele moord,’ zei Decker. ‘Het had eigenlijk een drievoudige moord moeten zijn, maar een van de slachtoffers is in leven gebleven, dus is het een dubbele moord plus poging tot moord. Guy en Gilliam Kaffey. Zegt dat je iets?’

‘Ja, natuurlijk,’ zei Brand. ‘Het was op het nieuws.’

‘Het slachtoffer dat in leven is gebleven… heeft bepaalde dingen gezien. Hij heeft me daarover verteld. Er waren meerdere daders, Alex. Het waren meerdere mannen en ze spraken Spaans. En ze hadden tatoeages van Bodega 12th Street.’

‘Ik was het niet! Ik heb er niets mee te maken!’

‘Je bent geïdentificeerd door het slachtoffer.’

‘Je lult uit je nek! Ik was er niet bij. Dat kan ik bewijzen.’

‘Waar was je dan?’

Brand had meteen een alibi klaar. Hij sprak razendsnel – Spaans is een taal die van de tong rolt – en slikte halve woorden in. Decker moest goed opletten om hem bij te houden. Zijn alibi luidde als volgt.

Hij was de hele avond bij zijn vriendin geweest. Ze waren naar de bioscoop gegaan. Daarna hadden ze een hamburger gegeten. Toen waren ze teruggegaan naar zijn flat en hadden ze seks gehad. Daarna waren ze weer uitgegaan.

‘Om hoe laat was dat?’ vroeg Decker.

‘Om één uur, misschien iets later.’ Zijn been begon te trillen. ‘We kwamen vrienden van me tegen.’

‘Waar?’

‘Gewoon, op straat.’

‘Waar op straat?’

'Pacoima.' Hij noemde een straathoek. 'We hingen er gewoon maar een beetje rond.'

'Wat bedoel je daarmee? Leg het uit.'

'Nou, je weet wel...'

'Waren jullie dope aan het scoren?'

Stilte.

Decker zei: 'Je wordt al beticht van het fabriceren van drugs, Alex. Een paar pillen meer of minder maakt niet uit.'

'Geen pillen.' Zijn been wipte op en neer. 'Alleen maar wat hasj.'

'Was je het aan het roken of erin aan het handelen?'

'Waarom vraag je dat allemaal als je niet van Narcotica bent?'

'Omdat dit jouw alibi heet te zijn. Was je het aan het roken of het aan het verkopen?'

Brand ging over op Engels alsof hij zijn woorden kracht wilde bijzetten. 'Alleen maar wat hasj, man.'

Decker ging ook over op Engels. 'Dat zei je al.'

'Massa's mensen hebben me daar die avond gezien.'

'Massa's mensen?'

'Je weet best wat ik bedoel. Ik was daar de hele avond. Heel veel mensen hebben me gezien. Ik heb niemand vermoord.'

'Weet je, Alex, ik kan me niet eens herinneren wat ik eergisteravond heb gegeten.' Decker bekeek hem met priemende ogen. 'Hoe weet jij zo nauwkeurig, zo gedetailleerd, wat je een week geleden hebt gedaan?'

'Die moorden waren groot nieuws, man. Ik hoorde het de volgende dag.'

'Vertel me nou maar gauw hoe het écht is gegaan, dan kan ik zien wat ik voor je kan doen. Want ik wil wedden dat jij als eerste wist wat er was gebeurd, veel eerder dan alle anderen.'

'Ik was er niet bij, man! Als iemand dat zegt, liegt hij!'

'Ik geloof je wel. Misschien was jij er niet bij, maar een paar van je vriendjes van Bodega 12th Street waren er wel.'

'Niet waar.' Hij schudde nadrukkelijk zijn hoofd.

'Nu lieg je.'

Terug naar Spaans. 'Ik zweer dat ik het niet weet!'

'Waarom heeft het slachtoffer jou dan aangewezen?'

'Misschien omdat hij een achterlijke blanke is voor wie alle latino's er hetzelfde uitzien. Weet ik veel! Ik was er in elk geval niet bij!'

Decker hield vol. 'Maar ik weet dat jij weet wie er wel bij was.'

'Niet waar. Ik weet niks.' Maar hij knipperde zo met zijn ogen dat hij het net zo goed had kunnen bevestigen.

Zo ging het nog twintig minuten door. Tegen die tijd was Decker bijna twee uur met hem bezig. Er stonden zweetdruppeltjes op Brands gezicht, borst en armen. Zijn anaconda zag er nu uit alsof hij in een rivier zwom.

Decker gaf de jongen nog een sigaret in een poging hem tot bedaren te brengen. 'Een van de gewonden is in leven gebleven, Alex. Hij heeft dingen gezien.'

'Hij heeft mij niet gezien.'

'Je kunt jezelf een groot plezier doen door me te vertellen wat jij erover weet.'

'Ik was er niet bij!'

'Dat zeg ik ook niet.' Een korte stilte. 'Ik zei dat je me alleen maar hoeft te vertellen wat je weet.'

Hij hield zijn blik op de tafel gericht. 'Ik weet niks.'

'Dat is niet waar, Alex. Je weet dat José Pinon de mist in is gegaan omdat hij het overlevende slachtoffer niet heeft afgemaakt. Je weet alles over Rondo Martin en El Patrón. Er zijn mensen die je daarover hebben horen praten.'

Brand keek hem verbluft en verward aan. Hij kneep zijn lippen op elkaar, alsof hij daarmee zijn woorden kon terugnemen.

'Vertel me over El Patrón.'

Brand haalde zijn schouders op maar maakte geen oogcontact. Zijn been bleef trillen.

'Vooruit, Alejandro. Of wil je soms dat El Patrón te horen krijgt dat je over hem hebt zitten kletsen?'

Stilte.

'Mijn mensen zijn ook in Mexico op zoek naar José,' loog Decker. 'Wat denk je dat Pinon zal doen als hij erachter komt dat jij over hem hebt gepraat?'

'Ik heb je de waarheid verteld, man! Ik was er niet bij!'

'Ik geloof je wel,' zei Decker zachtjes. 'Ik wil best geloven dat je er niet bij was. Maar ik weet dat jij weet wie er wél bij was.'

'Nee.' Hij kromp ineen. 'Ik heb alleen geruchten gehoord. Ik weet niet wat daarvan waar is. Laat me met rust, man.'

'Vertel me wat je hebt gehoord.'

Geen antwoord. Decker wachtte af. Uiteindelijk zei Alex: 'Werk jij met die vent met de zonnebril?'

Het duurde een paar seconden voordat Decker doorhad dat hij Brett Harriman bedoelde. Dat was niet best. Gelukkig was Decker een nog gehaaider leugenaar dan Alex. 'Over wie heb je het?'

'Dat mietje in de rechtbank. Ik wist meteen dat hij me bespioneerde. Ik had meteen met hem moeten afrekenen.'

'Ik heb geen flauw idee waar je het over hebt, Alex. Zoals ik al zei, ben ik van Moordzaken.'

'Ik wist meteen wat een klootzak die vent was. Ik zag het aan hoe hij naar me keek.'

'Alex, kunnen we alsjeblieft bij onze eigen zaak blijven?' Decker nam zich voor zo snel mogelijk contact op te nemen met Harriman. 'Vertel me over de geruchten.'

'Wat krijg ik als ik met je praat?'

'Een inspecteur van Moordzaken die aan jouw kant staat, naast je advocaat.'

'Zul je aan Narcotica vertellen dat de spullen niet van mij waren?'

'Nee, dan kan ik niet doen, maar als je meewerkt, zal ik met de rechter gaan praten bij wie je moet voorkomen. Als je verhaal genoeg indruk op hem maakt, zal hij je misschien wat strafvermindering geven.'

'Hoeveel?'

'Dat weet ik niet, maar wat heb je te verliezen?'

'Ik wil niet dat iemand erachter komt dat ik met jou heb gepraat.'

'Vertel me wat je weet, dan zal ik zien wat ik voor je kan doen.'

Brand dacht erover na. 'Ik heb alleen gehoord wat jij zei. Dat José de mist in is gegaan en dat El Patrón nu naar hem op zoek is.'

'Ik wil zeker weten of we het over dezelfde persoon hebben. Vertel me dus iets meer over El Patrón.'

'Ik weet niet hoe hij heet.' Brand hield zijn blik afgewend. 'Hij doet veel zaken met Bodega Twelve, als je begrijpt wat ik bedoel.'

'Drugs?'

'Ja, hij krijgt ze van de grote dealers. Ik heb gehoord dat hij de opdracht voor de moorden heeft gegeven.'

'Beschrijf hem.'

'Ik weet alleen dat het een blanke is die veel geld heeft. Ik heb hem nooit gezien.' Seconden verstreken. Opeens begon de jongen te glimlachen. 'Jij weet niet wie het is.'

'Hoe weet je dat hij de opdracht heeft gegeven voor de moorden?'

'Dat heb ik gehoord van mijn amigo's.'

'Welke amigo's?'

'Dat weet ik niet meer.' Brand keek Decker aan. 'Echt niet! Ik heb het ergens op straat gehoord.'

'Van wie heb je gehoord dat José Pinon het verprutst heeft?'

'José is een loser.'

'Waar ken je hem van?'

'Hij was een gewone Twelver toen ik nog jong was, maar toen ging hij opeens naar een of andere groep, Go-carts of zoiets, waar leden van straatbenden door rijke hufters "gerehabiliteerd" worden.' Hij grinnikte. 'Ik heb hem toen een hele tijd niet gezien en opeens kwam ik hem weer tegen en toen zei hij dat een of andere rijke kerel hem in dienst had genomen als bewaker. Ik dacht dat hij een grapje maakte.'

Decker knikte.

'Wat een loser!'

'José of de man die hem in dienst had genomen?'

'Allebei,' zei Brand. 'Die idioot had hem een uniform gegeven. En een vuurwapen. En een functie. José vond zichzelf opeens heel wat. Hij stond opeens boven ons, snap je? Ik hoop dat El Patrón hem te pakken krijgt en sigaretten op zijn ballen uitdrukt.'

'Beschrijf El Patrón.'

'Jezus, man, ik zei toch dat ik hem nooit heb gezien?' Brand drukte zijn peuk uit. 'Zo, wat krijg ik hiervoor?'

'Alex, je hebt me nog niks nieuws verteld. Dat van José Pinon en El Patrón wist ik al. Ik moet een naam hebben.'

'Maar ik weet niet hoe hij heet.'

'Vertel me dan hoe de andere daders heten.'

'Dat heb ik je al verteld. José Pinon was erbij.'

'Wie nog meer?'

Brand zei niets.

'Het is slechts een kwestie van tijd voordat het overlevende slachtoffer iedereen identificeert die daar was en dan is jouw informatie niks meer waard.'

'Dan niet.'

Decker ging over op een andere tactiek. 'Heeft José je dingen verteld over de mensen met wie hij daar werkte?'

'Ik zie José nooit meer. Hij gaat niet meer met ons om sinds hij dat stomme baantje heeft gekregen.'

'Hij heeft dus nooit namen genoemd?'

Een diepe zucht. 'Ik geloof dat hij een keer heeft gezegd dat het vooral latino's waren. Hij heeft een keer tegen me gezegd dat ik een intelligente jongen ben – dat was de enige keer dat hij zelf iets intelligents zei – en dat hij misschien voor mij ook wel zo'n baantje kon regelen als ik van de drugs afbleef. Hij zei dat hij er met zijn baas over kon gaan praten. Maar ik heb gezegd dat ik daar helemaal geen zin in had.'

'Wie was zijn baas?'

'Weet ik niet.'

Decker haalde de lijst van de bewakers tevoorschijn. De eerste naam die hij voorlas was die van Neptune Brady. Brands ogen lichtten op.

'Ja, dat is de klootzak die hem in dienst heeft genomen.'

'Heb je hem ooit ontmoet?'

'Nee.'

'Zou Neptune Brady El Patrón kunnen zijn?'

'Als hij een blanke is met een hoop geld.'

'Ik ga nog wat namen voorlezen. Vertel me welke je bekend voorkomen.' Toen Decker bij Denny Orlando was aangekomen, hief Brand zijn hand op. 'Die klinkt bekend. Hij werkt met José.'

'Dat klopt. Klopte. Hij is dood.'

'Heeft José hem vermoord?'

'Hij of iemand anders.'

'Dat verbaast me niks. Als hij in staat is Bodega 12th Street zijn rug toe te keren, kan hij iedereen zijn rug toekeren.'

Decker noemde de naam van Rondo Martin, maar Brand reageerde er niet op. 'Klinkt die naam niet bekend?'

Brand dacht na. 'Je hebt veel namen genoemd. Ik raak ervan in de war.'

'Het is een grote, blanke vent. Zou hij El Patrón kunnen zijn?'

Brand keek minachtend. 'Ik weet niet hoe El Patrón heet, maar het lijkt me sterk dat hij zo'n stomme naam heeft als Rondo Martin.'

29

'Een blanke met een bom geld?' zei Marge. 'Jeetje, dat hij ons zo gedetailleerde informatie durfde te verstrekken!'

'In de computerwereld noemen ze dat GIGO, garbage in, garbage out.' Oliver glimlachte.

'Dat jij dat zomaar weet.'

'Ik ken ook LOL en NMBM.'

'Jij hebt geen bescheiden mening, Scott.'

'Het betekent ook "naar mijn bemoeizuchtige mening".'

'Of "mijn bedillerige mening".' Decker slaakte een zucht. 'Dit is veel leuker dan praten met een snotjong dat zit te liegen alsof het gedrukt staat.'

Ze zaten in Deckers kantoor de zaak te bespreken. Oliver was vandaag in het zwart, Marge in het grijs en Decker in het bruin. Ze konden zó naar een begrafenis, en dat zou goed gepast hebben bij hun versomberende stemming.

Gil werd vermist, Resseur werd vermist, Grant zat zijn wonden te likken in de villa van de Kaffeys in Newport en Mace... Mace werd niet echt vermist, maar had niet gereageerd op Deckers telefoontjes. Neptune Brady en zijn ploeg waren op staande voet ontslagen. De sporen werden steeds vager en de zaak begon te bekoelen.

Decker streek over zijn snor. 'Ik maak me zorgen over Brett Harriman. Je had de blik in Alejandro Brands ogen moeten zien toen hij het over hem had.'

'Brand zit achter de tralies en heeft dus wel iets anders aan zijn hoofd,' zei Oliver.

'Het is een Bodega Twelver,' zei Marge. 'Hij heeft veel vrienden die op vrije voeten zijn.'

'Precies,' zei Decker. 'Ik heb met een paar van de gevangenbewaarders gesproken. Ze zullen hun ogen en oren openhouden, maar er moet iemand met Harriman gaan praten, hem uitleggen dat hij voorzichtig moet zijn.'

'Hij kan niet bepaald uit zijn doppen kijken,' zei Oliver. 'Nou ja, dat kan hij wel doen, maar daar heeft hij niks aan.'

'Misschien heeft hij zijn eigen methoden om te bespeuren of er iemand bij hem in de buurt is. Hij kan echter beter niet in zijn eentje de straat op gaan tot we Brand steviger in de tang hebben.'

'Ik heb nieuws over de Saturn, maar het is niet veel bijzonders.' Marge bladerde in haar notitieboekje. 'Het is een dood spoor. De Saturn is tweedehands verkocht aan een autoverhuurbedrijf dat Cheap Deals heet. Daar was hij verhuurd aan ene Alyssa Mendel en op de dag dat Harriman naar jouw huis is gegaan, was Mendel op bezoek bij haar vijfentachtigjarige tante Gwen, die schuin tegenover jullie woont.'

'Dat is prettig voor mij, maar slecht voor het onderzoek.' Decker zweeg even. 'Rina zal in haar vuistje lachen als ze hoort dat de Saturn niets met de zaak te maken heeft. Ik heb net van pure nervositeit nieuwe beveiligingsapparatuur gekocht. Maar ik zal die evengoed installeren. Ik ben nog steeds een politieman, Brand is nog steeds een Bodega Twelver en ik doe nog steeds onderzoek naar twee gruwelijke moorden.'

'Ik heb drie sloten op de deur van mijn flat,' zei Marge. 'Als ik ooit een hartaanval krijg, kan het ambulancepersoneel niet eens binnen komen.'

'Wat voor apparatuur heb je gekocht?' vroeg Oliver aan Decker.

'Een update voor ons alarmsysteem, een paar extra sirenes, videocamera's, bewegingssensoren, nieuwe sloten op de deuren... de bekende dingen. Een beroeps hou je er niet mee tegen, maar amateurs hopelijk wel.' Decker bladerde in zijn aantekeningen. 'O ja, dit kan belangrijk zijn. Toen ik de naam Rondo Martin liet vallen, gaf Brand de indruk dat hij geen flauw idee heeft wie dat is.'

'Misschien deed hij maar alsof,' zei Oliver.

'Naar mijn mening...' Decker glimlachte. 'Naar mijn beschéíden mening deed hij niet alsof.'

Marge zei: 'Dat zegt niets over Martins betrokkenheid. Misschien was Martins betrokkenheid niet algemeen bekend, in tegenstelling tot die van Joe Pine of José Pinon.'

'Dat zou kunnen. Brand heeft toegegeven dat hij Pinon kent en zei dat Pinon een voormalig lid van de Bodega 12th Street-bende is, die is gerehabiliteerd door een groep die Go-carts heet. Wang heeft navraag gedaan naar hulpcentra voor leden van straatbenden en er blijkt een groep te zijn die door de overheid en privésponsors wordt gefinancierd en GOCOTS heet.'

'Get Our Children Off The Streets,' zei Marge. 'Ik ben die naam tegengekomen toen ik voor de zaak van Bennett Little op zoek was naar Jervis Wenderhole.'

'Guy Kaffey zat in het bestuur. Wang heeft de lijst van zijn persoonlijke lijfwachten en de bewakers die voor zijn bedrijf werkten, doorgenomen. Guy had heel wat ex-leden van de Bodega 12th Street-bende in dienst.'

Oliver zei: 'Hij had Pinon net zo goed een pistool kunnen geven. O wacht, dat heeft hij ook gedaan.'

Decker zei: 'Brand vertelde dat Pinon niet alleen bij de moorden betrokken was, maar dat El Patrón de smoor in had omdat Pinon alles had verknoeid omdat hij Gil Kaffey in leven had gelaten.'

'Wat is Gil Kaffey nu voor ons?' vroeg Oliver. 'Een verdachte of een slachtoffer?'

'Ik dacht aanvankelijk een slachtoffer, maar nu wordt hij vermist en is er op mij geschoten. Het kan zijn dat Grant dat heeft geregeld. Of Gil. Of Resseur. Of geen van drieën.' Decker slaakte weer een zucht. 'Hopelijk krijgen we antwoorden op deze vragen als we Gil en Resseur hebben gevonden.'

'Ik bedenk opeens iets,' zei Marge. 'Brand heeft tegen jou gezegd dat El Patrón een drugsdealer is.'

'Je moet wel een drugsdealer zijn als je El Patrón bent,' zei Oliver.

'Ja, het klink als een verzinsel, maar luister even. Rondo Martin was hulpsheriff in een landbouwstreek. Ik wil wedden dat er slimme boeren zijn die wat... extra gewassen kweekten.'

Decker dacht erover na. 'Martin had een deal met marihuanakwekers en heeft zijn zaak verlegd naar Los Angeles?'

'Het is maar een idee.'

'Hebben jullie enige indicatie gekregen dat er in Ponceville illegale gewassen worden gekweekt?' vroeg Decker.

'Nee, maar dergelijke informatie krijg je niet als je met de sheriff praat. Misschien weet Willy Brubecks schoonvader er meer van.'

'Ik denk eerder iemand in een van de *ciudads*,' zei Oliver.

'Wij vertrekken morgen om tien uur naar Ponceville,' zei Decker. 'Ik zal niet alleen navraag doen naar Rondo Martin als schutter, maar ook vragen stellen over Rondo Martin als dealer.'

'Wees voorzichtig, Pete,' zei Marge. 'Een dealer die goed met een vuurwapen kan omgaan, is een gevaarlijke vijand.'

Rina bekeek de videocamera die onder het afdak van het portiek was bevestigd en op de deur gericht. 'Het huis begint eruit te zien als een burcht.'

Decker stond op een ladder de laatste schroeven vast te draaien. 'Je kunt dit ding vanaf de straat niet eens zien.'

'Als je hem niet kunt zien, hoe moet hij dan als afschrikmiddel dienen?'

'De bedoeling is, dat jij kunt zien wat er buiten gebeurt.'

'Dat ik het nichtje van mijn buurvrouw kan zien wegrijden, bedoel je?'

'Dat de Saturn er uiteindelijk niet bij hoorde, is mooi, maar we werden er evengoed aan herinnerd dat we onze beveiligingsapparatuur moesten aanpassen. Waarom doe je zo moeilijk? Ik probeer jullie alleen maar te beschermen.'

'Je hebt gelijk.'

Hij hield op met schroeven. 'Wat zei je?'

Rina glimlachte. 'Je hebt me wel verstaan.' Ze keek naar de zonsondergang, een schitterend schouwspel in goud en violet. Het was een warme dag geweest en de avond was zwoel. 'Kan ik helpen, zodat je wat sneller klaar bent?'

Hij verstelde de beugel van de camera. 'Nee, dank je. Het is bijna gebeurd.'

Hannah kwam naar buiten. Ze had een pyjama aangetrokken en liep op poezelige pantoffels. 'Wanneer gaan we eten?'

'Zodra je vader hiermee klaar is.'

'Over tien minuten,' zei Decker.

Ze snoof en stormde weer naar binnen.

'Iemand heeft honger,' zei Rina.

'Ik wil dit netjes afwerken. Je kunt de tafel wel vast dekken. Tegen die tijd ben ik klaar.'

'De tafel is al gedekt.'

'Neem dan een glas wijn of zo.'

'Van wijn zou ik me ontspannen, maar onze nazaat zou er niet mee geholpen zijn.'

'Geef haar een hapje vooraf.'

'Ze houdt niet van hapjes vooraf.'

Decker keek op zijn vrouw neer. 'Begin dan vast zonder mij. Ik eet toch sneller dan jullie. En hoe minder tijd ik met haar doorbreng, hoe beter. Dan blijft ze tenminste van me houden.'

'Ze houdt heel veel van je.'

'Dat zeg jij. Cindy was altijd aardig tegen me.'

'Cindy woonde niet bij jou.'

Decker draaide de schroeven stevig aan en daalde de ladder af. 'Zo. Dat is klaar.' Toen ze naar binnen gingen, zei hij: 'Ik ga even onder de douche. Begin maar vast. Ik kom zo.'

Het leek een goed idee. Hannah zat al aan tafel en keek met een begerige blik naar de kip. Rina schonk een glaasje Herzog Petite Sirah voor zichzelf in. 'Je mag vast beginnen.'

'Gelukkig.' Ze greep de twee poten en schepte broccoli en gebakken aardappelen op haar bord. 'Waarom is hij opeens zo paranoïde? Je zou bijna denken dat hij gisteren pas bij de politie is gegaan.'

'Er zijn leden van de Bodega 12th Street-bende bij de zaak betrokken. Een van hen is opgepakt en ik heb hem geïdentificeerd. Daarom is je vader zo nerveus.'

'Maar jij hebt die vent toch niet achter de tralies gezet?'

'Volgens mij weet hij niet eens dat ik besta, maar je vader is extra voorzichtig.'

'Het is erg lastig dat we bij opa en oma moeten logeren. Ik moet elke dag een half uur eerder opstaan.'

'Het is maar voor een paar dagen.'

'Ja, maar ik moet toevallig wel morgen de SAT-test doen. En voordat je het vraagt: ik wil niet bij een vriendin gaan logeren.'

Rina gaf haar dochters arm een kneepje. 'Je kunt goed leren. Die test is voor jou een fluitje van een cent.'

Hannah prikte een stukje broccoli aan haar vork, stak het in haar mond en kauwde verwoed. Er stonden tranen in haar ogen. Even later kwam Decker binnen, met zijn natte haar achterovergekamd.

'Je ziet eruit als Dracula,' zei Hannah.

Decker schoot in de lach. 'Dat vat ik op als een compliment. Hij was een graaf.'

Hannah giechelde. 'Sorry. Ik ben zenuwachtig.'

'Ze moet morgen de SAT-test doen,' zei Rina.

'Morgen?' vroeg Decker.

'Ja. Dat had je moeten weten want dat heb ik je verteld.'

'Ik ben oud. Ik vergeet dingen. Maar het zal je best lukken.' Hij zweeg even en zei toen: 'Het zal je in elk geval beter afgaan dan mij. Als ze mij niet een punt hadden gegeven voor het invullen van mijn naam, zou ik een nul hebben gekregen. Al maakte dat niets uit. Ik was helemaal niet van plan om te gaan studeren.'

Hannah hield op met eten en bekeek haar vader onderzoekend. 'Waarom niet? Zo'n intelligent mens als jij.'

'Dank je,' zei Decker oprecht. 'Mijn ouders vonden een hogere opleiding niet belangrijk. Dat vind jij zeker wel leuk om te horen, hè?' Dit ontlokte een glimlach aan Hannah. 'Je grootvader werkte met zijn handen. Ik wist niet beter dan dat ik dat ook zou doen.'

'Toch heb je iets gekozen waar je hersenen voor nodig hebt.'

'Dat was puur toeval. Toen ik uit het leger kwam, waren ze bij de politieacademie op zoek naar mensen. Gainesville was... is een universiteitsstad en ik had een hekel aan de demonstranten, omdat ze van mijn leeftijd waren en veel te veel lol hadden. De politie had net zo'n hekel aan de studenten als ik. De vijand van je vijand is je vriend.'

Hannah keek bedachtzaam. 'Maar je had ermee kunnen stoppen.'

'Uiteindelijk bleek het me op het lijf geschreven te zijn.' Hij kauwde traag. 'Ik kan nauwelijks geloven dat ik dit nu al bijna vijfendertig jaar doe.'

'Ik hoop dat ik ook iets zal vinden waar ik mijn hele hart in kan leggen. Het enige waar ik van hou, afgezien van jullie dan, is naar muziek luisteren.'

'Je zou muziekrecensent kunnen worden,' zei Decker.

'Alsof jij dat goed zou vinden.'

'Waarom niet? Zolang je op een eerlijke manier je brood verdient, mag je doen wat je wilt.'

'Aba, je kunt als muziekrecensent je brood niet verdienen.'

'Lieve schat, als je maar hard genoeg werkt en doet wat je fijn vindt, zul je je brood verdienen. Je zult misschien niet rijk worden en je zult misschien bepaalde dingen moeten laten staan, maar er gaat niets boven werk doen waar je van houdt. Ik ben niet elke dag echt dol op mijn werk, maar zou toch niets anders willen doen.' Decker schonk een glas wijn voor zichzelf in en klonk met Rina. 'Je kunt niet overal een prijskaartje aan hangen.'

'Zou je het echt niet erg vinden als ik muziekrecensent werd?'

'Nee. Waarom zou ik? Het is jouw leven.'

'Dus ik hoef niet te gaan studeren en mag mijn droom gaan verwezenlijken?'

'Pardon?' zei Rina.

Decker lachte. 'Ik zou het prettig vinden als je wel ging studeren om zo veel mogelijk keuzemogelijkheden te hebben. Daarna mag je het helemaal zelf weten.'

Hannah duwde haar bord van zich af. 'Ik moet mijn tas gaan inpakken voor het logeren.'

'Hannah,' zei Rina, 'als het erg belangrijk voor je is, kunnen we hier slapen. De Saturn bleek uiteindelijk niets met de zaak te maken te hebben.'

'En dat vertel je me nu pas?'

'Ik wilde de logeerpartij niet afzeggen. Mijn ouders vinden het zo leuk dat we komen. Maar ik dacht meer aan hen dan aan jou. Ik zal ze bellen.'

'Nee,' zei Hannah. 'Ik heb daar een eigen kamer en kan mijn computer meenemen. Het geeft niet, ima. Ik ben waarschijnlijk toch de halve nacht op.' Ze stond op en omhelsde haar vader. 'Dank je wel voor wat je zei. Dat heeft erg geholpen.'

Ze huppelde naar haar kamer.

'Mooi werk, abba,' zei Rina. 'Je mag jezelf een schouderklopje geven.'

Decker glimlachte breed. 'Heel af en toe doe ik iets goed.'

'Niet zo bescheiden, Decker. Je hebt je bijzonder gevoelig opgesteld.'

'En niet eens met opzet. Ik meende echt wat ik zei. Ik ben geen flonkerende ster. Ik ben maar een gewone ambtenaar.'

'Voor mij ben je een ster,' zei Rina. 'Je bent mijn held.'

'Dank je. En jij bent mijn heldin.' Hij kuste haar hand en hield die even vast. Toen pakte hij zijn glas. Zelfs na al die jaren was hij niet in staat zijn gevoelens onder woorden te brengen: hoe heerlijk hij zich voelde om wat zijn dochter had gezegd, en wat de opmerking van Rina hem deed. In plaats daarvan klonk hij nogmaals met Rina, in stilte genietend van het moment.

Het was leuk om op een voetstuk gezet te worden.

30

Het landschap van greppels en voren wekte herinneringen op aan zijn jeugd, aan de tijd dat hij nog klein was en het gezin tweemaal per jaar van Florida naar Iowa was gereden voor een logeerpartij bij zijn grootouders. Ze deden dat met Pasen en Kerstmis en legden dan honderden kilometers af door een eindeloos, vlak landschap. Met de kerst was dat een zee van bruin of wit, maar Pasen was de tijd van vernieuwing: groene velden, glinsterend van de dauw, en geurende bloesem. Die reisjes stonden onuitwisbaar in zijn geheugen gegrift vanwege de beloning die hem wachtte: het weerzien met de familie, de uitbundige feesten, de lichtjes en versiersels met al hun pracht en praal, de neefjes en nichtjes om mee te spelen en natuurlijk de cadeautjes. Ongeacht hoe groot of klein, het was altijd opwindend om een cadeautje uit te pakken. Decker wist, nu ze door deze velden reden, dat dit een heel ander tijdperk was en hij hier om een heel andere reden was, maar het landschap maakte een oergevoel in hem los.

Wie weet kwamen ze hier eindelijk iets te weten.

Brubeck sjeesde tussen de velden door alsof hij dat dagelijks deed. De ongeplaveide wegen waren oneffen en de hobbelige topografie vergde het uiterste van de schokbrekers van de huurauto. Op een gegeven moment vlogen ze letterlijk de lucht in en kwamen neer met een klap die ze in al hun wervels voelden.

'Sorry.' Brubeck nam gas terug. 'Pokkewegen. Je zou denken dat ze onderhand wel iets aan al die kuilen hadden gedaan.'

'We kunnen aan de wegen niets veranderen, maar we kunnen wel langzamer rijden. Een paar minuten maken niets uit.'

'Pokkewegen,' bleef Brubeck foeteren. Zijn buik puilde over de rand van zijn zwarte spijkerbroek. Decker droeg ook een spijkerbroek, met daarop een bruin poloshirt.

Hij pakte de lijst van de families in de noordelijke *ciudad*, die Brubecks schoonvader, Marcus Merry, had gemaakt. De lijst was niet volledig, maar er stonden evengoed vijftien namen op. 'Heb je contact opgenomen met je schoonvader?'

'Daisy vermoordt me als ik niet even langskom. Ik heb gezegd dat we rond twee uur bij hen zijn, voor de lunch. Al eet hij waarschijnlijk stipt om twaalf uur en zes uur, want hij gaat om acht uur al naar bed.' Brubeck zweeg even en zei toen: 'Hij vindt het niet leuk dat wij politiewerk doen waar T niets van af weet. Hij woont hier en heeft het al niet makkelijk.'

'Daar heb ik over nagedacht,' zei Decker. 'Ongeacht wat Oliver zei, heb ik T gebeld en een bericht achtergelaten dat we zouden komen.'

Brubeck draaide zijn hoofd naar hem toe. 'O ja?'

'Blik op de weg, Brubeck.'

'Maak je geen zorgen. Waarom heb je dat gedaan?'

'Opdat je schoonvader er niet de dupe van wordt als T het op zijn heupen mocht krijgen. En omdat wij, als we in de problemen mochten komen, T nodig hebben.'

De auto reed met een klap door een kuil. 'Denk jij dat T te vertrouwen is?' vroeg Brubeck.

'Dat weet ik niet, maar het leek me verstandig om de sheriff aan onze kant te houden.'

'Als hij inderdaad aan onze kant staat.'

'Daarom heb ik gezegd dat we vanmiddag komen en rond vier uur bij hem zijn. Dan kunnen we eerst op ons gemak rondkijken.'

'En als we hem in de *ciudads* tegen het lijf lopen?'

'Dan zeg ik dat we een eerdere vlucht konden krijgen, dat ik hem heb gebeld maar dat hij er niet was.'

'Ja, dat klinkt geloofwaardig. En als hij naar de *ciudads* komt, wil dat iets zeggen.'

'Inderdaad. Ben jij er ooit geweest?'

'Nee, ik ben er alleen langsgereden. Ik had nooit een reden om er te stoppen.'

'Spreek je Spaans?'

'Niet erg goed, maar ik kan een eenvoudig gesprek wel volgen,' zei Brubeck. 'Laat mij maar rijden, dan laat ik jou het woord doen.'

'Prima. Maar zorg alsjeblieft dat we er heelhuids komen.'

Mexicaanse seizoenarbeiders waren niet weg te denken uit Californië. Ze kregen een werk- en verblijfsvergunning voor een specifieke baan en een streng gespecificeerde tijdsduur. Het tijdelijke karakter van hun bestaan kwam, samen met de verstikkende armoede, tot uitdrukking in hun woonomstandigheden. Het was geen tentenkamp, want er waren huisjes van hout met gestuukte muren, maar de stad had niets wat je permanent kon noemen. De huisjes konden in één dag worden gebouwd en met één duw van een tractor omver worden geworpen.

'Soms gebeurt dat ook,' vertelde Brubeck aan Decker. 'Soms maken activisten voor mensenrechten een hoop trammelant over de rechten van de arbeiders en wordt zo'n stad met de grond gelijk gemaakt. Een week later staan de huisjes er weer. Het is niet meer zoals vroeger, toen de arbeiders op de ranch woonden. De boeren hebben niet genoeg geld om personeel in dienst te houden. Ze hebben veel moeten inleveren.'

Decker zag dat er provisorische elektriciteitskabels naar de huisjes liepen, zodat de mensen tenminste konden genieten van enig modern comfort. De woningen stonden over het algemeen tegen elkaar aan, zodat ze eruitzagen als rijtjeshuizen, maar het waren onooglijke, deprimerende rijen. Het enige vrolijke eraan waren de kleuren waarin de buitenmuren waren geschilderd – zonnig geel, fel oranje, donkerpaars, grasgroen en vuurrood. De huisjes hadden geen nummers maar letters, en in de noordelijke *ciudad* was dat A tot P. De families Mendez woonden in H, I en J. Toen ze ernaartoe reden, zag Decker een brandschone, twintig jaar oude Suburban op straat geparkeerd staan.

'Stop even, Willy.' Toen Brubeck remde, spatte er grind op achter de banden. 'Enig idee van wie die Suburban is?' vroeg Decker.

'Nee, maar hij moet van een bezoeker zijn. Het is een oude auto, maar te schoon om van de mensen hier te zijn.'

Decker deed het portier van hun huurauto open. 'Laten we een kijkje nemen.'

Ze stapten uit en liepen naar de Suburban. In de auto zagen ze een leren jack, een plastic koffiebekertje, een mobilofoon met microfoon en een rek voor jachtgeweren. Ze keken elkaar aan en liepen terug naar hun eigen auto.

'Er zit een politiescanner in,' zei Brubeck.

'Dat zag ik. En een rek voor geweren, zonder geweren.'

'Ja, dat viel mij ook op. Ik zal mijn vader even bellen om te vragen in wat voor auto T rijdt.' Een minuut later had hij het antwoord. 'Het is de dienstauto van T.'

Ze keken elkaar zwijgend aan.

Toen zei Decker: 'Het lijkt me geen goed idee om de sheriff te verrassen.'

'Mij ook niet.'

'Misschien kan ik beter zijn kantoor bellen om te zeggen dat we zojuist zijn aangekomen en op weg gaan naar de *ciudad*.'

'Wat schieten we daarmee op?' vroeg Brubeck.

'We kunnen ook wachten tot hij wegrijdt en dan naar binnen gaan.' Hij aarzelde. 'Hopelijk zijn de mensen in dat huis niet gewapend.'

'Hier is iedereen gewapend. En zodra hij merkt dat we hem iets hebben voorgelogen, zal hij de pest in krijgen.'

Een goed punt. 'We kunnen ook wachten tot hij naar buiten komt... om te zien of hij zijn geweer bij zich heeft.'

'En dan?' Brubeck lachte. 'Het is hopelijk niet je bedoeling hem te overmeesteren.'

Decker haalde zijn schouders op. 'Rij achteruit en zet de auto ergens uit het zicht. Ik ga bellen.'

Brubeck reed langzaam achteruit en zette de auto achter een roze met groen geschilderde garage waarin een rode Toyota Corolla stond, die zo te zien onlangs op een onprofessionele manier was overgespoten. De twee mannen gingen de auto nader bekijken en Decker krabde met zijn nagel wat lak weg. Er zat donkerblauwe lak onder.

'Martin had een blauwe Toyota Corolla.'

'Wat moeten we doen?' vroeg Brubeck.

'Ik weet het niet. Maar ik kan beter het kantoor van de sheriff even bellen, dan kunnen ze tenminste niet zeggen dat we het niet hebben geprobeerd.'

Edna zei dat T er niet was. 'Hij verwacht u vanmiddag pas.'

'We konden eerder vliegen.'

'O... maar dat telefoontje heb ik een half uur geleden pas gekregen.'

'Met mobieltjes heb je soms vertraging.' Dat sloeg nergens op, maar Edna zei er niets over. 'Enig idee waar T is?'

'Nee. Ik weet alleen dat hij even weg moest.'

'Heeft hij een mobiele telefoon?'

'Ja, maar hij heeft mij verboden u het nummer te geven. Als u wilt, kan ik hem voor u bellen.'

'Graag.'

'Waar bent u?'

'We hebben net een auto gehuurd op het vliegveld.'

'Het is een half uur rijden. Moet ik u uitleggen hoe u moet rijden?'

'Nee, ik heb Willy Brubeck bij me. Die is hier bekend.'

'Willy Brubeck? De schoonzoon van Marcus Merry?'

'Ja. Die werkt voor me.'

'Nou, tot zo dan.'

'Tot zo, Edna.' Decker hing op. Ze waren ongeveer dertig meter bij huis J vandaan, maar hadden geen duidelijk zicht op de voordeur. 'Blijf bij de auto, Willy. Ik ga een kijkje nemen.'

'Ben je gek geworden? We hebben hier geen enkele beschutting.'

'Ik zei niet dat ik naar binnen ga. Ik wil alleen wat dichterbij komen. Blijf bij de auto. En als ik een kogel in mijn donder krijg, vertel dan niet aan mijn vrouw hoe het is gebeurd.'

Voordat Brubeck kon protesteren, was Decker al weggelopen.

Half gebukt sloop hij tot vlak bij de voordeur van huis J.

Vijf minuten later kwam T naar buiten met een hagelgeweer onder zijn arm. Het was zo te zien een Remington 1100, kaliber-12, een oud ding, beslist niet het nieuwste model. T was klein van stuk, maar kleine mannen waren vaak extra gevaarlijk als ze gewapend waren.

De sheriff keek om zich heen, maakte het portier van de Suburban open en stapte in. Je kon niet door de voorruit naar binnen kijken omdat de zon er precies op stond, maar T had de tactische fout begaan het portier niet dicht te trekken. Decker sloop om de auto heen tot de arm van de sheriff in zicht kwam. Hij wachtte tot T het geweer in het rek had gezet en sprak hem toen aan.

'Goedemorgen, sheriff, ik ben inspecteur Decker van het LAPD.'

T draaide met een ruk zijn hoofd om en stak instinctief zijn hand uit naar het geweer. Decker had dat verwacht en greep zijn pols, waardoor T de autosleuteltjes liet vallen. Hij zei: 'Niet doen.'

T's arm zat onder een onaangename hoek. Als hij zou proberen hem los te rukken, zou zijn schouder uit de kom raken. 'Wat moet dit voorstellen?'

'Ik wil niet dat je op me gaat schieten, sheriff.'

'Dan moet je ook niet op mensen af sluipen! Laat mijn arm los, of ik smijt je in de gevangenis.'

'Stap uit de auto, dan zullen we erover praten.'

'Ik kan niets doen zolang je mijn arm vasthoudt.'

Decker hielp hem uit de auto en liet toen zijn arm pas los. Hij was bijna dertig centimeter langer en vijftig kilo zwaarder dan T, dus het was duidelijk wie zich in de gunstigste positie bevond. Even later verscheen Brubeck naast hem. 'Alles in orde, baas?'

'Dat vraag je aan hém?' T schudde zijn arm. 'Die hufter heeft bijna mijn pols gebroken. Wat moest dat voorstellen?'

'Ik ben niet gewapend,' zei Decker. 'Ik speel graag eerlijk spel.'

'Waarom zou ik op jou schieten?' T's ogen waren als dolken. Hij bleef zijn pols schudden. 'Ik zou je moeten inrekenen.' Opeens kreeg hij erg in Brubeck. 'Hoe kon je hem dit laten doen, Willy?'

'Sorry, T, hij is mijn baas.'

'Hij is niet goed bij zijn hoofd!'

'Dat ontken ik niet, T, maar ik werk nu eenmaal voor hem.'

Decker haalde zijn identiteitskaart uit zijn binnenzak, maar T tikte die uit zijn hand. 'Waarom ben je zo stiekem op me afgekomen? Ik kreeg zowat een hartstilstand.'

'Ik heb me bekendgemaakt.'

'En moest ik daarvan onder de indruk raken?'

'Sorry,' zei Decker.

'Je bent stapelgek.'

Decker onderdrukte een glimlach, maar T zag het. 'Ik zal contact opnemen met je meerdere.'

'Wat doe je hier?' vroeg Decker aan hem.

'Ik woon hier, eikel!'

'Ik bedoel niet in het algemeen. Wat deed je in het huis van de familie Mendez. Je wist dat ik hen zou komen ondervragen. Is het toeval dat je een half uur na mijn telefoontje bij hen op bezoek bent gegaan?'

T slikte nieuwe verwensingen in. Zijn blik flitste weer naar het huis en terug naar Decker. 'Lazer maar gauw op, voordat ik je in hechtenis neem wegens mishandeling.'

'Voor of nadat ik jou aanklaag wegens belemmering van de rechtsgang? Of moet de aanklacht luiden dat je onderdak biedt aan een vluchteling?'

'Krijg de kolere.' T's blik ging onwillekeurig weer naar de deur. 'Je bent gek. Ik bied niemand onderdak.'

'Ginds staat een Toyota Corolla die verdacht veel lijkt op de auto van Rondo Martin. Hoe lang denk je dat ik erover zal doen om het chassisnummer te laten natrekken?' Toen T geen antwoord gaf, zei Decker: 'Als je Rondo Martin onderdak hebt geboden wegens een soort misplaatste trouw, wil ik wel een oogje dichtknijpen. Ik wil alleen Rondo Martin en jij moet me helpen hem voor het gerecht te brengen.'

'Steek jezelf niet in de nesten voor hem, T,' zei Brubeck. 'Werk mee.'

De sheriff schudde zijn hoofd. 'Het is niet wat jullie denken. Ik verberg geen moordenaar.' Weer schudde hij zijn pols. 'Godsamme, dat doet pijn, zeg.'

'Sorry van je arm. Ik ben bereid de doktersrekening te betalen.'

'Ik ga er heus niet mee naar de dokter. Zo kleinzerig ben ik nou ook weer niet.'

'We moeten naar binnen gaan, sheriff.'

'Jullie begrijpen er niks van.'

'Leg het dan uit.'

T zei: 'Ik heb mijn sleutels in de auto laten vallen. Aan de sleutelring zit de sleutel van het geweerrek. Pak het jachtgeweer maar als je wilt. Ik vertrouw erop dat je er niet mee op mij zult schieten.'

'Mijn verontschuldigingen dat ik je daarnet zo heb overvallen.' Decker stak zijn hand uit.

Na een korte aarzeling gaf T hem een hand. 'Geef me heel even. Ik kom zo weer naar buiten.' En tegen Brubeck: 'Wat een eikel is die baas van jou.' Hij liep weg.

Decker slaakte een zucht. 'Dat heb ik niet erg slim aangepakt.'

'Nee,' zei Brubeck. 'Ik wilde niks zeggen, maar waarom heb je het gedaan? We hadden hem net zo goed gewoon kunnen laten wegrijden en dan naar binnen gaan.'

'En dan zou Rondo Martin ons aan flarden geschoten hebben. Wie zegt dat het geen valkuil was?'

'Dan kan het nog steeds een valkuil zijn.'

Decker zei: 'Ga in T's Suburban zitten, Willy. Ik roep je wel als het veilig is.'

'Ik laat je niet in je eentje naar binnen gaan,' zei Brubeck.

'Dit is een bevel.'

'Je bent stapelgek.'

'Dat weet ik nu zo onderhand wel. Als je schoten hoort, maak dan dat je wegkomt. Ook dat is een bevel.'

Willy schudde zijn hoofd. 'Dat hoef je me geen twee keer te vertellen.'

31

Zoals T had gezegd, was het niet wat Decker dacht.

Rondo Martin lag op een matras op de houten vloer, lijkbleek, bezweet, zijn bovenlichaam in verband gewikkeld. Het verband zag er schoon uit, al maakten sijpelende wonden vlekken op het wit. In de kamer stonk het naar pus en antiseptische middelen. Martins ogen waren dof van de pijn en lagen verzonken in de donkere kassen, waardoor zijn gezicht leek op dat van een reuzenpanda. Zijn kaken waren bedekt met baardstoppels en zijn haar was slap en vet.

Ana Mendez zat naast hem en bette zijn gezicht met een vochtig doekje. Paco Albanez zat aan de andere kant en probeerde hem wat soep te voeren. Martin trok een pijnlijk gezicht toen hij zijn lippen tuitte en de warme vloeistof opzoog. Zijn blik ging van zijn verzorgers naar Decker.

Decker keek naar Paco en Ana. Omdat hij hen nooit samen had gezien, was hem niet eerder opgevallen hoe ze op elkaar leken. Was hij haar vader? Haar oom? Er waren nog twee vrouwen in de kamer, maar hij had geen idee wie dat waren.

Overal stonden medicijnflesjes, hoofdzakelijk met antibiotica en pijnstillers. Op de etiketten stond 'DIERGENEESMIDDEL'. Het was eenvoudiger om medicijnen voor een huisdier te krijgen dan te proberen recepten te bemachtigen bij een huisarts. Rondo Martin had echter veel meer nodig dan deze pillen als hij beter wilde worden.

'Hij moet naar het ziekenhuis,' zei Decker.

'Dat weet ik, maar hij wil niet,' zei T.

Martins oogleden trilden. 'Hebben jullie Joe Pine gevonden?'

Ana Mendez herhaalde de naam en spuugde op de vloer.

'Nee,' zei Decker. 'Nog niet.'

'Dan ga ik nergens naartoe. Hij wil me vermoorden.' Willy Brubeck kwam binnen met het geweer. Hij liet zijn blik door de kamer gaan en keek toen naar Decker.

Decker zei tegen Willy: 'Rondo zegt dat Joe Pine hem wil vermoorden.'

'Hij keek me recht in de ogen en haalde de trekker over,' zei Martin.

Decker zei: 'Dan moet je naar een plek waar je veilig bent. Als ík je heb kunnen vinden, zal hij je ook kunnen vinden.'

'Dat zei ik dus ook,' zei T.

Ana sprak in het Spaans: 'Waar was de politie toen de Kaffeys werden vermoord? Waar was de politie toen mijn Rondo al die kogels in zijn lijf kreeg?'

'Versta jij Spaans?' vroeg T aan Decker.

'Ja.' Decker pakte zijn mobieltje. 'Ik laat een ambulance komen.'

T legde zijn hand op het telefoontje. 'We kunnen hem beter in de pick-up vervoeren. Voordat de ambulance er is, zijn we alweer een half uur verder.'

'Ik ga niet,' zei Martin. 'Ik ga liever hier dood.'

'En dat zal ook gebeuren als je niet snel geopereerd wordt.'

'Is Joe de enige die je hebt herkend?' vroeg Brubeck.

'De enige die ik me herinner...' Martins gezicht vertrok van pijn.

'Hij moet naar het ziekenhuis,' zei Decker nogmaals.

T knikte naar de twee vrouwen, die dekens bij elkaar pakten om in de Suburban te leggen. Ana wilde met Martin mee. 'Wie heeft de sleutels van de auto?'

Brubeck gooide ze T toe, die ze aan een van de vrouwen gaf. 'We gaan ervoor zorgen dat je beter wordt, Rondo.'

'Als jullie me naar het ziekenhuis brengen... is het mijn dood... Ik heb te veel gezien.'

'Wat heb je dan gezien?' vroeg Decker.

'Ze waren met vier man... misschien nog meer.'

'Heb je ze niet herkend? Behalve Joe?'

'Weet ik niet meer... Joe schoot me meteen neer.'

'Hoe ben je ontsnapt?'

'Als je op zo'n ranch werkt... voor rijkelui... weet je dat... het vroeg of laat zal gebeuren... dat iemand ze zal beroven... Ik had een plan.'

'Wat is er precies gebeurd, Rondo?' vroeg Brubeck.

'Ik hoorde lawaai in de bibliotheek... ben naar binnen gegaan en zag

Joe. Hij had een vuurwapen. Hij schoot op me, twee, drie keer. Denny kwam ook op het lawaai af. Hij werd ook neergeschoten en was op slag dood. Ik ben ontsnapt.'

'Hoe?' vroeg Decker.

'Ik heb mezelf in een kast opgesloten. Ik bloedde erg.' Hij had even nodig om op adem te komen. 'Ik hoorde nog meer schoten en toen werd het stil. Ik heb gewacht. Misschien het bewustzijn verloren. Ik hoorde Joe aan iemand vragen of hij nog munitie had.'

Hij zweeg even.

'Dat had hij niet.'

'Is dat de reden waarom Gil Kaffey in leven is gebleven?'

'Dat weet ik niet, maar het lijkt logisch. Ik hoorde geen schoten meer. Uiteindelijk ben ik erin geslaagd naar beneden te gaan... waar ik zag wat ze Alicia hadden aangedaan. En toen heb ik het bewustzijn verloren.'

Niemand zei iets. Tranen stroomden over Ana's wangen. Paco zat er stoïcijns bij met de lepel nog in zijn hand.

Martin zei: 'Alicia was een nichtje van Paco, net als Ana.'

Decker keek naar de tuinman: 'Mijn condoleances.'

Paco knikte.

Ana zei met verstikte stem: 'Toen ik hem zag, dacht ik dat hij dood was. Toen ik merkte dat hij nog leefde, heb ik Paco erbij gehaald.'

Martin zei: 'Ze hebben me verborgen gehouden tot Paco's zoon uit Ponceville kwam en me hiernaartoe heeft gebracht.'

'Hoe hebben ze je vervoerd?'

'In een van Riley's paardenwagens.'

'Heet Paco Albanez of Alvarez?'

'Albanez,' zei Martin.

'Edna heeft aan mijn mensen verteld dat de mensen in deze *ciudad* Alvarez heten.'

'Edna zegt wel meer dingen,' zei T.

Martin likte aan zijn gekloofde lippen. 'Ana is mijn verloofde. We willen gaan trouwen, maar de immigratiedienst doet moeilijk.'

De vrouwen kwamen weer binnen en zeiden tegen T dat de auto gereed was.

Martin zei: 'Ik wil niet.'

'Ik heb er niks meer over te zeggen, Rondo.' T wees met zijn duim naar Decker. 'Hij heeft nu de leiding. Je kunt maar beter meewerken.'

‘Wie zal me beschermen?’

Decker zei: ‘Ik blijf bij je tot we bewaking hebben geregeld. Je zult dag en nacht bewaakt worden.’

‘Waar haalt u de mensen daarvoor vandaan? We zijn hier niet in Los Angeles.’

‘Zo nodig leen ik mensen van mijn eigen afdeling. Hoe vaak ben je geraakt, Rondo?’

‘Weet ik niet… meer dan één keer. Ik heb de kogels nog in mijn lijf.’

T zei: ‘We gaan je nu naar de auto brengen. Kun je lopen?’

‘Niet zonder hulp.’

‘Dat is geen probleem,’ zei Decker.

Ze waren met vier sterke mannen, maar Martin was een forse vent en ze voelden het allemaal in hun rug toen ze hun best deden hem overeind te krijgen zonder hem pijn te doen. Rondo haalde hijgend adem. Hij stonk naar de infecties die zijn lichaam teisterden. Als ze hem niet waren komen halen, zou hij binnen een week of zelfs binnen een paar dagen gestorven zijn.

Stapje voor stapje brachten ze hem naar de Suburban. De vier mannen, Decker, Brubeck, T en Paco, stelden zich aan weerskanten van hem op en tilden hem in de auto. Hij gilde van de pijn toen ze hem op de vloer neerlegden. Ana klom ook in de wagen.

‘Je mag niet mee, schat,’ zei Martin tegen haar. ‘Je zult gearresteerd en gedeporteerd worden.’

Ze antwoordde in het Spaans dat ze niet van plan was hem in zijn eentje te laten gaan. Ze kibbelden even en toen zei Martin: ‘Ze is zo koppig als wat. Laten we maar gaan.’

Voordat Decker de klep dichtdeed, zei hij: ‘Weet jij wie je in de val heeft gelokt?’

‘Nee. Ik herinner me alleen Joe.’

‘Gaf hij de bevelen?’

Martin vocht tegen de pijn. ‘Ik geloof iemand anders.’

‘Wie?’ vroeg Decker. ‘Iemand die je kent?’

‘Zou kunnen.’

‘Een van de zonen van Kaffey soms?’

‘Ik weet het niet zeker.’

Maar Decker bespeurde een aarzeling. De man was op sterven na dood. Hij zou hem nogmaals ondervragen als hij eenmaal in het ziekenhuis lag en zijn toestand gestabiliseerd was. Hij sloot de klep van de auto en vroeg aan T: 'Zal ik met je meerijden of achter je aan komen in onze auto?'

'Rij maar met mij mee,' zei T. 'Wie weet wie we nog tegenkomen.'

Het was warm en benauwd, geen weer om te tuinieren. Zelfs voor de broeikas leek de drukkende hitte te veel. Rina besloot ermee op te houden. Ze was van plan geweest een paar uur in de tuin te werken, maar het was geen doen. Als ze zich aan haar oorspronkelijke plan had gehouden, zou ze niet hebben gehoord dat er iemand aanhoudend op de deur klopte.

Ze kon haar ogen niet geloven toen ze door het spionnetje keek. Ze zette de nieuwe bewakingscamera aan en zag zijn gezicht toen heel duidelijk. Ze had hem waarschijnlijk moeten negeren, maar hij keek zo angstig. 'Wat doet u hier?'

'Uw man is niet op zijn werk. Is hij thuis?'

'Nee.'

'Ik moet hem dringend spreken.'

'Hij is er niet. Ga maar terug naar het politiebureau, dan zal iemand contact met hem opnemen.'

'Op het politiebureau denken ze dat ik niet goed bij mijn hoofd ben.'

Dan zijn ze niet de enigen, dacht Rina.

'Ik heb zijn hulp nodig!'

Rina deed de deur open met de ketting erop. 'Waarom?'

'Ik word geschaduwd en wil weten wat ik moet doen. Sorry. Ik neem aan dat ik inderdaad de indruk wek dat ik niet goed snik ben, maar dat is echt niet zo.'

Rina nam een abrupt besluit. Het was niet wat Peter haar zou hebben aangeraden, maar Peter was er niet. Ze deed de deur open en zei: 'Kom maar even binnen.'

Hij hijgde en transpireerde erg. Van de Tom Cruise-glimlach was niets meer te bespeuren. In plaats daarvan zag ze alleen spanning en angst. Hij stapte aarzelend over de drempel en Rina deed de deur achter hem dicht. 'Dank u. Dank u wel.'

'Wilt u een glaasje water?'

'Heel graag.'

'Ik ben zo terug.' Toen ze terugkwam, stond hij nog op precies dezelfde plek bij de voordeur. 'Zullen we gaan zitten?'

'Goed.'

Zijn uitdrukking was moeilijk te interpreteren zonder de ogen, maar hij leek nog steeds gespannen. Toen ze zijn arm aanraakte, schrok hij zo dat hij per ongeluk tegen het glas water sloeg, waardoor het water over de rand klotste. 'Ik wil u alleen maar naar een stoel begeleiden.'

'Ja... natuurlijk. Sorry.'

Rina leidde hem naar een fauteuil. Hij ging met stijve bewegingen zitten. Ze drukte het glas water in zijn hand. Hij bracht het naar zijn mond. 'Waarom denkt u dat u geschaduwd wordt?'

'Ik hoor aldoor voetstappen achter me... van dezelfde persoon.'

'Kunt u dan onderscheid maken tussen voetstappen?'

Hij knikte en zette zijn zonnebril af om zijn gezicht te drogen. Hij had blauwe ogen die stuurloos door zijn oogkassen rolden, blauwe ogen zonder licht erin. Ze leken op knikkers. Hij zette zijn bril weer op. 'Ik was uit met mijn vriendin. We hoorden knallen. Ze dacht het een knalpot was, maar ik weet hoe schoten klinken.'

'Is de auto geraakt?'

'Nee, gelukkig niet.'

'Reed u door een ongure wijk?'

'Nee. Het was op een kruispunt midden in de stad.'

'Het komt wel vaker voor dat er op auto's wordt geschoten. Hebt u het aan de politie gemeld?'

'Ik ben blind, de auto was niet beschadigd en Dana dacht dat het een knalpot was,' zei hij geagiteerd. 'Op de afdeling van uw man denkt iedereen al dat ik gek ben. Behalve hij. Daarom wil ik hem spreken.'

'Dat kan nu niet, maar ik zal hem bellen en een bericht achterlaten.'

'Wanneer komt hij terug?'

'Dat weet ik niet.'

'Het spijt me dat ik u hiermee lastigval, maar ik weet dat er iets mis is, mevrouw Decker. Ik kan het horen. Sterker nog, ik kan het ruiken! Ik word gestalkt!'

'Zit uw vriendin buiten op u te wachten?'

'Nee, ik heb een taxi genomen. Zij denkt zo onderhand ook dat ik niet goed bij mijn hoofd ben.'

Daar kan ik heel goed inkomen, dacht Rina.

'Ik weet niet wat ik moet doen. Daarom ben ik bij u gekomen.'

'Als u inderdaad wordt gestalkt, had u niet hierheen moeten komen, maar op het politiebureau moeten blijven.'

Hij zuchtte. 'Daar geloven ze dat toch niet.'

'Dat kan best zijn, maar ze zullen u niet voor de leeuwen gooien.' Ze dacht na. 'Ik weet het goed gemaakt. Ik ga wel even met u mee naar het bureau. Mij zullen ze waarschijnlijk wel geloven.'

'Dat is erg aardig van u. Het spijt me dat ik u hierbij betrokken heb, maar ik zag het gewoon niet meer zitten. Toen ze zeiden dat inspecteur Decker niet aanwezig was, dacht ik dat hij thuis zou zijn.'

'Nee, hij is er niet.'

'Dat begrijp ik. Ik wek vast de indruk niet goed snik te zijn.'

'Angst kan zoiets in de hand werken.'

'Ik werk al jaren als gerechtstolk. Ik heb getolkt bij rechtszaken over afgrijselijke moorden, maar niemand heeft me ooit bedreigd.'

'Ik ga mijn tas en de autosleutels halen.'

'Goed. Waar kan ik het glas neerzetten?'

'Geef mij maar.' Ze liep ermee naar de keuken en kwam terug met de sleuteltjes. Ze wilde Harriman al naar de voordeur leiden toen haar blik op het scherm van de videocamera viel. Het portiek was leeg, maar aan de overkant van de straat stond een auto die ze niet kende. Een witte personenwagen met een grote deuk in het achterportier. Het kon een ander familielid van de oude dame aan de overkant zijn, maar Harrimans achtervolgingswaan begon invloed op haar te krijgen. Ze kon de nummerplaat niet zien en voelde instinctief aan dat ze beter niet naar buiten kon gaan.

Harriman zei: 'Ik ruik iets wat er zojuist nog niet was. Spanning of angst. Wat is er aan de hand?'

'Misschien vind ik het eng om samen met u in een auto te zitten.'

'Nee, dat is het niet.' Hij stond op. 'Wat is er aan de hand?'

'Aan de overkant van de straat staat een auto...'

'Wat voor auto?'

'Een Toyota of een Honda. Ik kan ze nooit uit elkaar houden. Geen paniek, alsjeblieft. Ik ga iemand opbellen om te vragen of ze even langs kan rijden.'

'Zit er iemand in de auto?'

'Dat kan ik niet zien.' Marge was niet op het politiebureau maar nam haar mobieltje op. Snel legde Rina de situatie aan haar uit.

Marge zei: 'Oliver is bij me. We lopen nu naar onze auto. We zijn er zo.'

'Het zal wel niets zijn.'

'Dat die rare vent bij jou in huis is, is al erg genoeg.'

'Hij is blind.'

'Weet je dat zeker?'

'Ja. Ik heb zijn ogen gezien. Hij werkt me een beetje op mijn zenuwen, maar ik ben niet bang voor hem.'

'Heb je nog steeds een pistool in huis?'

'Ja. Ik zal het uit de kluis halen, al is dat waarschijnlijk overdreven.'

'Peter was al bang dat Harriman je zou meeslepen in een onaangename situatie.'

'Ik heb hem zelf binnengelaten. Wat waarschijnlijk niet verstandig was.'

'Nee, maar wel menselijk. Je kent het gezegde.'

'Wat?'

'Vergissen is menselijk, de klootzak doodschieten goddelijk.'

32

Toen Marge de witte Accord van achteren naderde, werd de motor daarvan gestart en trok de auto langzaam op. Ze volgde hem een paar straten tot hij afsloeg naar Devonshire, een van de doorgaande wegen van de West Valley. Oliver gaf het kentekennummer door aan de centrale, maar de auto werd niet gezocht. Hij stond op naam van Imelda Cruz, een vierendertigjarige vrouw uit East Valley.

'Misschien had tante Gwen gewoon weer bezoek,' zei Oliver.

'Dat lijkt mij niet.' Marge hield haar ogen op de Accord gericht toen de bestuurder de richtingaanwijzer aanzette om van rijbaan te veranderen. 'Van achteren gezien lijkt de bestuurder een man.' Weer ging de richtingaanwijzer aan en veranderde de auto van rijbaan. 'En hij rijdt precies volgens de regels.'

'Wij rijden in een patrouillewagen. Hij weet dat we hem volgen.'

Marge' mobieltje ging. Oliver haalde hem uit haar tas. Het was Rina.

'De auto is weg, Scott. Waar zijn jullie?'

'We volgen hem.'

'O, gelukkig,' zei Rina. 'Dan kan ik Harriman wel naar het bureau brengen. We willen hier liever niet blijven.'

'Wacht nog heel even, Rina, dan regel ik een escorte voor je.'

'Wat is er aan de hand?' vroeg Marge.

'Ze wil Harriman naar het bureau brengen.' Oliver zei in de telefoon: 'Wacht tot de patrouillewagen er is.'

'Laten ze wel snel zijn. Ik krijg het hier op mijn zenuwen.'

'Goed.' Oliver hing op en belde om een patrouillewagen. 'Zo te zien is hij op weg naar de snelweg. Als we hem willen aanhouden, moeten we dat doen voordat hij bij de afrit is.'

Marge zette de sirene aan. De richtingaanwijzer van de Honda begon weer te knipperen en de auto reed naar de kant van de weg. Elke keer dat agenten een auto aanhouden, bestaat er gevaar dat de inzittenden gewelddadig zijn. Door de dubbele moord op de Kaffeys waren ze nog voorzichtiger.

'Dit lijkt mij een gelegenheid bij uitstek om de megafoon te gebruiken.' Oliver zei in de microfoon dat de bestuurder en eventuele passagiers moesten uitstappen en hun handen opsteken. De daarop volgende seconden waren erg spannend. Er kon van alles gebeuren.

Het portier ging open en een broodmagere jongen kwam tevoorschijn. Hij droeg een strak, mouwloos T-shirt en een zakkerige korte broek, had knokige armen die bedekt waren met tatoeages en hield zijn handen hoog in de lucht.

'Leg je handen op de kofferbak van de auto,' zei Oliver door de megafoon.

De jongen gehoorzaamde. Oliver waarschuwde hem dat hij zich niet mocht verroeren en toen liepen ze snel op hem af, Marge aan de ene kant, Oliver aan de andere. Toen ze zich ervan hadden vergewist dat hij niet gewapend was, zei Oliver dat hij zich moest omdraaien. De jongen was ongeveer één meter zeventig lang en zijn gezicht zat onder de jeugdpuistjes. Hij zag eruit alsof hij amper oud genoeg was voor een rijbewijs. Zijn bruine ogen waren dof en zijn gezicht drukte helemaal niets uit, agressie noch angst.

'Zit er nog iemand anders in de auto?'

'Nee, meneer.'

'Waar is je identiteitsbewijs?'

'In de auto.'

Marge zei: 'Heb je er iets op tegen dat ik in je auto ga zitten om het te pakken?'

'Nee, mevrouw.'

'Hoe heet je?'

'Esteban.'

'Achternaam?'

'Cruz.'

Zeker familie van de eigenaresse van de auto. Oliver zei: 'Hoe oud ben je?'

'Zeventien.'

'Waar woon je?'

'Ramona Drive.'

'Nummer?' Het nummer dat hij gaf was in de East Valley. 'Dan ben je ver van huis.'

'Ja, meneer.'

'Wat doe je hier?'

'Niks.'

'Je zou hier niet moeten niksen. Dat wekt de indruk dat je kwaad in de zin hebt.'

'Ja, meneer.'

'Je zou op school moeten zijn.'

'Ik ga niet meer naar school.'

'Wat doe je dan?'

'Niks.'

'Dat is geen gezonde manier van leven, Esteban. Van wie is de auto?'

'Van mijn moeder.'

'Vindt zij het goed dat jij er zomaar mee rondrijdt?'

'Ja, meneer.'

'Als ik haar zou opbellen, zou ze niet boos worden omdat jij in haar auto bent gaan rijden?'

'Nee, meneer.'

De jongen hield zich op de vlakte en dat was slim. Hij vroeg niet waarom ze hem hadden aangehouden, deed niet opstandig en verstrekte niet vrijwillig informatie.

'Wat is het telefoonnummer van je moeder?'

Esteban gaf hem een nummer. Hij belde het op zijn mobieltje en kreeg een vrouw aan de lijn. 'Spreek ik met Imelda Cruz?'

'Sí?'

Toen Oliver zei wie hij was en dat hij haar zoon had aangehouden, zei de vrouw 'geen Engels spreken'. Omdat hij wist dat Marge nog belabberder Spaans sprak dan hijzelf, mompelde hij '*muchas gracias*' en hing op.

Hij bekeek Esteban. 'Je hebt nogal wat tatoeages met het nummer twaalf.'

'Ja, meneer.'

'Ben je lid van de Bodega 12th Street-bende?'

'Nee, meneer.'

'Waarom heb je die tatoeages dan?'

Hij haalde zijn schouders op. 'Het staat goed.'

'Je hebt wel de tatoeages, maar bent geen lid van de bende.'

'Nee, meneer.'

Oliver zei: 'Dat slaat nergens op.'

De jongen gaf geen antwoord. Marge was klaar met zoeken en kwam naar hen toe. Ze schudde haar hoofd.

Ze vroeg aan de jongen: 'Wat doe je in deze buurt?'

'Niks, mevrouw.'

'Esteban, waarom zat jij in je moeders auto in een woonwijk dertig kilometer bij je eigen huis vandaan?'

De jongen krabde aan een van zijn puistjes. 'Daar kan ik slapen zonder dat er op me wordt geschoten.'

Marge en Oliver keken elkaar even aan. 'Slaap je in de auto?'

'Soms. Soms luister ik naar mijn iPod. Soms lees ik.'

'Heb je leesmateriaal aangetroffen in de auto?' vroeg Oliver aan Marge.

'Twee stripboeken en een beeldroman.' Ze bestudeerde Cruz' gezicht. Portretschilderijen in musea waren levendiger dan het zijne. 'Je moet niet zomaar ergens rondhangen. Dan denken de mensen dat je iets in je schild voert.'

'Ja, mevrouw.'

'Je zou op school moeten zitten.'

'Ik ga niet meer naar school.'

'Je houdt van lezen,' zei Marge. 'Waarom ben je van school gegaan?'

Esteban aarzelde. Toen gaf hij zijn uitleg: 'Het is geen school, het is een beestenbende.' Een boze blik verscheen in zijn ogen, zo intens dat het beangstigend was, maar binnen een paar seconden was die weer verdwenen.

'Als je van lezen houdt, kun je naar de bibliotheek gaan,' zei Marge.

'In een bibliotheek kun je niet slapen,' antwoordde Esteban. 'Dan sturen ze je weg.'

'Zoek in elk geval een andere plek om te lezen,' zei Marge.

'Ja, mevrouw.'

Ze gaf hem zijn portefeuille terug. 'De reden waarom we je hebben aangehouden, is dat een van de achterlichten het niet goed doet. Laat dat repareren.'

'Ja, mevrouw.'

Stilte.

'Je mag gaan,' zei Marge.

'Ja, mevrouw.'

Toen de jongen was weggereden, keek Marge Oliver aan. 'Zag je hoe kwaad hij werd toen hij het over de school had? Een flits van woede in een verder volslagen monotoon gesprek.'

Oliver trok zijn neus op. 'Een verduiveld koel ventje. Eentje die zonder een spier te verrekken op je zou schieten.'

'Over koele ventjes gesproken...' Marge belde Rina. 'Waar ben je?'

'We zijn bijna bij het politiebureau. Is alles in orde?'

'Ja. We komen zo.' Ze hing op en keek weer naar Oliver. 'Er lagen geen wapens in de auto. Als iemand die jongen heeft ingehuurd om Harriman te vermoorden, schaduwde hij zijn doelwit voorlopig alleen maar.'

Oliver knikte. 'Dat maakt hem nog angstaanjagender.'

Decker was woedend. 'Waarom heb je hem in godsnaam binnengelaten?'

Rina zei: 'Omdat hij in zijn eentje voor de deur stond en er kwetsbaar uitzag.'

'Je wist helemaal niet of hij in zijn eentje was gekomen. Hij had een hele bende moordenaars bij zich kunnen hebben.'

'Aangezien iemand de moeite heeft genomen een camera op te hangen, kon ik zien dat hij alleen was.' Ze haalde diep adem. 'Harriman was bij de politie geweest, Peter, om te vragen of hij jou kon spreken. Ze zeiden dat ze contact met je zouden opnemen en dat je Harriman terug zou bellen. Hebben ze dat niet aan je doorgegeven?'

Decker gaf geen antwoord. Nee, hij was niet gebeld, omdat iedereen dacht dat Harriman niet goed bij zijn hoofd was. 'Ik heb het druk, Rina. Ik heb wel iets beters te doen dan die rare gozer terugbellen.'

Rina zei: 'Je neemt zijn angst dus niet serieus. Geen wonder dat hij zich aan de kant geschoven voelt, vooral nadat hij je zo goed heeft geholpen door Alejandro Brand te identificeren.'

'Jij bent niet zijn psychiater, je bent mijn vrouw, en die halvegare heeft jouw leven op het spel gezet.' Decker wou dat hij iets in elkaar kon slaan. 'Als hij is geschaduwd, heeft hij de misdadigers regelrecht naar ons huis geleid. Nu heb je geen keus meer. Je moet bij je ouders gaan logeren tot we weten wat er aan de hand is.'

'Hoe weet jij of de jongen in de Accord op Harriman uit was? Jij hebt de leiding over het onderzoek naar de moorden op de Kaffeys. Misschien heeft hij het op jou voorzien.'

'Als hij het op iemand voorzien heeft, moet het Harriman zijn. Spreek me niet aldoor tegen en luister voor de verandering eens een keertje.'

'Ik luister altijd! Heb ik niet precies gedaan wat je van me verlangde?'

'Je hebt hem binnengelaten! Waarom heb je dat in godsnaam gedaan?'

'Omdat hij zo bang keek. Ik wilde hem niet aan zijn lot overlaten. Jij bent niet de enige die wel eens goede intuïties heeft. Ik herhaal, als Harriman op het politiebureau serieus was genomen, had hij helemaal niet naar ons huis hoeven komen! En ga niet zo tegen me tekeer!'

Decker haalde diep adem. 'Ga voorlopig naar je ouders, oké?'

'Mij best.' Ze hing met bevende handen op. Meteen ging de telefoon weer. Ze haalde diep adem en nam op. 'Ja?'

'Waarom heb je zomaar opgehangen?'

'Er viel niets meer te zeggen.'

Decker zei op een zorgvuldig afgemeten toon: 'Ik ben nerveus.'

'Het spijt me dat ik je nerveus heb gemaakt. Ik zal meteen een tas inpakken en naar mijn ouders gaan. Ik zie je daar dan wel. Wanneer denk je terug te zijn?'

'Ik was van plan om vanavond terug te komen, maar er is iets gebeurd waardoor ik nog even in Ponceville moet blijven.' Een korte stilte. 'Dat wil zeggen, ik hoef niet per se te blijven, maar...'

'Doe wat je doen moet. Ik kan maar beter gaan.'

'Rina, het spijt me dat ik tegen je ben uitgevallen.'

'En het spijt mij dat ik een verkeerde beslissing heb genomen, maar jij was er niet en ik kon het je niet vragen en heb gedaan wat me juist leek.'

'Als ik hem door iemand had laten opvangen, zou het niet zover zijn gekomen.'

As is verbrande turf, dacht ze. 'Ik zal goed op mezelf passen. Doe jij dat daarginds ook, alsjeblieft.'

'Ik bel je straks.'

'Maak je geen zorgen als ik er niet ben. Ik ga naar de schietbaan om te oefenen.'

'Goed.'

'Niet omdat ik denk dat ik binnenkort mijn wapen zal moeten gebruiken. Ik heb alleen zin om iets aan te vallen en voor zover ik weet schiet een schietschijf niet terug.'

Marge klopte op de deur van Deckers kantoor en ging naar binnen. Rina's gezicht drukte een mengeling van boosheid, frustratie en vermoeidheid uit. Ze stond op, streek over haar rok en schikte iets aan de sjaal die haar haar bedekte. 'Heb je het kantoor nodig, Marge?'

'Wanneer jij hier klaar bent.'

'Je vindt me vast een enorme sufferd. Het was niet slim van me dat ik hem heb binnengelaten, maar zo ben ik nu eenmaal. Ik zoek altijd naar het goede in de mens, terwijl Peter juist naar de gebreken kijkt.'

'Je hebt een goed hart, Rina, en een zuivere intuïtie. In dit geval is het goed afgelopen, maar wees voortaan voorzichtiger, tot we de antwoorden op een aantal vragen hebben gekregen.'

Rina zuchtte. Ze verwachtte niet dat haar echtgenoot net zo empathisch zou zijn als Marge, maar je wist maar nooit. 'Dank je wel voor al je hulp.'

'Graag gedaan.' Marge legde haar hand op haar schouder. 'En trek je niks van Peter aan. Hij zit tegen iedereen te snauwen. Hij maakt zich gewoon zorgen om je.' De telefoon ging. 'Dat zal hem zijn. Moet ik iets aan hem doorgeven?'

'Dat hij ook goed op zichzelf moet passen. Hij loopt meer gevaar dan ik.' Rina wuifde haar gedag.

Marge ging in de stoel achter het bureau zitten. Het was bijna drie uur en ze had de hele dag nog niets gegeten, maar die elementaire behoefte zou nog even moeten wachten. 'Hoi, rabbi. Ik wilde je vertellen wat ik te weten ben gekomen over Esteban Cruz. Zal ik?'

'Ik ben een en al oor,' zei Decker.

'Hij wordt niet gezocht en heeft geen strafblad. Hij lijkt een doodgewone drop-out. Oliver en ik gaan naar zijn school om te zien of we te weten kunnen komen met wie hij omging. Wie zo veel B12-tatoeages heeft, moet wel vriendjes hebben binnen die bende.'

'Heb je Foothill gebeld? Kennen Henry Almont en Crystal McCall van Jeugddelicten hem niet?'

'Ik heb hun zelfs zijn foto gestuurd. Ze kennen hem niet,' zei ze. 'Oliver en ik vinden het een griezelig ventje, ook als hij inderdaad alleen maar in de auto sliep. Die onbewogen houding van hem... alsof hij in staat is je dood te schieten terwijl hij knikt op de maat van de muziek op zijn iPod.'

'Ik vertrouw helemaal op jullie instincten...' Zijn stem zakte weg.

'Ben je er nog, Pete?'

'Ja.' Decker sloeg met zijn vlakke hand tegen zijn voorhoofd. 'Ik maakte me zulke zorgen om Rina, dat ik iets helemaal over het hoofd heb gezien. Zeiden jullie dat die jongen Esteban Cruz heet?'

'Tenzij hij rondloopt met een vals identiteitsbewijs.'

'De grootmoeder van Alejandro Brand heet Cruz.'

Marge ging rechtop zitten. 'Zou het zijn neef zijn?'

'Lijkt hij op Brand?'

'Dat weet ik niet. Ik heb Brand nooit gezien.'

'Brand hield niet op over Harriman... dat het een klootzak is die het op hem voorzien heeft. Stel dat hij een neefje voor zijn karretje heeft gespannen?'

'Waarom zou Brand denken dat Harriman hem heeft geïdentificeerd? De man is blind.'

'Dat weet Brand niet en ik heb hem niet uit de droom geholpen. Ik dacht dat hij misschien meer over de moord op de Kaffeys zou zeggen als hij dacht dat we een ooggetuige hadden die we tegen hem konden inzetten.'

'Aha. Wat is onze volgende stap?'

'Goede vraag.' Allerlei gedachten gingen door Deckers hoofd. 'Om te beginnen wil ik fulltime bewaking bij het huis van mijn schoonouders.'

'Is al geregeld.'

'Ten tweede wil ik dat Harriman dag en nacht bewaakt wordt tot we weten wie Esteban Cruz is.'

'Is ook al geregeld.'

'Ten derde moeten we uitzoeken of er verband bestaat tussen Esteban en Alejandro.'

'Komt voor elkaar,' zei Marge.

'Vertel me nu even wat er bij jullie allemaal gebeurt.'

'Gil en Resseur zijn nog steeds niet boven water. Pratt en Messing zijn aan het zoeken op de plaatsen waar ze vroeger altijd uithingen. Oliver heeft zich verdiept in Sean Kaffey. Die lijkt de pienterste van alle Kaffeys te zijn. Hij is junior partner bij een grote advocatenfirma en verdient nu al een salaris van zes cijfers. Hij lijkt geen El Patrón-type. Zijn vader, daarentegen, is een moeilijk te doorgronden man. Hij is in een privévliegtuig teruggekeerd naar New York en werkt volgens zijn secretaresse alweer keihard. Ze zei dat hij me zou terugbellen zodra hij een gaatje had.'

'Zou hij Gil en Resseur soms hebben meegenomen?'

'Ik kan uitzoeken van welke maatschappij dat vliegtuig is. Misschien zijn ze bereid me een blik te gunnen op de passagiersinformatie.'

'Doe je best. Zou je ook Cindy even willen bellen om te vragen hoe het met haar is?'

'Dat heb ik vanochtend gedaan. Alles is in orde.' Marge nam de telefoon over in haar andere hand. 'Hoe maakt Rondo Martin het?'

'Ik sta voor de deur van de intensivecareafdeling. Hij is geopereerd en we wachten tot hij wakker wordt. Ik hoop dat ik dan met hem kan praten.'

'Dat zou mooi zijn. Want... hoe weten we dat Martin de waarheid spreekt?'

'Hoe bedoel je?'

'Martin schildert zichzelf af als een onschuldig slachtoffer, net als Denny Orlando, maar hij kan net zo goed een van de daders zijn.'

'Hij is er belabberd aan toe. Waarom denk je dat hij bij de moorden betrokken was?'

'Het gaat niet om wat ik denk, maar om wat Harriman zei. Ik heb zijn verklaring hier voor me liggen. Hij noemt een paar keer de naam van Martin... dat Martin erg kwaad was dat José niet voldoende munitie had meegebracht.'

'Dat is een goed punt.'

'Misschien ging Martin tegen Pine tekeer omdat die iets verkeerd had gedaan. Misschien werd Pine daar zo kwaad om dat hij op Martin heeft geschoten. Misschien is dat de reden waarom Joe niet voldoende kogels had om Gil af te maken. Dat er op Martin is geschoten wil nog niet zeggen dat hij er niet bij hoorde.'

'Daar zit iets in.'

Een verpleegkundige stak haar hoofd om de hoek van de deur. 'Meneer Martin is bij kennis. Maar houdt u het kort.'

'Dank u,' zei Decker tegen haar, en in de telefoon: 'Martin is wakker. Ik moet gaan.'

'Succes.'

'Hou jij op het bureau een oogje in het zeil voor me? Brubeck en ik zijn hier nog wel even bezig. We gaan niet naar huis tot we antwoorden op bepaalde vragen hebben gekregen.'

Hoewel Martin een stuk aangenamer rook, zag hij er nog slechter uit dan voorheen. Hij kreeg via slangetjes voedsel, medicijnen en zuurstof toegediend. Machines hielden zijn hartslag en ademhaling in de gaten. De geïnfecteerde wonden waren behandeld, maar de tijd die was verstreken zonder behoorlijke verzorging had zijn tol geëist. Rondo was nog niet buiten levensgevaar, dus beschouwde Decker dit voor alle zekerheid als zijn enige kans om zijn slag te slaan.

Martin knikte flauwtjes naar hem. Dat was het enige waar hij toe in staat was.

'Je bent een sterke vent, Rondo en je bent nu in goede handen. Het komt allemaal best in orde.' Martin gaf geen antwoord, maar zijn ogen bleven open. 'Brubeck en ik houden de wacht bij je tot we een permanente regeling hebben getroffen. We waken bij toerbeurt over je om je persoonlijk in de gaten te houden.'

Weer een knikje.

'Vind je het goed als ik tegen je praat?' vroeg Decker. 'Ik zal je vertellen hoe ik het zie. Als ik het mis heb, mag je me verbeteren. Ik zal langzaam praten, oké?'

Een knikje.

Decker hield het relaas kort. Gil Kaffey had de aanslag overleefd. Hij had gehoord dat de moordenaars Spaans spraken, maar meer kon hij zich niet herinneren. Later had iemand heel toevallig twee mannen over de zaak horen praten. Een van die mannen leek er veel over te weten. Die man heette Alejandro Brand.

'Zegt die naam je iets?' vroeg Decker aan Martin.

Martin sloot zijn ogen en deed ze weer open. Decker meende te zien dat hij heel vaag zijn hoofd schudde.

'Nee?'

Hij schudde bijna onmerkbaar van nee.

Decker zei: 'Het kan zijn dat hij zich Alejandro Cruz noemt. Komt dat je bekend voor?'

'Nee...' fluisterde hij.

'Je kent dus geen Alejandro Brand of Alejandro Cruz. Hij is lid van de Bodega 12th Street-bende. Net als Joe Pine. Wist je dat?'

Een knikje.

'Wist je dat Joe daar lid van was?'

Een knikje.

'Wist je dat Guy Kaffey nog meer ex-bendeleden in dienst had, zogenaamde gerehabiliteerde misdadigers? Dat die voor hem als bewakers werkten?'

Een knikje.

'Ik vind dat belachelijk.'

Martin fluisterde iets. Decker leunde naar voren.

'Niet...'

'Niet wat?'

'Niet veel...

'Niet veel voormalige bendeleden?'

Een knikje.

'We hebben er meerdere gevonden die een strafblad hebben.' Decker raadpleegde zijn aantekeningen. 'Een van hen, Ernesto Sanchez, was ook een voormalig lid van de Bodega 12th Street-bende. Hij heeft tweemaal in de gevangenis gezeten wegens geweldpleging. Ken je hem?'

Een knikje.

'Rondo... als je je ogen dichtdoet... en aan de mensen denkt die het huis van de Kaffeys zijn binnengedrongen... doe je ogen dicht en haal je dat even voor de geest...'

Martin deed wat hem werd gevraagd en zijn gezicht vertrok bij bepaalde herinneringen.

'Kan een van de mannen Ernesto Sanchez zijn?'

Hij schudde van nee. Dat klopte, want Sanchez had die avond in een bar gezeten. Messing had met meerdere mensen gesproken die zich herinnerden hem gezien te hebben. Tot nu toe kwam Martin geloofwaardig over.

De vrouw in het chirurgenpak kwam binnen. Ze bleef staan en sloeg haar armen over elkaar. Volgens haar badge heette ze Chris Bellows en was ze chirurg in opleiding. Er lag een geïrriteerde blik in haar intelligente ogen, maar ze glimlachte vluchtig. 'U moet er een punt achter zetten. Meneer Martin is aan zijn medicijnen toe. Hij moet slapen.'

'Mag ik nog vijf minuten?'

'Eén minuut. En die gaat nu in.' Hij zag aan haar gezicht dat er niet aan te tornen viel. Ze keek op haar horloge.

Decker zuchtte. 'Goed. Luister, Rondo. Ik ga je de namen voorlezen van de bewakers die voor de Kaffeys werkten en jij vertelt me met een knikje naar wie ik een onderzoek moet instellen.'

Een knikje.

'Het zijn tweeëntwintig namen. Ik moet het een beetje snel doen, omdat ik word weggestuurd.'

'Dertig seconden,' zei de arts.

Decker zei: 'Ik ga ze in alfabetische volgorde voorlezen.'

Een knikje.

'Doug Allen.'

Geen reactie.

'Curt Armstrong.'

Geen reactie.

'Javier Beltran.'

Martin reageerde niet.

'Uw tijd is om.'

'Maar hij hoeft alleen maar te knikken. Francisco Cortez.'

Geen reactie van Martin.

'U bezorgt niet alleen hem een hoop stress maar mij ook. Goedendag, inspecteur.'

'Wanneer mag ik terugkomen?'

'Morgen, op voorwaarde dat het goed gaat met hem.'

Het was nooit verstandig om tegen gezagspersonen in te gaan. Vanochtend was hij door die aanpak bijna neergeschoten. Toen Decker zijn aantekeningen bij elkaar pakte, viel zijn oog op de volgende naam op de lijst. Zijn hersenen maakten opeens een sprong vooruit.

Hij zei de naam hardop.

Martins ogen gingen wijd open. Zijn bloeddruk schoot omhoog en de machines begonnen te piepen.

De arts keek woedend naar hem. 'Wegwezen!'

'Ik ga al,' zei Decker.

Maar hij glimlachte.

Hij had de ontbrekende schakel gevonden.

33

Het Los Angeles Unified School District was een dinosaurus: hersenen in de kop en in de staart. De kop omvatte de welgestelde wijken – Bel Air, Holmby Hills, Westwood, Encino en Pacific Palisades – terwijl het staartgedeelte de minder bevoorrechte scholen betrof in East Los Angeles, South Los Angeles en de armenwijken van de San Fernando Valley. Pacoima hoorde bij de staart.

'Het percentage leerlingen dat de school voortijdig verlaat, ligt hoger dan het percentage dat eindexamen doet,' vertelde de schooldecaan. Ze heette Carmen Montenegro, was midden dertig, had amandelvormige ogen en een brede mond met helderrood gestifte lippen. Ze droeg een zwart mantelpakje met een rode blouse. 'We doen ons best, maar hebben niet veel om mee te werken.'

Marge en Oliver volgden haar toen ze met een vaartje door een gang liep. Haar hakken tikten luid op de tegels. De school was een half uur geleden uitgegaan, maar er hingen nog wat leerlingen rond, hun zware schooltassen met zich mee torsend. De jongens liepen allemaal in een slobberige broek en een sweatshirt, de meisjes in een strakke spijkerbroek of een kort rokje.

Carmen sloeg rechts af naar de kantoren en duwde een klapdeur open die bijna tegen Marge aan zwiepte. Haar kantoor was piepklein en had uitzicht op het parkeerterrein. De computer op haar bureau stond te midden van stapels papier en ook de vloer werd half in beslag genomen door stapels paperassen. Twee van de muren gingen schuil achter afgeladen boekenplanken.

'Let maar niet op de rommel.' De decaan liep met haar vinger de jaarboeken langs en trok er een uit de rij. 'Dit boek is van twee jaar geleden. Toen was hij een jaar of vijftien?'

'Ja,' zei Oliver.

‘Esteban Cruz... Esteban Cruz... Esteban... Daar heb ik hem.’ Ze liet Marge de foto zien. ‘Dit lijkt me de jongen op uw foto.’

‘Ja. Hij is geen spat veranderd,’ zei Marge.

‘Een klein, mager ventje. Wilt u kopieën van deze foto?’

‘Graag.’

‘Moment.’ Ze liep met een vaartje de kamer uit en kwam even later terug met tien kopieën. ‘Alstublieft... Verder nog iets?’

‘Mag ik het boek even inkijken om te zien waar hij zich mee bezig hield?’ vroeg Marge.

‘Tuurlijk.’ Carmen gaf haar het boek. ‘Ga maar even aan mijn bureau zitten. Dat bladert makkelijker.’ Haar blik gleed over Olivers gezicht en ze glimlachte vluchtig. ‘Hij deed waarschijnlijk niet veel. Degenen die de school voortijdig verlaten, zitten hier alleen omdat het verplicht is.’

Oliver keek naar haar handen. Geen trouwring. ‘Kunt u zich hem herinneren?’

Ze keek weer naar de foto. ‘Er zijn zo veel van die kinderen die zomaar opeens verdwijnen. Ik herinner me hem niet als een probleemgeval.’

‘Hij zei dat hij van lezen houdt,’ zei Marge. ‘Hebt u misschien zijn rapportcijfers en een lijstje van de docenten van wie hij les kreeg?’

‘Die kan ik opzoeken, maar daar heb ik mijn computer voor nodig.’

Marge stond op met het jaarboek in haar hand. Ze liet het aan Oliver zien en ze bekeken het samen terwijl Carmen in haar computer naar de informatie zocht. ‘Esteban Cruz... daar heb ik hem. Hij kreeg voldoendes... zevens en zelfs een paar achten. En een tien voor Engels. Zijn klassenleraar was Jake Tibbets. Zal ik even kijken of hij er is?’

‘Heel graag,’ zei Oliver.

Weer schonk Carmen hem een vluchtige glimlach. ‘Ik ben zo terug.’

Toen ze weg was, zei Marge: ‘Eén bonk energie, die vrouw.’

‘Daar is niks mis mee.’

‘En ze zit schaamteloos met je te flirten.’ Toen Oliver breed grijnsde, porde ze hem in zijn ribben. ‘Sinds wanneer ben jij zo terughoudend?’

‘Ik probeer subtiel te zijn. Doe me dus een lol. Vraag om een kaartje met haar telefoonnummer, voor het geval we haar nog nodig hebben.’

‘Als ík om een kaartje vraag, denkt ze dat je geen belangstelling hebt.’

‘Jij vindt dus dat ik erom moet vragen?’

‘Tuurlijk... ssst... daar komt ze.’

Carmen kwam glimlachend weer binnen. 'Hij zit in de lerarenkamer en wil met alle plezier met u over Esteban praten.'

'Dank u wel,' zei Marge. 'Ik wilde u ook nog iets vragen over twee andere jongemannen: Alejandro Brand en José Pinon of Joe Pine. Brand is negentien, Pinon begin twintig. Weet u toevallig of die hier op school hebben gezeten?'

'Dat kan ik nakijken...' Ze typte iets en tikte toen op het scherm. 'Hier heb ik al iets. Brand heeft hier op school gezeten en was een probleemgeval. Een crimineeltje dat lid was van de Bodega 12th Street-bende. Hij is meerdere keren geschorst en vier jaar geleden van school gestuurd. Hij had meneer Tibbets voor Engels. Geen succesverhaal. Wat was de andere naam?'

'José Pinon.'

'Pinon... ik heb een Maria Pinon die in Brands jaar zat. Misschien zijn zus...' Klik, klik, klik. 'Hij heeft hier tot en met de derde klas gezeten. Om precies te zijn, hij is in de derde klas blijven zitten en ook toen niet overgegaan.'

'Was hij een probleemfiguur?'

'Nee... dat niet.' Ze keek op van het scherm. 'Hij kon gewoon niet goed leren.'

'Was hij lid van een straatbende?' vroeg Marge.

'Dat zijn ze allemaal.' Ze stond op. 'Laten we naar de lerarenkamer gaan, een groot woord voor een kamer met tweedehandsmeubels en een koffiepot. Ik geloof dat iemand vandaag donuts heeft meegebracht. Die zijn onderhand vast oudbakken, maar als u behoefte hebt aan een suikerkick, voldoen ze nog wel.'

Jake Tibbets was midden zestig of nog iets ouder, en zo lang en dun als spaghetti. Hij had peper-en-zoutkleurig haar, diepe kraaienpootjes in zijn ooghoeken en een halskwab. Zijn ogen hadden de kleur van zeewier en flonkerden ondeugend. Hij zat op een lage bank met een mok waar damp uit opsteeg. Carmen stelde hen snel aan elkaar voor.

Tibbett had een vrij lichte, jeugdige stem. 'Gaat u zitten. Kopje thee?'

De rechercheurs bedankten ervoor. Het was buiten dertig graden en de airconditioning van de school was een lachertje.

'Ik hoor dat u iets wilt weten over Esteban Cruz.' Tibbets nam een slokje. 'Wat heeft hij uitgevreten?'

'We weten nog niet of hij iets heeft uitgevreten,' zei Marge. Ze ging op een stoel zitten en liet het tweezitsbankje over aan Carmen en Oliver. 'We willen alleen maar wat informatie. Herinnert u zich hem?'

'Ja zeker. Niet omdat ik zo'n goed geheugen heb. Ik verkeer in het stadium dat ik alles moet opschrijven. Behalve Shakespeare. Die ken ik uit mijn hoofd. Ik geef bijna uitsluitend les in zijn werken. Als je William een modern jasje aantrekt, spreekt hij de kinderen erg aan, ziet u. Moord, afgunst, hebzucht en naakte ambitie.' Zijn stem steeg tot oratorniveau. 'Romeo en Julia is het mooiste liefdesverhaal dat ooit is geschreven, met op de achtergrond een oorlog tussen twee benden. Moderner kan bijna niet.'

Ze knikten alle drie.

Tibbets ging door. 'Ja, ik herinner me Esteban Cruz nog wel. Een pientere jongen. Ik heb hem een tien gegeven. Een tien op Pacoima High is niet hetzelfde als een tien op Boston Latin, maar het wilde zeggen dat hij de proefwerken deed en zijn huiswerk op tijd inleverde.'

'Hij kon dus goed leren.'

'Redelijk goed. Bovendien geven we altijd hoge cijfers aan kinderen die de moeite nemen de lessen bij te wonen.'

'Waarom zegt u dan dat hij pienter is?' vroeg Marge.

'Alles is relatief,' merkte Carmen op.

'Een waarheid als een koe,' zei Tibbets. 'We proberen de kinderen op school te houden. Ze ervan te overtuigen dat als ze nog twee jaar blijven en een beetje hun best doen, ze een diploma krijgen, dat hun meer kansen biedt voor hun verdere leven. De intelligentsten kunnen zelfs doorleren. Ik zag dat wel zitten voor Esteban, maar een jaar geleden kwam hij opeens niet meer. Ik heb nog naar zijn huis gebeld en zijn moeder mijn telefoonnummer gegeven.'

'Heeft hij teruggebeld?' vroeg Oliver.

'Nee. Mijn Spaans is niet al te best, maar ik kan wel een eenvoudig gesprek voeren, dus denk ik dat ze het gewoon niet aan hem heeft doorgegeven, of dat hij geen interesse had in wat ik te zeggen had.'

'Maar hij kreeg van u tienen,' zei Oliver.'

'Dat moet hem een goed gevoel hebben gegeven,' vulde Marge aan.

'Daar heb ik anders nooit iets van gemerkt. Hij zei nooit veel.' Hij nam een slokje van zijn thee. 'Als ik iets tegen hem zei, antwoordde hij beleefd, maar hij was geen prater. Er zijn kinderen tegen wie je maar een half woord hoeft te zeggen en ze storten hun hele hart uit. Esteban niet. Het was alsof hij het allang niet meer zag zitten. En hij is hier helaas niet de enige.'

'Zijn armen zitten vol tatoeages,' zei Oliver.

'Van Bodega 12th Street. Ja, die hebben ze hier allemaal.' Hij keek naar Carmen die bevestigend knikte. 'De jongens laten zich ook tatoeëren als ze geen lid zijn van een bende.'

'Ze betalen beschermgeld aan de leider van de plaatselijke bende om de tatoeages te mogen laten aanbrengen,' zei Carmen. 'Dan genieten ze bescherming, niet tegen andere benden maar tegen andere leden van de Bodega 12th Street-bende. Als de jongere kinderen de juiste tatoeages hebben en het beschermgeld betalen, worden ze niet zo snel lastiggevallen door de oudere jongens.'

'Maar als je een vuurwapen hebt,' zei Tibbets, 'maakt het niet meer zo veel uit hoe groot of klein je bent.'

'In dit deel van de stad zijn maar liefst drie Bodega Twelve-benden, die elk hun eigen terrein hebben. Dat wil zeggen drie leiders die rapport moeten uitbrengen aan iemand die op zijn beurt ook weer rapport moet uitbrengen aan iemand. Ik weet niet wie de leider van de leiders is. Dat verandert steeds omdat er aldoor leiders worden doodgeschoten,' zei Carmen.

'Dat geldt ook voor de koeriers,' zei Tibbets. 'Maar alles loopt evengoed op rolletjes omdat het zo makkelijk is om aan drugs te komen. Op elke straathoek wordt gehandeld.'

Marge vroeg: 'Herinnert u zich wie de vrienden van Esteban waren?'

'Nee.' Hij schudde zijn hoofd. 'Maar hij is een Cruz. Dat is een grote familie.'

'Cruz is toch een veel voorkomende Spaanse naam?' vroeg Oliver.

'Ja, maar hier zijn ze allemaal familie van elkaar,' zei Carmen.

'Interessant,' zei Marge. 'We zijn ook op zoek naar informatie over Alejandro Brand. Zijn grootmoeder heette Cruz. Zijn de twee jongens familie van elkaar?'

'Alejandro Brand.' Tibbets glimlachte. 'Zit die inmiddels achter de tralies? Dat zou hoog tijd worden.'

'Hij is onlangs opgepakt,' zei Marge.

'Waarvoor? Drugs? Mishandeling? Moord? Alle drie?'

'Zo te horen kent u hem aardig.'

'Dat klopt, en ik kan u niks positiefs over hem vertellen. Waar u hem ook van verdenkt, hij zal het wel gedaan hebben.'

'Weet u misschien of Cruz en Brand familie van elkaar zijn?'

'Ze hebben niet hetzelfde temperament, maar als Brand een Cruz is, hebben hij en Esteban een of andere voorouder gemeen.'

'Herinnert u zich misschien of ze met elkaar omgingen?' vroeg Marge.

'Ik geloof dat Alejandro al weg was toen Esteban hier op school kwam.' De leraar fronste. 'Esteban was een eigenaardig type. Je wist nooit wat hij dacht of wat er in hem omging. Zijn ogen waren doods. Een lichaam zonder ziel.'

'Zoiets noemen we een zombie,' zei Oliver.

'Ik zou Esteban geen zombie noemen,' zei Tibbets. 'Maar als hij emoties, hoop of dromen had, was hij er bijzonder bedreven in daarvan niets te laten merken.'

Keer op keer sloeg Decker met de palm van zijn hand tegen zijn voorhoofd. Voor zijn gevoel zat er toch niets in zijn hoofd dat daarvan schade kon oplopen. Hij mocht in het ziekenhuis zijn mobiele telefoon niet gebruiken en Brubeck kwam hem over twee uur pas aflossen. Hij stond op en liep naar de verpleegkundigenbalie, waarachter een oudere vrouw zat die volgens haar badge Shari Pettigrew heette. Decker keek haar aan met zijn beste jongensachtige glimlach. 'Ik moet een van mijn rechercheurs bellen.'

'U mag in het ziekenhuis uw mobiele telefoon niet gebruiken.'

'Dat weet ik, maar ik kan hier voorlopig nog niet weg. Zou ik daarom even van uw telefoon gebruik mogen maken? Ik zal het kort houden.'

Shari drukte een toets in. 'Wat is het nummer?'

Decker gaf haar het nummer en ze overhandigde hem de telefoon. 'Willy, kun je onmiddellijk hierheen komen? Ik moet wat mensen bellen en dat kan ik vanaf de intensivecareafdeling niet doen. Bedankt. Tot zo.' Hij gaf de telefoon terug. 'Heel hartelijk dank.'

'Waarom staat u op wacht bij de intensivecareafdeling?'

Weer glimlachte Decker zo innemend mogelijk. 'Hebt u voor luistervink gespeeld?'

'U staat vlak voor mijn neus. Waarom houdt u daar de wacht? Omdat iemand heeft geprobeerd de sheriff te vermoorden?'

'Hoe weet u dat?'

Ze trok een meewarig gezicht. 'Ik kan wel merken dat u nooit in een provinciestadje hebt gewoond.'

'Gainesville, Florida.'

'Dat is New York vergeleken bij Ponceville. Hij is een van ons en we maken ons allemaal zorgen.' Ze sloeg haar ogen neer. 'Ik hoop dat hij het haalt.'

'Was u met hem bevriend?'

'Dat zou ik niet zeggen, maar we hadden hetzelfde stamcafé. The Watering Hole. Er zijn hier niet veel cafés, dus kom je elkaar vanzelf steeds tegen. Rondo was nogal gesloten, maar leek een goed mens.' Ze lachte. 'Goede mensen, slechte mensen. Uiteindelijk gedraagt ieder mens zich zoals hij geschapen is.'

Marge zei door de telefoon: 'Wees niet zo streng voor jezelf. Wij hebben de Cruz-connectie ook pas een paar uur geleden ontdekt.'

'Maar Martin Cruces stond op onze lijst.'

'We zien nú hoe logisch het is, maar alleen omdat Rondo Martin halfdood was toen jullie hem vonden en we hem daarom naar het eind van de verdachtenlijst hebben geschoven. Martin Cruces is nagetrokken en werd niet als verdacht beschouwd.'

'Wat was zijn alibi?'

'Oliver is bezig dat op te zoeken. Je zou het aan Brubeck en Messing kunnen vragen. Die hebben het geverifieerd. We hebben al navraag gedaan bij het NCIC. Hij heeft geen strafblad. Hij is midden twintig, ouder dan Brand en Esteban, oud voor een lid van een straatbende. Het is nog steeds mogelijk dat hij er niets mee te maken heeft.'

'Is hij een Bodega Twelver?' vroeg Decker.

'Dat weet ik niet.'

'Vraag aan Neptune Brady of die zijn vingerafdrukken in een dossier heeft. Meestal vragen ze daarom als ze bewakers huren.'

'Als hij die van Joe Pine niet had, zal hij die van Cruces ook niet hebben, maar ik zal het vragen. Moment. Scott wil je spreken.'

'Het zit zo,' zei Scott. 'Brubeck en Messing hebben zijn alibi indertijd gecontroleerd. Op de avond van de moorden was hij in zijn stamkroeg, Ernie's El Matador. Hij zit daar twee of drie keer per week. De barman, Julio Davis, bevestigde dat Cruces rond negen uur was gekomen, wat biertjes had gedronken en met de vaste klanten had staan kletsen.'

'Tot hoe laat is hij gebleven?'

'Tot sluitingstijd. Tot twee uur 's nachts dus. Dan kon hij niet op de ranch zijn geweest. Volgens Messing heeft Cruces zich vrijwillig aan een DNA-test onderworpen en verder ook medewerking verleend.'

'Dat zegt niets.'

'Dat weet ik, maar je weet hoe het gaat. Je concentreert je op de dingen die voor de hand liggen. Ik heb daarnet het lab gebeld. Ze hebben niets met zijn DNA gevonden, maar ze hebben al het biologische materiaal nog niet terug. We gaan nog wel even naar dat café om Davis nogmaals aan de tand te voelen.'

'Doe dat. En laat Cruces nog een keer naar het bureau komen. Zeg maar dat het gebruikelijk is om getuigen nog een keer te ondervragen.'

'Oké.'

'Wat ben je te weten gekomen over Esteban Cruz?' vroeg Decker.

'Dat hij weinig zei, maar geen probleemgeval was. Er is ons verteld dat in die wijk iedereen die Cruz heet familie van elkaar is, dus dat geldt misschien ook voor Brand en Esteban. Ik weet niet of Martin Cruces ook een Cruz is. Misschien is Cruz niet hetzelfde als Cruces. Ik heb de decaan van Pacoima High opgebeld om te vragen of Cruces daar op school heeft gezeten.'

'En?'

'Ze zoekt het voor me op. Als het zo is, zat hij er ongeveer zeven jaar eerder dan Alejandro Brand. Ik heb haar verzocht ook wat meer informatie op te zoeken over José Pinon. Ze zei dat ze alle dossiers in haar computer heeft, maar dat er wat tijd in gaat zitten. Ik ga straks bij haar langs om te zien wat ze heeft kunnen vinden.'

'Dat kan ze je ook telefonisch doorgeven. Waarom ga je er persoonlijk naartoe?' Het bleef stil op de lijn. 'Hoe oud is ze?'

Oliver glimlachte. 'Een jaar of vijfendertig, schat ik.'

'Aha. Gaan jullie samen uit eten?'

'Nou, ik heb nog niet gegeten. En omdat Marge en ik nu ook nog naar Ernie's El Matador moeten om de barman aan de tand te voelen, heb ik straks vast erge trek.' Decker hoorde Oliver grinniken. 'Áls we uit eten gaan, is het een zakendiner.'

'Dat wil zeggen dat je het gaat declareren?'

'Een goede bron moet je vertroetelen, rabbi. Dat weet jij ook wel.'

34

De eerste stap was Martin Cruces opsporen.

De voormalige bewaker bleek zich zo op zijn gemak te voelen dat hij gewoon in de stad was gebleven, en waarom ook niet? De kranten hielden zich nu bezig met de 'raadselachtige' verdwijning van Gil Kaffey en Antoine Resseur, en Cruces had geen enkele reden om te denken dat de politie dicht bij de oplossing van de moordzaak was. Decker had Messing en Pratt opdracht gegeven na te gaan wat Cruces zoal deed, maar de man zat voornamelijk thuis of hing op straat rond met zijn maatjes van B12.

Cruces was ouder dan de meeste bendeleden, midden twintig, en leek respect te genieten. Hij wekte wel de indruk dat hij voortdurend op zijn qui-vive was, zodat Pratt en Messing flink wat afstand tot hem en zijn bendeleden moesten bewaren om niet ontdekt te worden.

De volgende stap was zoeken naar forensisch materiaal waarmee bewezen kon worden dat Cruces ten tijde van de moorden op de ranch was geweest. Hij had zich aan een DNA-test onderworpen, maar omdat genetische profilering duur was en zijn alibi in eerste instantie juist leek te zijn, was zijn DNA-monster niet naar het laboratorium gestuurd. Dit was nu wel gebeurd, maar het zou weken duren voordat ze uitslagen kregen.

Messing had de vingerafdrukken van Cruces ingevoerd in de databank van AFIS, maar dat had niets opgeleverd. Lee Wang ging naar het politiebureau van Foothill om te informeren naar zijn activiteiten als tiener. Het dossier over de misstappen uit zijn jeugd was verzegeld, en nu was Wang de benodigde formulieren aan het verzamelen om de dossiers van zowel Martin Cruces als José Pinon te laten ontsluiten. Op de ranch waren tientallen bloederige vingerafdrukken gevonden en als Wang de kaartjes met hun vingerafdrukken uit de dossiers kon krijgen, hadden ze misschien het forensische bewijsmateriaal waarmee kon worden aangetoond dat de mannen op de plaats delict waren geweest. Wang was ervan overtuigd dat dit, samen met de getuigenis van Rondo Martin, genoeg zou zijn om Joe Pine op te pakken.

De derde stap was het alibi van Cruces ontkrachten, waardoor de politie een gegronde reden zou hebben hem nogmaals te ondervragen.

Zelfs om drie uur 's middags waren er klanten in Ernie's El Matador. Uit de luidsprekers schetterde salsamuziek en boven een neonklok aan de muur achter de bar hing een groot televisiescherm waarop geluidloos een voetbalwedstrijd werd getoond. Vijf mannen zaten aan de tapkast en twee waren aan het biljarten. Het was er donker, maar Marge zag genoeg om over de kleverige vlekken op de vloer heen te stappen.

Oliver liet zijn penning zien, al was dat niet nodig. De aanwezigen hadden meteen door dat ze van de politie waren. Hier droeg niemand een colbertje of een getailleerde broek. Men liep in een spijkerbroek met een al dan niet mouwloos T-shirt. Het was er warm, bijna onaangenaam warm.

De barman was achter in de twintig, had donkere ogen, een mokkakleurige huid en zwart haar dat hij recht achterover had gekamd. Hij had de lichaamsbouw van een bodybuilder, met enorme bicepsen en handen als kolenschoppen, en keek met geveinsde onverschilligheid naar Olivers penning.

'Hoe gaat het?' vroeg Oliver.

De bodybuilder haalde zijn schouders op.

'Ik ben rechercheur Scott Oliver en dit is mijn partner, rechercheur Marge Dunn. We zijn op zoek naar Julio Davis.'

'Die is er niet.' Hij pakte een vaatdoek en begon ermee over de tapkast te wrijven.

'Hoe heet je?' vroeg Marge.

'Ik?'

'Ja, jij.' Marge bestudeerde zijn gezicht, dat werd ontsierd door het litteken van een messteek.

'Sam Truillo.' Hij hield op met wrijven. Hij sprak accentloos Engels. 'Waarom zoeken jullie Julio?'

'We willen even met hem praten,' zei Oliver.

'Hij werkt hier toch?' vroeg Marge.

Een oude man op de hoek van de bar zei in het Spaans iets tegen de barman. Truillo wipte de dop van een flesje Corona, stak een schijfje limoen in de hals van de fles en zette dat op een servetje voor de man neer. Hij zei: 'Ik heb Julio al meer dan een week niet gezien.'

'Is hem iets overkomen?'

'Dat weet ik niet. Ik moest hem bellen van de baas, maar zijn mobiele telefoon staat uit.'

'Dat klinkt niet goed,' zei Marge. 'Wat heb je toen gedaan?'

'Niks. Het zal mij een zorg zijn als hij niet wil werken.'

'Hoe lang werkt hij hier?' vroeg Oliver.

'Een maand of vier, vijf.'

'En jij?' vroeg Marge.

'Een jaar.' Truillo haalde zijn schouders op. 'Nog meer vragen?'

'Werk je hier fulltime?' Marge glimlachte naar hem. 'Ik vraag het omdat je eruitziet als iemand die beter spotter op een sportschool kan zijn.'

Nu glimlachte de barman vluchtig. 'Hier verdien ik meer.'

'Je werkt dus ook op een sportschool,' zei Marge. 'Ben ik een goede detective of niet?'

'Ik werk als personal trainer, maar het is een slappe tijd. Ik ben een paar klanten kwijtgeraakt en de sportschool heeft leden verloren. De baas wilde me minder uren laten werken, maar zei dat ik hier parttime kon werken om mijn salaris aan te vullen.'

Een andere man bestelde iets. Truillo zette een glas tequila voor hem neer.

'Ik ben toevallig op zoek naar een goede sportschool,' zei Marge. 'Waar werk je?'

'Deze is niets voor u,' zei Truillo. 'Het ruikt er niet erg fris.'

Marge lachte. 'Daar ben ik door mijn werk wel aan gewend.'

'Is je baas de eigenaar van zowel de sportschool als dit café?' vroeg Oliver.

'Zou kunnen.' Truillo kneep zijn ogen iets toe. 'Wat willen jullie van Julio?'

'Weet je waar hij woont?'

'Nee.'

'Hoe kon je baas tegen je zeggen dat je hem moest opzoeken als je niet weet waar hij woont?'

'Mijn baas had niet gezegd dat ik hem moest opzoeken, maar opbellen. En hij was geen vriend van me, dus hoefde ik niet te weten waar hij woonde.' Zijn ogen stonden vlak. 'Verder nog iets?'

Marge schoof haar visitekaartje over de bar. 'Bel me als hij boven water komt, oké?'

Truillo pakte het kaartje en stak het in zijn zak. 'Als ik eraan denk.'

'Graag. Tussen haakjes, hoe heet je baas?'

Truillo keek haar onbewogen aan. 'Ik zal hem uw kaartje geven. Als hij met u wil praten, belt hij wel.'

Marge haalde onverschillig haar schouders op. 'Misschien ga ik inderdaad een kijkje nemen op die sportschool van je.'

'Ik heb niet gezegd waar die is.'

'Nee, dat is zo.' Ze knipoogde. 'Moet ik daar zelf achter zien te komen, of ga je het me alsnog vertellen?'

'U bent de speurder. Zoek het maar uit.'

'Ook goed. Bedankt voor je hulp.'

'Ik heb u nergens mee geholpen.'

'Dat is niet waar,' zei Marge. 'Je kunt nooit weten waar wij mee geholpen zijn.' En tegen Oliver: 'Laten we gaan.'

Toen ze in de auto zaten, zei Oliver: 'Ik herken die blik in je ogen, Dunn.'

'Is het je opgevallen dat Truillo zei dat Julio geen vriend van hem was en dat hij niet wist waar hij woonde? Dat hij in de verleden tijd sprak?'

'Nee, dat was me niet opgevallen. Denk je dat Julio dood is?'

'Ik denk dat we hem hier niet zullen vinden. Laten we even naar de binnenstad gaan.' Ze keek op haar horloge. 'Maar dan moeten we wel een beetje opschieten.'

'Waarom heb je zo'n haast?'

'Omdat de kantoren om vijf uur dichtgaan. Jammer dat we geen tijd hebben voor een kop koffie, want daar heb ik ontzettend veel trek in.'

'Er is hier toch geen Starbucks.'

'Eerlijk gezegd heb ik liever de koffie van McDonald's, maar ik wil er geen tijd aan verkwisten.'

'Maar waarom heb je zo'n haast?'

'Hij wilde niet zeggen wie de eigenaar van het café is. Dat wil ik gaan uitzoeken.'

'Ah.' Oliver keek op zijn horloge. Het was bijna vier uur. 'Kunnen we dat niet online doen?'

'Online krijg je misschien te zien van wie het pand is, maar dat wil nog niet zeggen dat die persoon ook de licentie voor het café heeft.'

'Kun je licenties niet online vinden?'

'Dat weet ik niet. En de tijd dringt. Daarom leek het me eenvoudiger om gewoon even naar het Handelsregister te gaan.'

'Dat kunnen we morgen ook doen.'

'Scotty,' zei Marge, 'Truillo noemde de eigenaar van het café steeds "de baas", wat op zich niets bijzonders is, behalve dat – misschien is het vergezocht, maar je weet maar nooit – "de baas" in het Spaans "El Patrón" is.'

Oliver gaf geen antwoord. Toen hij de afslag naar de snelweg nam, zette hij het magnetische zwaailicht op het dak van hun auto en deed de sirene aan. In het spitsuur was dat de enige manier waarop ze voor sluitingstijd bij het Handelsregister konden zijn.

Door de telefoon zei Marge: 'Als iemand zijn baas "de baas" noemt, wil dat niets zeggen, maar omdat Julio er niet was, leek het me verstandig uit te zoeken wie de eigenaar van het café is. Dan kunnen we hem of haar in elk geval opbellen om te vragen waar Julio Davis uithangt.'

'Heb je Davis' adres?'

'Dat is Wanda aan het opzoeken. Lee is nog bezig met de paperassen voor de jeugddossiers van Cruces en Pinon. Als we de dossiers niet mogen inzien, hopen we dat de rechter ons in elk geval zal toestaan de vingerafdrukkaarten eruit te lichten. Marvin Oldham zit al klaar om ze te vergelijken met de vingerafdrukken die op de plaats delict zijn gevonden. Als die van Cruces erbij zitten, pakken we hem meteen op.'

'Zijn Messing en Pratt hem nog steeds aan het schaduwen?'

'Ja.'

'Hoe zit het met Rina?'

'Twee mensen in een patrouillewagen houden een oogje in het zeil, en hetzelfde geldt voor Harriman. We houden ook Esteban Cruz in het oog. Alles is in orde.'

'Mooi zo. Is er al iets bekend over Gil Kaffey en Antoine Resseur?'

'Nee.' Marge keek op haar horloge. Ze zaten in de file en konden ondanks de sirene maar langzaam vooruitkomen. 'Als we iets interessants ontdekken, bel ik je meteen. Oliver gaat uit eten met Carmen Montenegro. Misschien levert het schooldossier van Pinon iets op. Ze zou ook kijken of Martin Cruces daar op school heeft gezeten. Als we bij het Handelsregister niets wijzer worden, heb ik straks tijd voor andere dingen. Wat zou je willen dat ik deed?'

'Cruces is momenteel onze hoofdverdachte. Als we boffen, als zijn vingerafdrukken op de plaats delict zijn gevonden, pakken we hem op en dan moet hij ondervraagd worden. Wil jij dat doen?'

'Uiteraard.'

'Hou tot dan iedereen gewoon in het oog. Harriman, Martin Cruces, Esteban Cruz en het ongeleide projectiel Alejandro Brand. Zorg ervoor dat hij achter de tralies blijft zitten.'

'Brand gaat nergens naartoe.'

'Ogenblikje, Marge.' Decker legde zijn hand op het mondstuk. De verpleegkundige, de vrouw die hem bij de balie had laten bellen, zei dat Rondo Martin wakker was en hem wilde spreken.

'Maar vermoei hem niet al te veel. Anders krijgen we straks van de dokter op onze kop.'

'Ik beloof het. Dank u wel.' Tegen Marge zei hij: 'Ik moet gaan. Martin is wakker. Hou me op de hoogte.' Hij verbrak de verbinding, waste zijn handen en ging naar binnen.

Rondo Martin zag er helderder uit, maar leek erg veel pijn te lijden. Hij hief zijn blauwgeaderde hand op, met een infuusnaald in de pols, en wees naar de stoel naast zijn bed. Decker ging zitten. Toen de voormalige hulpsheriff iets dichter naar hem toe schoof, vertrok zijn gezicht en liepen zweetdruppels over zijn voorhoofd.

'Wil je iets tegen de pijn, Rondo?' vroeg Decker.

'Demerol helpt... maar ik word er zo suf van.' Een vluchtige glimlach. 'Ben nog niet dood... ga ook niet dood.'

'Vertel me over Martin Cruces.'

'Cruces...' Een knikje. 'Hij was erbij.'

'Weet je dat zeker?'

Een knikje. Hij sloot zijn ogen. Onder de oogleden gingen zijn ogen snel heen en weer. 'Het was Denny... hij zei... Denny zei: "Martin"... ik dacht dat hij mij bedoelde.' Hij zweeg. Zijn ogen bleven bewegen. 'Ik draaide me om... hij explodeerde... Denny.' Hij opende zijn ogen, die bloeddoorlopen en mat waren. 'Het was Cruces. Ik weet het zeker.'

'Droegen de daders geen maskers?'

'Nee... niet Joe... niet Cruces. Was het maar waar. Elke keer dat ik mijn ogen dichtdoe, zie ik hun tronies.'

'En je weet zeker dat Denny Orlando door Cruces is doodgeschoten?'

Hij sloot zijn ogen weer. 'Ik weet niet... wie er heeft geschoten...' Een pauze, toen gingen zijn ogen weer open. 'Maar Cruces was erbij.' Hij ging iets anders liggen. Hij had duidelijk veel pijn.

'Het klinkt aannemelijk,' zei Decker. 'Iemand heeft een bendelid over de moord horen praten. Hij had het over Joe Pine, noemde hem José Pinon, en zei dat hij kogels tekortkwam en daarom Gil Kaffey niet had afgemaakt. Hij zei dat Martin kwaad was. Ik dacht logischerwijze dat hij jou bedoelde, omdat jij onvindbaar was.'

'Welk bendelid?' vroeg Martin.

'Alejandro Brand. Zijn grootmoeder heet Cruz, dus is hij misschien familie van Cruces. Ken je hem?'

Martin schudde zijn hoofd.

'Brand is lid van de Bodega 12th Street-bende. Pine ook. Cruces vermoedelijk ook. Ik snap nog steeds niet waarom Guy dergelijke figuren in dienst nam als bewakers.'

'Guy... wilde... iets terugdoen.'

'Door misdadigers in dienst te nemen?'

'Allerlei mensen... zoals Paco... om iets terug te doen.'

'Is Ana zo ook aan haar baan gekomen?'

Hij knikte.

'En jij hebt via Ana je baan bij Kaffey gekregen?'

Hij schudde zijn hoofd. 'Via Paco.'

'Kende je Paco eerder dan Ana?'

'Nee. Ik heb Ana hier leren kennen... in Ponceville. Ze vertelde me over haar oom. Hij werkte in Los Angeles en kon een baan voor haar regelen als dienstmeisje. Ze werkte in de landbouw... zwaar werk. Ik heb gezegd dat ze dat baantje moest aannemen.'

Hij haalde diep adem en zijn gezicht vertrok.

'Valt niet mee om werk te krijgen zonder vergunning. Later heeft Paco me in contact gebracht met Neptune Brady... zodat Ana en ik bij elkaar konden zijn... niemand wist iets van ons. Ik wilde niet dat Brady erachter kwam... dat Ana het land uitgezet zou worden.'

'Ik begrijp het.'

'Guy wilde iets terugdoen. Dat is hem duur komen te staan.'

'Neptune Brady zegt dat hij ex-misdadigers huurde omdat ze goedkoop waren.'

Hij dacht daarover na. 'Dat misschien ook.'

'Dus je kent Alejandro Brand niet?'

'Nee.'
'En Esteban Cruz?'
'Nog een Cruz? Hoe ziet hij eruit?'
Decker gaf hem Marge' beschrijving. 'Een iel joch van zeventien.'
Martin dacht erover na. 'Nee... komt me niet bekend voor.'
'Joe Pine is jong.'
'Begin twintig, niet zeventien.'
'En Cruces?'
Martins gezicht vertrok weer van pijn. 'Ook in de twintig. Ik ken geen tieners.'
De verpleegkundige kwam binnen en zei dat hij nog vijf minuten had. Decker zei: 'Ik wacht op extra bewaking voor je kamer. Brubeck, Tim England en ik lossen elkaar af. England is in de stad op zoek naar vrijwilligers, maar ik heb de politie van Fresno om wat agenten gevraagd. Willy en ik blijven tot er voldoende mensen zijn, Rondo.'
'Dank u, maar ik heb zo mijn eigen maatregelen.' Een glimlach verscheen op zijn gezicht toen hij een bonk staal onder zijn kussen vandaan haalde. 'Uw bescherming is prima, maar een pistool is nog beter.'

35

Twintig minuten voor sluitingstijd kwamen Marge en Oliver bij het Handelsregister aan. Gejaagd snelden ze de trappen op, zoekend naar de gewenste afdeling, die ze bereikten toen de deur daarvan net dichtging. Gelukkig liet Adrianna Whitcomb, een veertigjarige, knappe blondine, zich vermurwen door hun smeekbeden.

'Duizendmaal dank,' zei Marge.

Ze bevonden zich in de wachtkamer van de afdeling, een zaaltje met drie door glasplaten gescheiden loketten en een tafel met brochures die niemand ooit las.

'U treft het,' antwoordde ze, 'want ik ga om zes uur met iemand uit eten en moest dus een uurtje zoekbrengen. Wat is het adres van dat café?'

Oliver gaf haar het adres van Ernie's El Matador en vroeg toen: 'Waar kun je hier in de buurt goed eten?'

'Mijn vriendin en ik gaan vanavond naar A Thousand Cranes. Wilt u soms mee? Mijn vriendin is assistent-officier van justitie.' Ze glimlachte veelbetekenend. 'U hebt vast veel stof om over te praten.'

Oliver glimlachte terug. 'Klinkt goed, maar ik heb al een afspraak voor vanavond. Maar als u me uw telefoonnummer geeft, kunnen we misschien een andere keer een afspraak maken.'

'Dan is ze misschien niet beschikbaar.'

'Daar is vast wel iets op te vinden.'

'Dat is nog maar de vraag.' Ze stond op. 'Ik zal kijken wat ik voor u kan vinden.'

Ze verdween achter een deur en toen was het stil.

'Het zit je erg mee vandaag,' fluisterde Marge.

Oliver grinnikte. 'Als je maar genoeg gaten boort, stuit je uiteindelijk vanzelf op olie.'

Adrianna kwam een paar minuten later terug met een uitdraai. 'Was mijn werk maar altijd zo eenvoudig. Kan ik verder nog iets voor u doen?'

Oliver gaf haar zijn visitekaartje. 'Voor het geval u opeens een rechercheur nodig mocht hebben.'

Adrianna pakte het aan. 'Ja, wie weet.'

'Hebt u ook een kaartje voor mij? Voor het geval ik u nog een keer nodig heb?'

'U kunt naar het Handelsregister bellen,' zei ze.

Hij probeerde niet te laten merken dat hij teleurgesteld was. 'Prima.'

'Als u weer iets nodig hebt uit onze archieven,' ging Adrianna met een sluwe glimlach door. 'Maar als u mij persoonlijk wilt spreken, staat mijn mobiele nummer op die print.'

'Rondo weet zeker dat Cruces erbij was,' zei Decker door de telefoon. 'Arresteer hem.'

'Als je denkt dat dit het juiste tijdstip is,' zei Marge.

'Hoe bedoel je?'

'Weten we zeker dat we Rondo Martin kunnen vertrouwen? Stel dat hij in een complot zat met Ana Mendez, Paco en Riley Karns.'

'Waarom zouden die een complot smeden om de Kaffeys te vermoorden?'

'Om dezelfde reden waarom jij denkt dat Cruces en Pine het hebben gedaan. Omdat iemand hen daarvoor heeft gehuurd. Ik probeer me even voor te stellen hoe de advocaat van de verdediging het zou brengen. De bloederige vingerafdrukken die op de plaats delict zijn gevonden, zijn van Rondo Martin, Ana Mendez en Riley Karns. Die hebben weliswaar toegegeven dat ze daar waren, maar in welke hoedanigheid waren ze daar? Als we iets concreets hadden waarmee Martins verhaal werd bevestigd, zou ik het met je eens zijn, maar aangezien we niets concreets hebben, kunnen we misschien beter wachten tot al het forensische bewijsmateriaal binnen is.'

Decker zei: 'Ik wil niet dat hij aan ons ontsnapt. Surveillance is nooit waterdicht.'

'Daar heb je gelijk in. Maar als we hem oppakken zonder doorslaggevend forensisch bewijsmateriaal, is hij gewaarschuwd en lopen we meer gevaar hem kwijt te raken. We zouden niets anders hebben dan het verhaal van Rondo Martin. Daarmee staan we niet sterk in onze schoenen.'

'Hoe lang duurt het nog voordat Lee het jeugddossier van Cruces kan inzien?'

'Dat weet ik niet.'

'Ik ben bereid nog vierentwintig uur te wachten op de vingerafdrukken. Tegen die tijd ben ik ook weer thuis. Hou Cruces goed in de gaten. Als er ook maar enige indicatie is dat hij ervandoor gaat, moet hij opgepakt worden.'

'Ik zal tegen Messing zeggen dat hij nog wat meer agenten moet inzetten.'

'Goed. Wat zijn jullie te weten gekomen over Ernie's El Matador?'

'Dat het café eigendom is van de Baker Corporation.'

'Wat is dat nou weer? En waarom is een maatschappij eigenaar van een armoedig café? Het klinkt als een dekmantel. Hebben jullie uitgezocht wat voor bedrijf het is?'

'Nog niet. Ik denk dat Lee daar online wel achter kan komen.'

'Hou me op de hoogte. Maar het belangrijkste is dat jullie Cruces niet uit het oog verliezen.'

'Hopelijk krijgen we nu snel de kaart met zijn vingerafdrukken. Ik probeer alleen maar te voorkomen dat we voor schut komen te staan.'

'Als Cruces ertussenuit knijpt en hij de dader blijkt te zijn, kunnen we dat niet meer voorkomen.'

Wang zei: 'Baker Corporation is een dochtermaatschappij van Kaffey Industries.'

'Wat zeg je nou?' Marge keek hem met open mond aan. 'Kaffey is de eigenaar van Baker?'

'Lees zelf maar en kijk niet zo onthutst. Kaffey heeft vast een heleboel dochtermaatschappijen.'

'Waaronder het café dat Martin Cruces zijn alibi heeft verstrekt.' Ze bladerde in de map. 'Vind jij dat logisch, Lee? Dat Kaffey Industries, een grote projectontwikkelaar die in het hele land winkelcentra bouwt, een louche bar in Van Nuys heeft gekocht?'

'Het café is gekocht met geld van Kaffey Industries, via Baker Corporation.'

'Heeft Baker Corporation een directie?'

'Als het een dekmantel is waarschijnlijk niet. Ik zal verder zoeken. Of wil je Grant Kaffey bellen om het hem gewoon te vragen?'

'Ben je mal? Hij is nog steeds een verdachte.'

'Hoe gaat het met hem?'

'Hij zit in Newport Beach. We hoeven hem nooit te bellen, want hij belt zelf om de twee uur om te vragen of we Gil al gevonden hebben. Als hij echt zo bezorgd is om zijn broer, heb ik bewondering voor hem. Als hij maar doet alsof, is hij een waardeloze acteur.'

Carmen Montenegro had zich omgekleed in een zwart jurkje dat eerder chic dan sexy was. Ze had zich licht opgemaakt en haar haar opgestoken, met krulletjes langs haar oren, en zag eruit als de geheime fantasie van hitsige schooljongens. Het enige attribuut dat erop wees dat dit nog altijd een zakendiner was, was haar elegante aktetas.

Oliver trok een stoel voor haar naar achteren. 'Je ziet er erg mooi uit.'

'Dank je.' Ze schoof de stoel wat dichter naar de tafel en pakte de menukaart aan van een kelner die zei dat hij Mike heette en vroeg of ze alvast iets wilden drinken. Ze bestelden allebei een glas rode huiswijn.

'Uitstekend,' zei Mike stralend.

Toen hij weg was, zei Carmen: 'Ik ben altijd blij met een gelegenheid om me een beetje op te tutten. Bedankt dat je dit restaurant hebt gekozen. Ik zou het me nooit kunnen veroorloven hier te gaan eten. Je kunt het toch wel declareren als zakendiner?'

Oliver glimlachte. 'Ik zal de rekening doorsturen, maar van hogerhand protesteren ze meestal tegen dergelijke uitspattingen. Ik heb het gekozen omdat ik vond dat het bij je past.'

'Charmeur!' Carmen deed de menukaart open en zette grote ogen op. 'Had je wel eerst de prijslijst bekeken?'

'Bestel iets van de linkerpagina,' zei Oliver. 'De eend is heel goed, maar ik neem de biefstuk. Ik wil je graag nogmaals bedanken dat je ons vanmiddag hebt geholpen.'

'Geen dank. Ik heb de kopieën van de dossiers bij me.' Ze deed de aktetas open. 'Ik hoop dat ze leesbaar zijn, want ik moest alles fotokopiëren. Een groot deel van deze paperassen is aan ons doorgestuurd door de basisschool.'

'Welke dossiers heb je gevonden?'

'Van Esteban Cruz, Alejandro Brand, Martin Cruces en José Pinon. Ik hoop dat ik niemand over het hoofd heb gezien.'

'Geweldig. Dat zijn ze allemaal. Zijn er overeenkomsten?'

'Ze hebben allemaal op Pacoima High gezeten en hebben de school allemaal voortijdig verlaten.' Ze sloot de aktetas. 'Geen succesverhalen, vrees ik.'

'Waren Cruces en Pinon onruststokers?'

'Dat weet ik niet uit eerste hand, maar volgens hun dossiers waren ze niet crimineel.'

'Ze zijn leden van de Bodega 12th Street-bende.'

'Dat zegt niets. Daar is de halve school lid van.'

De kelner kwam terug met de wijn. 'Wilt u al bestellen?'

Carmens glimlach leek versteend. 'Ik denk dat ik de eend maar neem.'

'Uitstekende keuze,' zei Mike.

'En ik de biefstuk, medium rare.'

'Uitstekend,' herhaalde Mike. 'Wilt u daar groente bij? Ik kan de spinazie à la crème aanbevelen.'

'Klinkt goed,' zei Oliver.

'Uitstekend,' Mike nam de menukaarten weer in ontvangst en liep weg.

'Als voormalig lerares Engels,' zei Carmen droog, 'zou ik hem aanraden een thesaurus op te slaan om wat andere bijvoeglijke naamwoorden te zoeken.'

Oliver lachte. 'Maar het is in elk geval een vriendelijke jongen.'

'Ja, ik kan niet tegen arrogante kelners. Die maken me zenuwachtig en geven me het gevoel dat ik niet goed genoeg ben.'

'Niet goed genoeg? Dat is volslagen onmogelijk.'

Carmen sloeg haar ogen neer. Een poosje praatten ze over hun werk, maar Oliver zat op hete kolen. Hij had haar wel degelijk om zakelijke redenen mee uit gevraagd en op een gegeven moment vroeg hij dan ook: 'Zou je je beledigd voelen als ik zei dat ik heel even naar die dossiers wil kijken?'

'Eh... nee.'

'Waarom aarzel je?'

Ze glimlachte geforceerd. 'Ik weet niet of het eigenlijk wel is toegestaan dat ik de dossiers voor je heb gekopieerd.'

'Dan wacht ik. Geen probleem, hoor.'

Carmen stak de aktetas onder de tafel. 'Je zit hier omdat je daar een goede reden voor hebt. En daar heb ik respect voor. Neem maar een kijkje. Maar doe het alsjeblieft discreet.'

'Dank je wel, dat is erg sportief van je. Je houdt een dinertje zonder zakelijke bijbedoelingen van me te goed.'

'Dat hoeft echt niet, hoor.'

'Maar ik zou graag nog een keer met je uitgaan.'

'Weet je dat zeker?' Ze grinnikte. 'Deze avond is nog niet eens voorbij.'

'Ik weet het heel zeker.' Oliver dacht aan Adrianna Whitcomb en besloot dat die zou moeten wachten. Op zijn leeftijd kon hij er niet meer dan één tegelijk aan. Hij pakte de mappen uit de tas en legde ze op zijn schoot. Esteban Cruz. Hij sloeg de pagina's om, maar kon de tekst niet lezen in het gedempte licht.

Opeens stokte hij.

'Wat is er?' vroeg Carmen.

'Niets... niets.' Hij deed de map terug in de tas en keek naar de volgende. Die was van José Pinon. Hij bladerde erin.

'Wat kijk je onthutst.'

'Sorry dat ik het zo abrupt vraag, maar hoe ben je aan een kopie van de vingerafdrukken van José Pinon gekomen?'

'Die zaten in het dossier dat we van de basisschool hebben gekregen. Op de basisschool worden de vingerafdrukken van alle kinderen genomen. We zeggen dat we het doen voor het geval dat ze ontvoerd worden, maar in werkelijkheid doen we het voor de identificatie van lijken. Straatbenden willen nog wel eens op elkaar schieten en lijken worden vaak gedumpt zonder identiteitskaart en dan...'

'Hebben jullie de originele vingerafdrukkaarten of alleen kopieën ervan?' Hij besefte dat hij het ademloos vroeg.

'De originele kaarten.'

'Met hun namen erop... precies zoals op deze kopieën?'

'Ja.'

'Ik heb die kaarten nodig, Carmen. Dringend. Heb je de sleutels van de school?'

'Ja, maar ik weet niet of ik je die kaarten zomaar mag geven, Scott. Kom ik dan niet in de knoop met schending van privacy?'

'Je hebt gelijk. Ik zal een gerechtelijk bevel aanvragen.'

Een hulpkelner kwam hun gerechten opdienen. Blijkbaar had Mike nog meer uitstekende klanten. Carmen glimlachte toen de jongeman de eend voor haar neerzette. 'Dank je wel.' Ze vroeg aan Oliver. 'Zullen we vragen of het in een take-away-doosje kan?'

'Eh...' Oliver keek naar zijn biefstuk. 'Wat mij betreft niet. Ik hoef alleen maar even mijn partner te bellen, zodat die de documenten kan aanvragen.'

'Het geeft niet, hoor. Ik ben gewend om uit het vuistje te eten.'

'Geef me vijf minuten, Carmen. Daarna ben ik geheel de jouwe.' Hij gooide al zijn charme in de strijd. 'Echt. Het duurt wel even voordat het gerechtelijk bevel er is en het zou zonde zijn van zo'n lekkere maaltijd.'

'Goed dan. Ik wacht wel. Maar wees snel, anders begin ik aan jouw biefstuk. Ik snap eigenlijk niet waarom ik eend heb genomen.'

'Dan neem je toch mijn biefstuk? Ik meen het.' Hij stond op en liep naar buiten. Toen hij Marge aan de lijn had, zei hij: 'Hou je vast! In de schooldossiers zitten vingerafdrukkaarten van Martin Cruces, José Pinon en Esteban Cruz.'

'Meen je dat? Dat is geweldig! Ik zal Oldham meteen bellen voor de analyses.'

'Wacht even, Margie, want er zit een addertje onder het gras. Carmen Montenegro heeft ons de dossiers gegeven zonder daarvoor toestemming te vragen. Het lijkt haar niet helemaal koosjer dat ze ze heeft gekopieerd. We moeten een gerechtelijk bevel aanvragen om de originele dossiers te verkrijgen. Dat Rondo Martin heeft verklaard dat Cruces en Pinon twee van de daders zijn, moet voor de rechter voldoende zijn.'

'Dat zou ik denken. Maar Scott, ik wil Carmen niet in de problemen brengen. Denk je niet dat een rechter het verdacht zal vinden dat we hier 's avonds om acht uur mee aankomen?'

'Ja, goed punt.' Oliver liep te ijsberen. 'Maar ik wil niet tot morgen wachten.'

'Als ik nu eens zeg dat Rondo Martin zojuist Cruces als verdachte heeft genoemd en dat we weten waar de verdachte zich ophoudt. En dat we willen voorkomen dat hij net als Pine op de vlucht zal slaan?'

'Ja, dat is een goed plan,' zei Oliver. 'Als je de papieren hebt, kom ik met Carmen naar de school.'

'Waar ben je nu?'

'In een restaurant. We kunnen gewoon afeten en dan kan ze in haar eigen auto naar de school rijden. Dan komt het minder verdacht over.'

'Je bent dus nog samen met de lieftallige decaan?'

'Ja, en ze wordt in mijn ogen steeds lieftalliger.'

36

'Geweldig!' riep Decker door de telefoon. 'Dat bespaart ons uren werk.'

'Zeg dat wel,' zei Oliver. 'Marge heeft zojuist het bevelschrift ontvangen en we gaan nu naar Pacoima High. Laten we hopen dat de vingerafdrukken op die kaartjes overeenkomen met die op de plaats delict.'

'Amen.' Een piepje gaf aan dat iemand anders Decker probeerde te bellen. 'Je hebt het etentje met Montenegro toch wel met je eigen creditcard betaald, hè?'

'Natuurlijk. Ik zou niet willen dat iemand gaat roepen dat Carmen iets ongeoorloofds heeft gedaan.'

'Heel goed. Is Marge bij je?'

'Nee, we treffen elkaar zo dadelijk bij de school. Carmen gaat er in haar eigen auto naartoe.'

Deckers mobieltje piepte weer. Hij keek naar het schermpje. Het was een afgeschermd nummer. Wie zo weinig vertrouwen in hem had dat hij zijn nummer niet bekend wilde maken, moest maar een bericht achterlaten. 'Bel me zodra je de vingerafdrukkaartjes hebt.'

'Doe ik,' zei Oliver. 'Waar ben jij?'

'Ik sta voor het ziekenhuis. Willy Brubeck zit voor de deur van Rondo Martins kamer, maar versterking is onderweg. Zijn jullie nog iets te weten gekomen over Ernie's El Matador en Baker Corporation?'

'Marge heeft een team naar het café gestuurd, ik geloof Wanda Bontemps en Lee Wang, om te proberen van Sam Truillo los te krijgen wie El Patrón is.'

'Werkt Truillo vanavond dan?'

'Dat weet ik niet, maar ook als er iemand anders achter de tap staat, moeten ze daar toch wel weten hoe de baas heet.'

'Als Wanda ook maar enige tegenstand ondervindt, moet ze die hufter in de boeien slaan. Zeg maar dat ik het heb gezegd.'

'In niet mis te verstane woorden, zoals dat heet.'

Harriman zette zijn mobieltje af en stak het snoer van de oplader erin. Hij lag op zijn bed in een pyjama die eigenlijk te warm was met dit weer en voelde over zijn hele lichaam zweet uitbreken. Het werd met de dag warmer en zijn airconditioning leek niet erg goed te werken. Hij had de plafondventilator in de hoogste stand gezet, maar had het evengoed warm. Daar kon ook een psychologische reden voor zijn. Wie zweette er niet als hij nerveus was?

Hij had tien minuten ingespannen liggen luisteren, gespitst op elke nuance in de geluiden. Onbekende geluiden. Geluiden die hij om elf uur 's avonds niet zou moeten horen. Nu leken ze te zijn verdwenen.

Dat was de reden waarom hij geen bericht had ingesproken. Het leek opeens zo overdreven.

Neem een kalmeringsmiddel. Relax, verdiep je in een boek. Er lagen er vier op zijn nachtkastje. Waar wachtte hij op? Hij had zich die geluiden vermoedelijk ingebeeld, uit pure nervositeit. Als die auto niet tegenover mevrouw Deckers huis had gestaan, zou hij helemaal geen acht hebben geslagen op dat gekrabbel.

Er kan je niks gebeuren.

Hij zat hier veilig. Er stond nota bene een patrouillewagen op straat met twee agenten die zijn flat in de gaten hielden. Wat wilde hij nog meer?

Maar de vreemde geluiden waren niet van de voorzijde van de flat gekomen. Hij woonde op de begane grond en had een achterdeur. Daar had hij dat gekrabbel gehoord. Er zaten drie sloten op die deur, maar evengoed...

En hij hoorde niet alleen rare geluiden, maar rook ook dingen. De geur van mannenzweet. Hij moest weer denken aan de jongen die in een auto tegenover Deckers huis had gezeten. God, de laatste tijd werd hij overal nerveus van.

Waarom had hij dan geen bericht ingesproken op het mobieltje van de inspecteur?

Op die vraag wist hij het antwoord wel. Hij wilde niet bang overkomen. Het herinnerde hem aan zijn jeugd, aan het idee dat hij beschouwd werd als een 'bangerd'. Het had jaren geduurd voordat hij over zijn angst voor de duisternis heen was en hij weigerde daar nu weer aan toe te geven.

Terugdenkend aan zijn kindertijd, herinnerde hij zich hoe bang hij was geweest als zijn moeder zijn hand losliet. Hij was nog maar klein, vijf of zes, maar al te oud om te mogen huilen. Zijn vader had zijn tranen gehekeld. Maar zijn vader had ook in hem geloofd. Hij had hem geestelijk en lichamelijk tot zijn uiterste kunnen opgezweept. Het resultaat daarvan was geweest dat hij al op zijn twaalfde met behulp van zijn blindenstok overal zelfstandig kon komen.

Zijn gedachten sprongen van het ene onderwerp op het andere.

Hoe vaak was hij als kind niet gestruikeld en gevallen?

Hoe vaak was hij niet ergens tegenop gebotst?

Hoe vaak had hij zich niet een sufferd of een onhandige kluns gevoeld?

Hoe vaak hadden anderen hem niet behandeld alsof hij achterlijk of dom was?

Hij kreeg het nog steeds te kwaad als hij aan die tijd terugdacht.

Zijn vader was streng geweest, maar alleen omdat hij wist wat zijn zoon als blinde te wachten stond. Harriman was zijn vader dankbaar, maar had evengoed het gevoel dat hij altijd twee blokken aan zijn been had gehad: het kleine blok van zijn blindheid en het veel grotere blok van zijn vaders strengheid.

Hoe trots had hij zich gevoeld op de dag dat hij zich met zijn vader had verzoend. Vanaf die dag waren ze de beste vrienden geweest, tot zijn vaders hart het had begeven.

Harriman dacht aan hem terwijl hij bleef luisteren of hij indringers hoorde. Soms twijfelde hij aan zijn verstand. Hij was blij dat hij geen bericht had ingesproken voor Decker. Hij had geen idee hoe de inspecteur over hem dacht, al geloofde Decker hem blijkbaar wel, anders had hij geen agenten gestuurd om over hem te waken.

Na een poosje was hij in zoverre gekalmeerd dat hij durfde te gaan slapen. Hij trok zijn pyjama uit en voelde de koele lucht van de ventilator op zijn lichaam. Hij moest morgen werken, tolken in een zaak over een carjacking en moord, dus kon hij er maar beter voor zorgen dat hij een behoorlijke nachtrust kreeg.

Hij zocht op zijn iPod naar klassieke symfoniemuziek. Meestal wiegden die schitterende klanken hem vanzelf in slaap. Hij ging op zijn rechterzij liggen, zoals hij gewend was, en sloot zijn ogen.

Het licht hoefde hij niet uit te doen.

Het nieuws bereikte het politiebureau vlak voor middernacht.

Er ging gejuich op.

Oldham vergeleek de vingerafdrukken op de kaarten uit de dossiermappen van de school met de vingerafdrukken die in de bibliotheek van de ranch waren gevonden en vond een aantal overeenkomsten. Daarop volgde het minutieuze proces van het analyseren van de lijntjes, kringeltjes en krullen, en de magische beloning toen bleek dat de wijsvinger van Cruces en de duim van Pinon overeenkwamen met twee ongeïdentificeerde afdrukken die op een kastje en een tafel waren gevonden.

Een ooggetuige plus tastbaar bewijsmateriaal. Decker was in de zevende hemel.

'Wie gaat Cruces arresteren?'

'Er is een ploeg van CRASH op weg naar de flat van Cruces. Messing en Pratt gaan ook. Oliver en ik blijven dichter bij huis. Zodra zij hem hebben opgepakt, nemen wij hem onder handen. Ik neem de ondervraging op me. Wil je de strategie bespreken?'

'Ja. Zorg dat je een bekentenis van hem loskrijgt.'

'Goh, baas, daar zou ik zelf nooit zijn opgekomen.'

'Probeer erachter te komen wie de opdracht voor de moorden heeft gegeven.'

'Ja, dat had ik dus ook al bedacht,' zei Marge.

'Probeer erachter te komen waar Joe Pine is.'

'En ook dat had ik al bedacht, rabbi. *Mi strategie es tu strategie.*'

Decker glimlachte. 'Het zou ook prettig zijn als Cruces Alejandro Brand en Esteban Cruz van een misdrijf zou beschuldigen. Ik wil die psychopaten achter de tralies hebben. Hoe is het met mijn vrouw en dochter?'

'Voor zover ik weet is alles in orde. Verder nog iets?'

'Ja. Hoeveel tijd denk je dat je hebt voordat je aan het verhoor van Cruces begint?'

'Hoeveel tíjd?'

'Ja. Aangenomen dat de arrestatie probleemloos verloopt. Hoeveel tijd tussen nu en het begin van het verhoor?'

'Ze moeten hem oppakken en voorleiden...' Ze rekende in gedachten. 'Ik schat een uur.'

'Doe me dan een lol, Margie. De vorige keer dat ik met je sprak, probeerde iemand me te bellen. Het was een afgeschermd nummer en de beller heeft geen bericht ingesproken. Het kunnen natuurlijk allerlei mensen zijn geweest, maar ik weet dat Harriman een afgeschermd nummer heeft. Zou je even bij hem langs kunnen gaan?'

'Er staat toch een patrouillewagen voor zijn deur?'

'Ja, en je hoeft dus alleen de agenten maar te vragen of alles in orde is.'

'Waarom bel je die dan niet gewoon? Of Harriman zelf?'

'Ik heb zijn nummer niet en het is middernacht.'

'Ik wil er best even naartoe gaan, daar gaat het niet om. Maak je je ergens zorgen om?'

'Niet precies. Ik wil alleen zeker weten dat alles in orde is.' Decker nam de telefoon over in zijn andere hand. 'Ook als we Cruces vanavond in hechtenis nemen, weten we nog steeds niet waar Joe Pine en Esteban Cruz zijn. Harriman is kwetsbaar. Vandaar dat ik wil dat je een kijkje gaat nemen.'

Marge stond op en sloeg haar trui om haar schouders. 'Ik ben al onderweg en bel je wel als er iets is. Waar kan ik je bereiken?'

'Bel maar naar het ziekenhuis, want ik moet mijn mobieltje binnen uitzetten. Brubeck houdt de wacht bij Rondo Martin en ik hoop een uurtje te kunnen slapen. Ze hebben hier vast wel een bed beschikbaar. Desnoods een brancard in het mortuarium.'

Alsof het nog niet lastig genoeg was dat die smerissen voor de deur zaten, had de gringo drie sloten op de deur. Zo waren rijkelui. Die dachten dat een brokje metaal een beroeps ervan kon weerhouden binnen te komen en hun kostbaarheden te stelen. Ze hadden er geen idee van dat hun bezittingen altijd ontvreemd konden worden als die de moeite waard waren.

De eerste barrière was een gewoon slot dat hij met een tikje van een creditcard open kreeg. De tweede was een nachtslot, een iets grotere uitdaging, maar elk slot was te openen als je er de juiste instrumenten voor had. Het laatste obstakel was een ketting, een fluitje van een cent als hij het nachtslot eenmaal open had. Hij had ze zelfs allemaal al open kunnen hebben als die smerissen niet een kijkje waren komen nemen achter het huis en met zaklantaarns het terrein had afgezocht. Op het terras stonden een barbecue en een tuinset, een tafel en stapelbare stoelen. Als hij meer tijd en een grotere auto had gehad, zou hij die tuinset alvast hebben meegenomen, maar nu hield hij het bij zijn taak.

De eerste keer dat de smerissen naar de achtertuin waren gekomen, hadden ze hem totaal verrast. Hij had ze niet eens horen aankomen. Hij had geboft dat hij toevallig op zijn hurken zat om iets uit zijn tas te halen en geheel in het zwart was gekleed, waardoor hij vrijwel onzichtbaar was. Bovendien had hij de lamp boven de achterdeur eruit gedraaid. Die juten hadden daar nog iets over gezegd, dat de lamp zeker was doorgebrand, maar die twee slampampers waren te lui geweest om dat nader te onderzoeken. Ze hadden eventjes rondgekeken en waren toen teruggekeerd naar hun auto, waar ze zich op hun luie kont konden volvreten aan donuts.

Hij moest opschieten, voor het geval ze nog een keer terugkwamen. Hij werkte bij het licht van een zaklampje. Hij zag niet veel, maar dat maakte niet uit, want hij deed bijna alles op gevoel. De krassende geluiden die het gereedschap maakte, klonken nogal luid en daar maakte hij zich een beetje zorgen over omdat het verder zo stil was. Hopelijk hoorde die vent het niet. Binnen was het stil en donker. Alles leek in orde.

Terwijl hij bezig was, bedacht hij tevreden hoe ver hij het had geschopt. Hij was nu een beroeps, niet een loopjongen die zich uit de naad moest werken voor een hufter die toevallig iets hoger op de ladder stond. Dat was verleden tijd. Hij was nu zelf een zware jongen. En zoals alle beroepsmensen had hij zich goed voorbereid, het terrein verkend en zijn doelwit bespied. De gringo had politiebescherming en dat was vervelend, maar hij had voor hetere vuren gestaan. Dat hij nu dichter bij de top stond, hield in dat hij resultaten moest boeken en daar zouden deze stomme smerissen hem echt niet van weerhouden.

Hij transpireerde nog niet eens.

Toen hij zeker had geweten dat de kust veilig was, was hij zachtjes teruggelopen naar de achterdeur en had hij zijn lopers tevoorschijn gehaald: een set van zestien, van de beste kwaliteit roestvrij staal. Hij hield van de scherpe punten en stevige heften die zo prettig in de hand lagen.

Hij klemde de zaklamp onder zijn kin en probeerde het licht op het sleutelgat gericht te houden. Hij had genoeg licht om het mechanisme te kunnen zien en stak behendig twee lopers in het gat. Toen begon hij daar

zachtjes mee te draaien om de pinnen te laten wegvallen.
Hij draaide en draaide, maar er gebeurde niets.
Hè?
Misschien zou dit iets lastiger worden dan hij had gedacht.
Hij liet de lopers in het sleutelgat zitten en deed de zaklantaarn uit. Toen werkte hij louter op gevoel. Het was sowieso beter om in het donker te werken. Omdat het een erg donkere nacht was, zonder maan, zou het licht van de zaklamp hem net zo snel verraden als een schijnwerper. Na een paar minuten kwam hij tot de conclusie dat hij een andere set lopers nodig had. Hij deed zorgvuldig een keuze en borg de eerste twee lopers weer op in het leren mapje.
Langzaam draaide hij de lopers heen en weer in het sleutelgat, op zoek naar de pinnen. Ze maakten krassende geluidjes, maar het leek nu beter te gaan. Hij hoorde een klikje toen de eerste pin wegviel, daarna de tweede en uiteindelijk de derde. Toen het slot open was, duwde hij langzaam de deur open.
De ketting zat erop, maar dat was geen enkel probleem. Je stak een staafje naar binnen, trok de deur tot op een kiertje dicht, duwde de ketting opzij...
Hij spitste zijn oren.
Hij hoorde mensen praten... een vrouw en een paar mannen.
Het gekraak van een walkietalkie.
Het waren de agenten.
Dat was niet best.
Hij moest snel zijn.
Nu begon hij te transpireren. Dit hoorde niet bij zijn plannen. Hij had altijd een plan en hij had altijd voldoende tijd.
Zijn handen begonnen te trillen.
Hou je kop erbij, eikel.
Hij duwde de ketting opzij en hoorde hem uit de houder vallen. Niet optimaal, maar hij had het voor elkaar. Twee seconden later stond hij binnen.
Hij draaide het slot weer dicht en deed de ketting op zijn plaats.
Nu mochten die smerissen zo veel praten als ze wilden. Hij was veilig en wel binnen, en daar ging het om.

Hij droomde niet.

Het krassende geluid was echt. De geur was echt – zweet en angst, afkomstig van een man.

Harriman wist dat hij in moeilijkheden verkeerde.

Hij zweette als een otter toen hij ging zitten. Bevend stak hij zijn hand uit naar zijn mobiele telefoon op het nachtkastje, maar stootte per ongeluk de afstandsbediening van de televisie om. Het apparaatje viel met een zachte plof op de vloer.

Had de indringer dat gehoord? Hopelijk niet. Godzijdank had hij vaste vloerbedekking.

Hij klemde zijn warme, zweterige hand om de telefoon. Het metaal voelde koel en glad aan. Hij drukte op de toets om verbinding te maken. De indringer werd steeds brutaler en liep zomaar rond. Hij kon zijn voetstappen duidelijk horen.

Hij hoorde het muziekje waarmee de telefoon aanging. Het leek een eeuwigheid te duren. Toen gaf hij een commando.

911.

Even later had hij iemand aan de lijn.

Alarmcentrale.

Hij sprak zo kalm en duidelijk mogelijk, al klonk zijn eigen stem hem vreemd in de oren.

Er is een inbreker in mijn huis.

Wat is het adres?

Opeens had hij een totale black-out.

Wat was zijn adres?

Hij haalde diep adem… o ja.

Hij gaf zijn adres door aan de vrouw van de alarmcentrale.

We sturen meteen iemand.

Laten ze snel zijn! Ik ben blind!

Toen hij had opgehangen, herinnerde hij zich de agenten die voor zijn huis zaten. Hoe had dit kunnen gebeuren? Waren ze in slaap gevallen? Had Decker gelogen en de surveillance opgeheven zonder hem dat te laten weten?

Hoe had er iemand bij hem kunnen inbreken?

Zit niet te bibberen, maar doe iets!

Denk na!

Hij hield zijn telefoon in zijn hand, liet zich op de vloer zakken en kroop onder het bed. Hij was naakt en beefde, maar niet omdat hij het koud had. In de smalle ruimte tussen de vloerbedekking en het matras had hij het warm genoeg, maar hij trilde vanbinnen, van angst. Hij probeerde zich te concentreren op wat er in zijn huis gebeurde, maar zijn ademhaling klonk zo luid dat het leek alsof hij luisterde met watjes in zijn oren.

Wees niet zo bang.

Denk na.

De vijand was in de keuken. Harriman hoorde de lichtschakelaars klikken. Daar had die schoft niks aan. Harriman had lang niet overal lampen in zitten. Waarom zou hij voor elektriciteit betalen die hij nooit gebruikte?

De lichtbundels van de zaklantaarns gleden door de achtertuin.

'Ik begrijp nog steeds niet waarom u hierheen bent gekomen,' zei Bud Rangler. 'U had ons net zo goed kunnen bellen.'

Hij was geïrriteerd, maar dat was Marge ook. De agent gedroeg zich aanmatigend en daar had ze midden in de nacht geen geduld voor. Rangler leek met zijn brede borst en korte, gespierde ledematen op een boksbal met benen. Hij was achter in de twintig en zat vijf jaar bij de politie. Hij leek Marge' komst te beschouwen als kritiek op zijn vakbekwaamheid.

'Als de baas zegt dat je ergens naartoe moet gaan, dan doe je dat,' zei ze. 'Je doet er goed aan dat te onthouden, agent Rangler.'

De andere agent, Mark Breslau, was iets ouder en had meer ervaring. Hij zat elf jaar bij de politie en zijn ego was door de jaren heen wat verzacht. 'U bent hier de baas, brigadier. Ik geloof dat Bud alleen maar bedoelde dat we hebben gedaan wat ons was opgedragen. We hebben om de twee uur de achtertuin doorzocht.'

'Kijkt u zelf maar, brigadier,' zei Rangler. 'Alles staat nog netjes op zijn plek.'

'Het is hier erg donker.' Marge volgde met haar ogen de lichtbundel. 'Hoe konden jullie zien of er niets was veranderd?'

'De lamp boven de achterdeur is toevallig net doorgebrand,' zei Rangler. 'Daarstraks hadden we hier goed licht.'

'Doorgebrand?' Marge draaide zich naar hem om. 'Waarom heb je er dan geen nieuwe ingedaan?'

Rangler zei: 'Ik wist niet dat dat onze taak was.'

'Het is je taak als je de lamp nodig hebt voor je werk.' Ze vroeg aan Breslau. 'Hebben jullie reservelampen in jullie auto?'

'Nee.'

'Om de hoek is een nachtwinkel.' Ze gooide hem haar autosleutels toe. 'Ga een lamp halen. Agent Rangler en ik blijven hier tot je terug bent.'

'Ja, brigadier.'

Marge hoorde de jongere agent zachtjes grinniken. 'Wat valt er te lachen?'

'Niets, brigadier.'

'Ik dacht dat ik iemand hoorde lachen. Dat heb ik me dan zeker verbeeld.'

Rangler zei niets. Marge liep naar de achterdeur en richtte haar zaklantaarn op de lamp erboven. 'Kom hier, Rangler.'

Rangler gehoorzaamde en bleef een halve meter bij haar vandaan staan.

'Kijk eens.' Ze liet het licht weer op de lamp schijnen. 'Hoe kan een lamp doorbranden, als er helemaal geen lamp in de fitting zit? Kun je me dat uitleggen?'

Ranger deed zijn mond open, maar bedacht zich wijselijk.

Marge scheen met haar zaklantaarn over de grond tot ze de lamp in het gras zag liggen. Ze raapte hem op en draaide hem in de fitting. Meteen baadde de achtertuin in geel licht.

'Geef onmiddellijk aan de centrale door dat we versterking nodig hebben. Laat alle patrouilleauto's in de omgeving hierheen komen.' Ze drukte zich tegen de muur, klopte hard op de deur en riep Harrimans naam. Ze deed het nogmaals en toen ze geen antwoord kreeg, haakte ze haar zaklantaarn aan haar broekriem en trok haar pistool.

'Dek me, Rangler. We gaan naar binnen.'

Het ging niet zoals hij het had gepland.

Waarom deden die stomme lampen het niet?

Nu werd er op de achterdeur gebonkt.

Dat waren de twee agenten die op wacht hadden gezeten.

Sirenes op de achtergrond.

Je bent niet dom, zei hij in zichzelf. Doe nu dan ook geen domme dingen!

Wanhopig keek hij om zich heen, zoekend naar een manier om ongezien te ontsnappen, maar achter beide deuren stond nu politie. Hij zat in de val.

Denk na, eikel!

Hij trok zijn revolver. Die gaf hem wat macht, maar in zijn eentje kon hij toch niet veel beginnen. Een vuurgevecht was geen oplossing.

Hij kon niet vluchten. Dan kon hij zich beter verstoppen.

37

Harriman hoorde dat er op de achterdeur werd geklopt. Zijn bonkende hart begaf het bijna. Zouden ze hem kunnen horen als hij vanonder zijn bed naar hen riep? Zou hij zich dan niet verraden aan de indringer?

Wacht tot ze dichterbij zijn.

Geduld.

Zwijgen is goud, volgens het bekende gezegde.

Breslau kwam bijna meteen terug, buiten adem. 'Ik heb de melding gehoord.'

'Welke melding?' Marge gaf nog een roffel op de deur.

'De melding aan de alarmcentrale, vanaf dit adres.'

'Jezus!' riep Marge. 'Als Harriman de alarmcentrale heeft gebeld, is er iemand bij hem binnengedrongen. De deur zit op slot. Ik wil geen gijzelingssituatie, maar ik wil de deur ook niet openbreken zonder bescherming. De indringer kan gewapend zijn.'

Gejaagd keek ze om zich heen. Haar blik bleef rusten op de tuinstoelen. Ze zette ze alle vier op elkaar, tilde de stapel op en hield die als een schild voor haar borst.

'Hier moet ik het maar mee doen,' zei ze. 'Dek me.'

'Laat mij die deur rammen,' zei Rangler. 'Ik kan er meer gewicht in leggen dan u.'

'Dit is geen Kevlar, Rangler. Een kogel vliegt hier dwars doorheen.'

'We zitten in hetzelfde schuitje.' Rangler stak zijn handen uit. 'Ik ben zwaarder. Het gaat er gewoon om wie de beste kans heeft die deur open te krijgen.'

'Daar zit iets in.' Marge zette de stoelen neer. Ze zou zich zijn positieve opstelling later beslist herinneren. Hij tilde de stoelen op alsof het een stapeltje dekens was, deed twee stappen achteruit en ramde de deur.

Een keer.

Twee keer.

Bij de derde keer brak het kozijn en zwaaide de deur open. Ze hoorden het geluid van naderende sirenes op de achtergrond.

Marge tuurde naar binnen: daar was het donker en stil.

'Harriman?' Toen Marge geen antwoord kreeg, trok ze haar halfautomatische wapen. 'Rangler, schijn met de zaklantaarn naar binnen zodat ik iets kan zien. Breslau, dek me. We gaan naar binnen.'

Er was veel te weinig licht om te kunnen vuren. Marge drukte zich tegen de muur en schuifelde voorzichtig naar binnen, tastend naar de lichtschakelaar. Toen ze die vond, hield ze haar adem in en drukte erop.

Er gebeurde niets.

Ze deed het nog een keer en besefte toen waarom het licht niet aanging.

Harriman was blind.

Ze vroeg zich af of er dan nergens in het huis licht zou zijn. Ze dacht na. Brett had gezegd dat hij door zijn vriendin naar het huis van Rina was gebracht. Die vriendin kwam vast wel eens 's avonds op bezoek. Er moesten dus ergens lampen zijn die het deden. Ze zag dat ze in de bijkeuken stond, die uitkwam op de keuken.

De keuken!

Misschien was er een afzuigkap met verlichting. Ze zei: 'Schijn met jullie zaklantaarns in de keuken.'

De ruimte leek verlaten, maar er kon zich iemand schuilhouden. Langzaam liep ze naar het fornuis. Ze hief haar hand op naar de afzuigkap, voelde de schakelaar en drukte erop.

Voilà!

Met dit licht was het iets beter, maar nog lang niet voldoende. Ze zag een dubbele schakelaar op de tegeltjes boven het aanrecht. Een ervan bleek van de afvalvernietiger te zijn, maar toen ze op de tweede drukte, ging een rij lampen onder de bovenkastjes aan en konden ze zien dat er in de keuken niemand was.

Harriman had een open keuken, zodat ze de woonkamer en eethoek meteen konden overzien. Daar leek alles in orde. Geen omgevallen stoelen of andere tekenen van een gevecht. Toch zat er iets niet helemaal goed.

Te stil? De geur?

Op de achtergrond bleven de sirenes loeien.

Marge zei: 'Rangler, geef onze positie door aan de centrale en laat alle eenheden die hiernaartoe op weg zijn uiterste voorzichtigheid betrachten.'

Ze liet haar blik door de gedempt verlichte ruimte gaan, waar een gang op uitkwam die waarschijnlijk naar de slaapkamers liep.

'Dek me,' zei ze tegen de agenten.

Ze drukte zich weer tegen de muur en schuifelde door de gang tot ze bij een gesloten deur was. Ze klopte hard op de deur, riep dat het de politie was en dat de aanwezigen met opgeheven handen naar buiten moesten komen. Toen er niets gebeurde, gooide ze de deur open en richtte haar pistool naar binnen.

Het bleef doodstil.

Rangler scheen met zijn zaklantaarn in de kamer, die leeg leek te zijn.

'Politie!' riep Marge nogmaals. 'Je bent omsingeld. Kom tevoorschijn met je handen omhoog!'

Ze wachtten... een seconde... twee seconden... drie seconden. Toen gingen ze naar binnen.

De kleine kamer was ingericht om te sporten, met een trimfiets, een loopband en apparatuur om gewichten te heffen. De staande lamp bleek te werken en opeens baadde het vertrek in zacht licht. Marge wees naar een deur, die waarschijnlijk van een kast was. Ze drukte zich weer tegen de muur, draaide de deurknop om en trok de deur open.

Er gebeurde niets, en dat was precies waarop ze had gehoopt.

Terwijl Breslau de wacht hield bij de deur van de kamer en Rangler zijn zaklantaarn op de kast gericht hield, doorzocht Marge die snel, kleding en gewichten opzij duwend, om zich ervan te verzekeren dat er niemand in zat.

Ze schrok toen er op de voordeur werd gebonkt. Rangler liet de agenten binnen en deed zo veel mogelijk lampen aan, maar het bleef bij romantisch schemerlicht. Toen iedereen binnen was, telde Marge de agenten – met haarzelf erbij acht.

'Ik wil één man bij de voordeur, één bij de achterdeur, één bij de eerste slaapkamer, en jullie tweeën gaan kijken waar die deur van is, waarschijnlijk van een toilet.' En tegen Breslau en Rangler: 'Wij nemen de laatste kamer. Dat moet de slaapkamer van Harriman zijn.'

Marge voelde haar hartslag versnellen toen ze op de deur bonkte en

riep: 'Politie! Kom naar buiten met je handen omhoog!'
Iemand riep: 'Help!'
'Harriman?'
'Ja! Help me! Ik lig onder het bed.'
'Verroer je niet. Ben je alleen?'
'Dat weet ik niet.'
'Ben je gewond?'
'Nee.'
'Verroer je niet!' herhaalde Marge. 'We komen je halen.' Op luide toon zei ze: 'We hebben de bewoner gevonden. We gaan naar binnen. Ik heb nog een paar mensen nodig.'
De twee agenten die snel het toilet hadden bekeken kwamen te hulp. Marge zei: 'Dit kan een valstrik zijn. Laat iedereen een veilige positie innemen. Ik doe de deur open als iedereen gereed is.'
Toen alle agenten knikten, drukte ze zich weer tegen de muur, stak haar hand uit naar de deurknop en duwde de deur hard open.
Zaklantaarns schenen de donkere kamer in en zwiepten in het rond als vuurvliegjes in een maanloze nacht.
'We zijn binnen, Brett,' zei Marge. 'Blijf nog heel even liggen. We gaan de kamer doorzoeken. Zijn hier lampen die het doen?'
'De lamp op een van de nachtkastjes.'
Marge liep naar het nachtkastje en deed de lamp aan. Het was een ruime slaapkamer met een groot bed en twee nachtkastjes. Tegenover het bed stond een ladekast. Tegen een andere muur stond een grote klerenkast met schuifdeuren met spiegels, en ertegenover was een gesloten deur, vermoedelijk van de badkamer.
Marge duwde die deur ook open. Niemand te zien. Maar het douchegordijn was dicht.
'Politie!' riep Marge. Ze richtte haar pistool op het gordijn. 'Kom naar buiten met je handen omhoog!'
Het douchegordijn bewoog niet. Heel voorzichtig schoof ze het opzij, maar het bad was leeg.
'In orde!' Ze keerde terug naar de slaapkamer. 'De kast?'
'In orde,' zei Rangler.
'Harriman?'
'Ik ben er nog.'
'Je mag tevoorschijn komen.'

'Ik ben naakt.'

'Geef hem een badjas of zoiets.'

Harriman kroop onder het bed vandaan. Hij trilde over zijn hele lichaam toen ze hem een badjas gaven en hij haalde oppervlakkig adem, als een hijgende hond. 'Hebt u hem gevonden?'

'Nog niet.'

'Ik ben niet gek!' zei Harriman. 'Ik heb hem gehoord.'

'We zijn nog niet klaar, Brett. De flat is omsingeld. Zodra we jou hier weg hebben, zoeken we verder.' Marge legde zijn hand op haar arm. 'Kom, dan breng ik je naar buiten.'

Toen ze bij de voordeur waren, begon Harriman weer te trillen. 'Hij is hier!' fluisterde hij tegen Marge. 'Ik ruik hem!'

'Dan zullen we hem ook vinden.'

'Gaat u alstublieft niet weg tot u hem hebt gevonden. Ik weet heel zeker dat hij hier is!'

'Agent Fetterling zal je naar een politieauto brengen en blijft bij je tot we de indringer hebben gevonden.'

Hij greep haar arm. 'Dank u.'

'Geen dank. We doen gewoon ons werk.' Toen hij veilig en wel in een van de politieauto's zat, keek Marge om zich heen.

'We hebben alle kamers doorzocht. Alleen de kast in de hal nog niet.' Ze drukte zich nogmaals tegen de muur en bonkte op de deur. 'Politie! Kom naar buiten met je handen omhoog!'

Geen reactie. Hoe groot was de kans dat er iemand in zat?

De achterdeur had op slot gezeten. Nam Harriman een loopje met hen? Was het aandachttrekkerij? Maar hoe was de lamp boven de achterdeur dan op het gras terechtgekomen? Dat had Harriman vast niet zelf gedaan.

Ze dacht erover na terwijl ze tegen de muur gedrukt stond. Toen concentreerde ze zich weer op de kast. Met haar hand op de deurknop zei ze: 'Neem jullie posities in!'

Ze trok de deur open.

Er gebeurde niets.

'Blijf in positie!' riep Marge tegen de agenten. Ze stond nog steeds tegen de muur gedrukt en wist instinctief dat ze zich niet moest verroeren. Ze rook de geur van zweet... de geur van angstzweet.

Het was nu doodstil. Het geluid van haar ademhaling klonk luid in haar hoofd, alsof ze ernaar luisterde door een stethoscoop. Haar hart bonkte.

Inademen, uitademen.

Rustig aan, Marge.

'Blijf in positie!' herhaalde ze.

Ze spitste haar oren en toen hoorde ze het: een ademhaling die niet overeenkwam met de hare.

Er zat iemand in de kast.

'Politie!' riep ze. 'Je bent omsingeld! Kom naar buiten met je handen omhoog!'

Niemand bewoog zich.

'Ik tel tot drie en dan gaan we schieten.'

'Nee! Niet schieten!' zei een man op smekende toon.

'Kom dan uit die kast!' beval Marge.

Er rees iets op in de hoek van de kast. Marge zag de glans van metaal. 'Gooi dat wapen neer! Gooi het neer! Gooi het neer!' Toen ze het met een klap hoorde vallen, zei ze: 'Handen omhoog!'

Toen de man tevoorschijn kwam, als een monster uit een grot, riep Marge dat hij op de grond moest gaan liggen. Zodra hij dat had gedaan, grepen vier agenten hem vast, terwijl een andere de kast doorzocht. Het wapen was een .32 Smith and Wesson, een van het type dat gebruikt was bij de moord op de Kaffeys.

Hoe groot was de kans dat het hetzelfde wapen was? Dat hing af van wie hier op de grond lag. Ze scheen met een zaklantaarn op zijn gezicht om te zien of hij haar bekend voorkwam, terwijl Rangler zijn achterzakken doorzocht. Hij haalde er een portefeuille uit, en daaruit kwam een rijbewijs dat hij aan Marge liet zien.

Ze grinnikte. 'Kijk eens aan. Welkom terug in de USA, Joe.'

38

Er waren twee redenen waarom Decker liep te ijsberen. Het hield hem warm en het hielp tegen de nervositeit. Het was drie uur 's nachts en het ziekenhuis verhief zich boven hem als een elektrisch spook terwijl hij de telefoon tegen zijn oor drukte. Hij beefde, maar dat was van opwinding. 'Dus jullie hebben zowel Cruces als Pine in hechtenis?'

'Twee vliegen op één dag, al was het wel een lange dag. Ik werk nu al twintig uur aan één stuk door.'

'Wie zijn er allemaal op het bureau?'

'Oliver, Messing en Pratt. Wie moet wie ondervragen?'

Decker dacht na. 'Het mooiste zou zijn als Pine en Cruces geen van beiden een deal zouden krijgen, maar we moeten ze waarschijnlijk tegen elkaar uitspelen. Voor Pine hebben we niet alleen vingerafdrukken, maar ook de ooggetuigenverklaring van Rondo Martin. Hij begon zelf over Pine, zonder dat ik iets had gevraagd. Hij herinnerde zich Cruces pas nadat ik zijn naam had genoemd. Zijn herinneringen aangaande Cruces zijn minder scherp. Het is dus logischer om te proberen Pine door Cruces te laten verraden. Als het niet lukt, laat het dan overnemen door iemand anders, die de zaak met een frisse blik bekijkt.'

'Dat klinkt goed. Hoe staan de zaken daarginds, rabbi?'

'Over een half uur worden we afgelost door agenten uit Herrod. Dat is een stad hier verderop. Sheriff T komt morgenochtend. Martin is in goede handen.'

'Het is voor Martin vast een hele opluchting dat we Pine hebben opgepakt.'

'Tot op zekere hoogte. Hij zal pas helemaal gerust zijn als we erachter zijn wie El Patrón is. Is iemand Truillo nog gaan ondervragen?'

'Tegen de tijd dat Bontemps en Lee er waren, was het café al dicht. Morgenochtend stuur ik er weer iemand naartoe, tenzij het niet meer nodig zal blijken te zijn nadat we Cruces en Pine ondervraagd hebben.'

'Je moet zoiets altijd dubbel checken. Willy en ik nemen morgenochtend de eerste vlucht naar Los Angeles.' Decker keek op zijn horloge. Die vlucht was om half zeven, over vier uur. 'We zijn rond acht uur op het bureau.'

'Ga een poosje slapen, Pete.'

'Daar heb ik nu geen geduld voor. Hebben jullie nog iets gehoord van Gil Kaffey of Antoine Resseur?'

'Nee.'

'Niemand weet waar ze zijn?'

'Nee, maar ik neem aan dat ze nu slapen, zoals de meeste mensen,' zei Marge. 'Tenzij ze dood zijn.'

Marge vergeleek allereerst de vingerafdrukken van Joe Pine met die van José Pinon die op het kaartje stonden dat ze van de school hadden gekregen. Toen vaststond dat Joe en José één en dezelfde persoon waren, bereidden Marge en Oliver zich voor op een lange nacht. Op het scherm van de videocamera zagen ze Pine gebaren maken die net zo veel zeiden als woorden. Eerst liep hij een poosje te ijsberen, toen zeeg hij neer op een stoel en liet hij zijn hoofd tussen zijn handen zakken. Soms legde hij zijn hoofd op zijn armen op de tafel en dan begon hij weer te ijsberen. Eén keer haalde hij snel de rug van zijn hand langs zijn ogen om tranen weg te vegen, al huilde hij om niemand anders dan zichzelf.

Hij droeg een lichtgewicht nylon jack op een zwarte spijkerbroek en een zwart T-shirt. Hij was nogal klein van stuk, amper één meter zeventig, en had pezige armen. Zijn donkere haar was gemillimeterd en zijn ronde, bruine ogen gaven hem een jongensachtige uitdrukking, die echter teniet werd gedaan door zijn sterke, mannelijke kin, waar een kuiltje in zat.

Toen Marge en Oliver de kamer betraden, zat hij op een stoel naar de vloer te staren. Hij keek op en sloeg zijn ogen toen weer neer. De kamer mat twee bij drie meter. Een stalen tafel met drie stoelen stond tegen de muur. Pine zat op de stoel aan de rechterkant, het verst van de deur. Marge koos de stoel in het midden en Oliver nam tegenover Pine plaats.

'Rechercheur Scott Oliver.' Hij zette een bekertje water voor Pine neer. 'Hoe gaat het?'

Pine haalde zijn schouders op. 'Gaat wel.'

Marge stelde zich ook voor en legde haar klembord op haar schoot. 'We begrijpen niet goed wat je daar aan het doen was, Joe.'

'Hoe bedoelt u?'

'Ik bedoel dat we niet begrijpen waarom je, gewapend met een pistool, in die kast zat.' Marge probeerde oogcontact te maken, maar hij hield zijn blik afgewend. 'Kun je dat uitleggen?'

'Het had niks te betekenen.'

'Het had niks te betekenen?'

'Nee.'

Oliver zei: 'Dat is de bewoner van die flat niet met je eens.'

'Vertel ons waarom je daar zat.'

'In die kast?'

'In die kast in die flat die niet van jou is.'

'Ik hoorde u op de deur kloppen en wist dat u het verkeerd zou opvatten, dus heb ik me verstopt.'

'Aha,' zei Marge. Ze maakte een aantekening en keek toen weer naar hem op. 'In welk opzicht zouden we dat verkeerd opvatten? Hoe hadden we het volgens jou moeten opvatten?'

'Het is niet wat u denkt. Het was een spel.'

'Een spel?' herhaalde Oliver.

'Leg dat eens uit,' zei Marge.

'Nou gewoon...' Pine leunde met zijn hoofd tegen de muur, maar verder kon hij niet bij hen vandaan komen. Zweet brak uit op zijn voorhoofd. 'Om bij bepaalde mensen in een goed blaadje te komen, moet je het spel meespelen.'

'Welke mensen?' vroeg Oliver.

'Mijn maten.'

'Welke maten?'

'Van de Bodega 12th Street-bende.' Pine haalde zijn schouders op. 'Het is één groot spel.'

'Ik dacht dat je al lid was van de Bodega 12th Street-bende,' zei Marge.

'Maar ik wil hogerop.'

'Hoe werkt dat dan? Hoe kom je hogerop?'

Pine snoof. 'Nou zeg, u bent toch niet nieuw bij de politie? Dan weet u toch wel hoe zoiets werkt?'

'Leg het evengoed maar uit.'

'Je moet jezelf bewijzen. Als je dat niet doet, neemt een ander je plaats in. Daar ging het om.'

'Je pleegde inbraak om een hogere positie binnen de bende te krijgen?'

'Ja.'

'En wat moest je precies doen?' vroeg Oliver.

'Gewoon iets stelen... als bewijs dat ik het had gedaan.'

'Waarom was je dan gewapend?'

'O, dat was alleen maar voor de zekerheid.'

'Voor de zekerheid?'

'Ja, voor als de zaak uit de hand mocht lopen.'

'In welk opzicht?'

'Nou, bijvoorbeeld als die man gewapend was.' Hij grijnsde en nam een slokje water. 'Je moet jezelf wel kunnen verdedigen natuurlijk.'

'Dus je wist wie er in de flat woonde waarin je hebt ingebroken,' zei Marge.

'Nee...' Pine schudde zijn hoofd. 'Dat wist ik niet.'

'Je zei "die man".'

'Dat zei ik in het algemeen. Ik zou trouwens alleen geschoten hebben uit zelfverdediging.'

'Je bent in de war, Joe,' zei Marge. 'Als jij bij iemand inbreekt en die persoon op jou schiet, dan doet híj dat uit zelfverdediging. Als jij op hém schiet, pleeg je een gewapende overval en dat is een misdrijf.'

'Ik was helemaal niet van plan om op iemand te schieten,' zei Pine. 'Ik had dat pistool alleen ter zelfverdediging.'

'Dat is evengoed een overtreding,' zei Oliver. Hij en Pine gingen nog een poosje door over het pistool tot Marge er een einde aan maakte. 'Waarom had je juist die woning gekozen?'

'Wat?' vroeg Pine.

'Waarom had je juist die woning gekozen?'

'Weet ik niet.' Pine keek naar de vloer. 'Omdat hij op de begane grond was. Dat werkt makkelijk.'

'Dus om te bewijzen dat je promotie verdient binnen de bende heb je een makkelijke woning gekozen?'

Pine keek haar boos aan. 'Het is nooit makkelijk... Er kan altijd van alles misgaan.'

'En er is ook iets misgegaan. Jij bent op heterdaad betrapt en omdat je gewapend was, krijg je nu een fikse gevangenisstraf.'

'Er is anders niemand gewond geraakt.'

'Je zult ook nooit meer een baan kunnen krijgen als bewaker,' zei Oliver.

'Dat zal me een zorg zijn.' Pine leunde achterover en sloeg zijn armen over elkaar. 'Het was toch een kutbaan.'

'Waarom? Waren de Kaffeys geen goede werkgevers?'

'De Kaffeys waren oké. Maar die zak van een Brady niet. Als ik ook maar een minuut te laat op mijn werk kwam, gaf hij me al op mijn sodemieter. Lul.'

Het viel Marge op dat hij niets over de moorden zei. Hij sprak alsof hij gewoon was ontslagen. 'Wat had je verder tegen Neptune Brady?'

Haar vraag ontketende een woedeaanval. Een half uur luisterden ze naar een stroom klachten over 'die hufterige nepneger met zijn vuile streken'. Marge droeg Neptune geen warm hart toe, maar Brady leek Pine passend gestraft te hebben voor zijn overtredingen.

- Neptune hield salaris in als Pine te laat op zijn werk kwam
- hij hield salaris in als zijn uniform niet schoon en gesteven was
- hij hield salaris in als hij hem onwelvoeglijke taal hoorde gebruiken
- hij hield salaris in als hij een dag niet op zijn werk kwam zonder dat hij dat vierentwintig uur van tevoren had aangekondigd

'Waarom bleef je er dan werken?' vroeg Oliver.

Daar had hij niet van terug. 'Weet ik niet. Om het geld. Al was het nooit genoeg.'

'Mocht je de Kaffeys graag?' vroeg Oliver.

'Weet ik niet.'

'Het is geen strikvraag,' zei Marge. 'Mocht je de Kaffeys of mocht je ze niet?'

'Ik kende ze amper.'

'Maar je bewaakte hen,' zei Marge.

'Ja, maar dat wil niet zeggen dat we maatjes waren. Het was alleen maar ja mevrouw, nee mevrouw. Kaffey zei nooit iets tegen me. Ik had net zo goed een tafel of een stoel kunnen zijn. Maar hij heeft me wel een keer uitgekafferd omdat ik met zijn vrouw stond te praten.'

'Waarover stonden jullie te praten?' vroeg Marge.

'Dat ik haar nieuwe auto mooi vond of zoiets. Hij legde zijn hand op mijn schouder en zei: "Je mag met mevrouw niet over persoonlijke dingen praten." Daarna zei ik weer alleen maar "goedemorgen, mevrouw" en verder niks.'

'Zo te horen mocht je hen niet erg.'

Pine schokschouderde. 'Als ik voor hen een stoel was, waren zij dat voor mij ook.'

Dan is het ook een stuk makkelijker om ze dood te schieten, dacht Marge. 'Ik heb gehoord dat Guy Kaffey degene is die je de baan van bewaker heeft aangeboden.'

'Daar weet ik niks van.' Pine fronste. 'Waarom stelt u zo veel vragen over Kaffey?'

'Dat lijkt me nogal duidelijk, Joe,' zei Oliver.

'Wat? Nee, nee, daar had ik niks mee te maken!' Pine sloeg zijn armen weer over elkaar. 'Ik was niet eens in het land.'

'Ja, dat weten we,' zei Marge. 'We hebben lang naar je gezocht.'

Pine drukte zijn armen strakker tegen zijn borst. 'Nou, nu ben ik dus weer terug.'

'Was je in het buitenland toen het gebeurde?' vroeg Oliver.

'Ja. In Mexico,' antwoordde Pine.

'Waarom?'

'Ik heb daar familie. Jullie mogen me aanklagen wegens inbraak, maar met de Kaffeys heb ik niks te maken.'

'Joe, wij zijn van Moordzaken, niet van Inbraak.' Marge wachtte tot dat goed tot hem was doorgedrongen. 'De afgelopen weken hebben we alle bewakers ondervraagd die voor Guy en Gilliam Kaffey werkten. We hebben overal naar je gezocht en nu hebben we je gevonden in de kast van een man die nota bene door de politie werd bewaakt. We zijn erg nieuwsgierig hoe dat zit.'

'Ja,' zei Oliver, 'waarom heb je juist ingebroken in een woning waar een politieauto pal voor de deur stond?'

'De auto stond aan de voorkant,' zei Pine onverschillig. 'Ik was aan de achterkant.'

'Maar vond je het niet riskant dat er politiemannen voor de deur zaten?'

'Dat zou juist indruk maken op mijn maten.'

'Weet je waarom de agenten daar zaten?'

'Geen idee,' zei Pine. 'Ik heb een tijd in het buitenland gezeten.'

'Wat dacht je toen je van de moorden hoorde?' vroeg Oliver.

Pine haalde zijn schouders op. 'Pech gehad.'

'Wanneer ben je naar Mexico gegaan?' vroeg Marge.

'Ik weet niet precies op welke datum, maar het was vóór de moorden.' Weer sloeg hij zijn armen over elkaar.

'Hoe ben je erachter gekomen?'

'Mijn neef belde me op. Ik dacht: Jezus, wat een puinzooi, en ik was blij dat ik geen dienst had toen het gebeurde. Hij zei dat ze allemaal dood waren.'

Hij keek hen afwachtend aan. Marge en Oliver zeiden geen woord. Pine's been begon te trillen. 'Toen dacht ik: Verrek, nou heb ik geen werk meer. Dus ben ik nog een poosje in Mexico gebleven.'

'Hoe heet je neef?' vroeg Marge.

Pine keek haar vragend aan. 'Mijn neef?'

'Die je heeft opgebeld om je over de moorden te vertellen.'

'Waarom wilt u dat weten?'

'Voor je alibi,' zei Marge.

'O... Nou, hij is niet precies mijn neef, maar we zijn *brothers*, weet u wel?'

'Hoe heet hij?' vroeg Oliver.

'Martin Cruces. Hij werkte ook voor de Kaffeys.'

Marge dwong zichzelf neutraal te blijven kijken. 'Ja, dat weten we. Hij staat op onze lijst.'

'Hij had me aan die baan geholpen.'

'O ja?'

'Ja.'

'En hij heeft je opgebeld om je over de moorden te vertellen?' vroeg Oliver.

'Ja. Ik begreep dat het nogal een bloedbad was.'

Marge zei: 'Martin zit flink in de problemen, Joe. Heeft hij je dat ook verteld?'

Pine's gezicht verstrakte even. 'Hij zit helemaal niet in de problemen. Ik heb hem daarstraks nog gesproken en hij heeft niks over problemen gezegd.'

'Jij hebt hem daarstraks gesproken, maar wij hebben hem daarnet gearresteerd,' zei Marge.

'Hij zit in de kamer hiernaast te praten met twee andere rechercheurs van Moordzaken.'

'Als je ons dus iets wilt vertellen, moet je het nu doen.'

'Ik zou niet weten wat ik u zou moeten vertellen.' Pine keek van de een naar de ander.

'Gek is dat,' zei Oliver. 'Want Martins mond staat juist niet stil.'

'We hebben jouw vingerafdrukken gevonden op de Coyote Ranch, Joe,' zei Marge.

'Ja, logisch. Ik werkte daar.'

'Vingerafdrukken met bloed eraan,' verhelderde Marge. 'Vingerafdrukken met bloed zijn vingerafdrukken van iemand die erbij was toen de moorden werden gepleegd.'

'Je staat er slecht voor, Joe,' zei Oliver. 'Martin zit hiernaast te kwebbelen. Dit is je enige kans om aan ons uit te leggen wat er is gebeurd.'

'Laat Martin niet voor jullie allebei praten,' zei Marge.

'We willen het ook van jou horen.'

Pine hapte niet.

'Misschien had het helemaal niet zo moeten gaan?' zei Marge. 'Misschien had je alleen maar een vuurwapen bij je om jezelf te verdedigen?'

'Of misschien wilde je ze alleen maar een beetje bang maken?' zei Oliver. 'Als het een ongeluk was, kunnen we wel iets voor je doen.'

'Ik was er niet bij,' zei Pine volhardend.

'We hebben je vingerafdrukken, Joe,' zei Marge. 'Vingerafdrukken liegen niet.'

'Nee, maar smerissen wel,' beet Pine haar toe. 'En jullie willen dat ik ook ga liegen.'

'Welnee. Dat willen we helemaal niet. We willen de waarheid, Joe. Meer niet.'

'Jullie zouden de waarheid nog niet eens herkennen als er een etiketje op zat,' zei Pine. 'Ik wed dat jullie Martin ook helemaal niet hebben opgepakt.'

'O nee?' Marge stond op. 'Wacht even, dan gaan we vragen of we je naar de videokamer mogen brengen.' Zij en Oliver verlieten de kamer en kwamen een paar minuten later terug met zes polaroidfoto's van Martin Cruces die door Messing en Pratt werd ondervraagd. Ze legde ze op de tafel. 'Kijk naar de datum op de foto's.'

Pine wierp er een vluchtige blik op en probeerde onverschillig te doen. 'Dat kun je fotoshoppen. Het is een truc om me te laten liegen.'

'Nee, Joe, dat is nou juist het punt,' zei Oliver. 'We zijn niet uit op leugens. We zijn uit op de waarheid.'

'Martin is bezig ons de waarheid te vertellen,' zei Marge. 'We zijn benieuwd of zijn waarheid overeenkomst met die van jou.'

'Ik was er niet bij.'

'Je was er wel bij. We hebben getuigen die zeggen dat je erbij was. De man bij wie je hebt ingebroken. Hij heeft mensen erover horen praten,' zei Marge. 'Hij heeft mensen over jóú horen praten. Die mensen zeiden dat Martin kwaad op je was omdat je Gil Kaffey niet had afgemaakt.'

'Ik was er niet bij!'

'We hebben je vingerafdrukken gevonden, met bloed eraan.'

'Dat liegt u. Ik was er niet bij.'

'Nee, jij liegt. Je was er wél bij,' zei Marge. 'Je kunt blijven liegen of je kunt jezelf een plezier doen en nu de waarheid vertellen.'

Het begon tot Pine door te dringen hoe hij eraan toe was en hij begon te transpireren. Toch duurde het nog een paar uur voordat Marge en Oliver zagen dat zijn geestelijke breekpunt naderde. Ze verlieten de kamer en lieten hem in zijn eentje achter om na te denken over wat hij het beste kon doen.

Een paar minuten bekeken ze hem via het videoscherm. Marge wierp een blik op de klok. 'Over twee uur komt Decker. Het zou prettig zijn als we dit varkentje tegen die tijd hadden gewassen.'

'Hij wankelt al,' zei Oliver. 'Dit lijkt me het juiste tijdstip om Rondo Martin op te voeren.'

Marge dronk een glas water en keek naar Messing en Pratt die op Cruces aan het inwerken waren. Ze draaide het volume hoger en hoorde hoe Wynona probeerde Cruces over te halen over de moorden te praten.

'Maar we hebben op de plaats delict je vingerafdrukken gevonden, Martin. We hebben getuigen die hebben gehoord dat je erover praatte. En we hebben Joe Pine in de kamer hiernaast. Hij is vanavond grandioos de mist ingegaan. Hij is op heterdaad betrapt en heeft ons het hele verhaal al verteld. Nu willen we het ook van jou horen.'

Marge draaide het volume weer terug. 'Laten we gaan.'

Ze keerden terug naar de verhoorkamer. Marge zei: 'Ik ben even bij Martin Cruces gaan kijken, Joe. Geloof me, als je ons nu niet jouw versie van het gebeurde vertelt, is het te laat.'

'Ik was er niet bij...' Hij zuchtte en leunde achterover. 'Ik heb slaap. Misschien kunnen we praten als ik heb geslapen.'

'We hebben jouw vingerafdrukken met het bloed van de Kaffeys eraan, Joe,' zei Oliver. 'We hebben een ooggetuige die ons alles heeft verteld. Nu willen we het van jou horen.'

Pine's ogen flitsten heen en weer. 'Welke ooggetuige?'

'Joe...' Marge leunde naar voren en sprak op een zachte toon. 'Denk je dat we je onder druk zouden zetten als we je vingerafdrukken niet hadden? Denk je dat we je onder druk zouden zetten als we geen ooggetuige hadden die zegt dat je hem in de ogen keek en de trekker overhaalde? Denk je dat we je zouden arresteren op verdenking van moord als we dat niet hard konden maken?'

'U liegt.'

Marge leunde nog iets meer naar hem toe. 'We liegen niet, Joe. Martin Cruces zit te babbelen. Het zou niet eerlijk zijn als jij overal de schuld van kreeg terwijl je alleen maar een radertje in het geheel was. Je moet nu echt over de brug komen. Je moet voor jezelf opkomen. Want je kunt vingerafdrukken en een ooggetuigenverklaring echt niet wegredeneren.'

'Jullie hebben geen ooggetuige,' zei Pine nogmaals. 'Die lul heeft misschien iets gehoord, maar had me nooit eerder gezien!'

'Welke lul bedoel je?' vroeg Marge.

'Die vent in de rechtbank.'

'De vent in de rechtbank. De vent bij wie je vanavond hebt ingebroken?'

Pine zei niets.

'Joe, we weten dat je die woning niet bij toeval hebt gekozen. Wie heeft je gestuurd?'

'Oké...' Pine haalde diep adem. 'Oké, dat zal ik u vertellen. Martin had me gestuurd. Ik moest die vent bang maken. Dat is het enige wat ik bereid ben te bekennen, oké?'

'Waarom moest jij van Martin Cruces de man van de rechtbank bang maken?' vroeg Marge.

'Omdat die zijn neef over de misdaad had horen praten.' En hij mompelde binnensmonds: 'Die stomme klootzak!'

'Ga door,' zei Oliver.

'Kan ik misschien iets te eten krijgen?'

Marge stond op en kwam terug met wat repen.

Pine scheurde de wikkel van een Snickers en hapte de helft eraf. 'Cruces zei dat die vent van de rechtbank had gehoord dat die achterlijke neef van hem het over de moorden had. Hij zei dat ik bij hem moest inbreken om hem bang te maken.'

'Waarom moest jij dat doen?' vroeg Oliver. 'Waarom niet die neef?'

'Omdat die achterlijk is en niks kan. En de politie heeft hem opgepakt voordat hij het kon doen.'

'Hoe heet die neef?' vroeg Oliver.

'Alejandro Brand.'

Hebbes! dacht Marge triomfantelijk. 'De man van de rechtbank heeft Brand dus over de moorden horen praten?'

'Ja.'

'Wat heeft hij Brand horen zeggen?'

'Weet ik veel. Ik weet alleen dat Cruces er nerveus van werd. Daarom zei hij dat ik hem moest... dat ik hem bang moest maken.'

Marge ging in de aanval. 'Martin Cruces heeft niet tegen je gelogen, Joe.'

Oliver zei: 'De man van de rechtbank heeft Brand inderdaad over de moord op de Kaffeys horen praten.'

Marge zei: 'De man van de rechtbank heeft Brand horen praten over Martin Cruces... en over jou.'

'Dat je het verknald had omdat je Gil Kaffey niet had afgemaakt,' zei Oliver.

Pine stak de rest van de reep in zijn mond. 'Dat liegt hij. Ik was er niet bij. Die vent van de rechtbank liegt.'

Marge zei: 'Omdat Brand zijn mond voorbij had gepraat, had Martin Cruces tegen Brand gezegd dat hij de man van de rechtbank moest vermoorden?'

'Hè, hè, eindelijk zegt u iets wat waar is. Cruces had dat tegen Brand gezegd, niet tegen mij. Hij had Brand die opdracht gegeven. Maar die lul werd ergens voor opgepakt. Toen heeft Cruces tegen een andere neef van hem, Esteban Cruz, gezegd dat hij de vent van de rechtbank moest vermoorden.'

Marge zei: 'En toen Cruz het ook verknalde, zei hij tegen jou dat je terug moest komen uit Mexico om het te doen, of dat hij je zou verraden. En dat doet hij nu, Joe. Martin zit je te verraden. Cruces had jou opdracht gegeven naar de woning van de man van de rechtbank te gaan om hem te vermoorden.'

'Waarom zou jij daarvoor opdraaien als Cruces er de opdracht voor had gegeven?' vroeg Oliver.

'Het klopt dat Cruces de opdracht had gegeven.' Pine veegde het zweet uit zijn ogen. 'Maar ik hoefde die man alleen maar bang te maken.'

Mooi zo. Nu hadden ze het bewijs van een samenzwering: Cruces en Pine in een complot tegen Brett Harriman. Marge zei: 'We hebben de getuigenis van de man van de rechtbank, we hebben jouw bloederige vingerafdrukken... Je kunt ons dus net zo goed gewoon vertellen hoe het precies is gegaan.'

Oliver zei tegen Marge: 'Je vergeet iets.'

'Wat dan?'

'Onze ooggetuige.' Oliver leunde achterover op zijn stoel. 'Joe, je zei daarstraks dat alle bewakers vermoord waren. Maar dat is niet zo. Eentje heeft het overleefd.'

Pine zei niets.

'Rondo Martin,' zei Marge. 'En hij heeft ons verteld hoe het is gegaan.'

Oliver ging door: 'We hebben Martin Cruces die ons zijn versie van het verhaal heeft verteld, we hebben Rondo Martin die ons zijn versie heeft verteld, en we hebben de man van de rechtbank die ons zíjn versie heeft verteld.'

Marge leunde weer naar voren. 'Nu moet jij ons jouw versie vertellen.'

Oliver zei: 'Het is niet moeilijk, Joe. Je hoeft alleen maar te vertellen hoe het precies is gegaan.'

Een paar seconden verstreken. Toen begon Pine te praten.

Hij praatte en praatte en praatte en praatte.

Marge hield haar gezicht in de plooi, maar vanbinnen jubelde ze.

Ze hadden gewonnen.

39

De onofficiële transcripten besloegen tientallen pagina's. Marge gaf de stapel aan Decker en zei: 'Dit is de tekst van de bandjes die door de spraakherkenningssoftware is uitgewerkt. Lee heeft er via een programmaatje voor gezorgd dat de naam van degene die sprak steeds voor de tekst kwam te staan. Er zitten veel fouten in, maar je kunt in elk geval lezen hoe het is gegaan.'

Decker bladerde er wat in. 'Hoe staat het met Martin Cruces?'

'Messing en Pratt zijn nog met hem bezig.'

'Hoe lang duurt de ondervraging nu al?'

'Zeven uur. We hadden zo gedacht dat nu jij er bent, jouw rang misschien indruk zal maken.'

'Zeven uur? En hij heeft nog steeds niet om een advocaat gevraagd?'

'Nee. We duimen allemaal dat hij dat ook niet zal doen en laten hem in de waan dat hij erin zal slagen een aannemelijke verklaring te geven voor het forensische bewijsmateriaal. Maar de strop ligt al om zijn nek, want aan het einde van dit transcript staan de namen die Joe heeft genoemd.'

Oliver gaapte langdurig. 'Hij is erbij, hoe je het ook wendt of keert.'

'Hebben jullie helemaal niet geslapen?'

'Nee.'

'Willen jullie naar huis?'

'Ben je mal?' zei Oliver. Marge schudde haar hoofd.

Decker onderdrukte een geeuw. 'Ik ga dit even doorlezen om te zien wat er gezegd is en daarna neem ik Cruces onder handen.'

'Goed,' zei Oliver. 'Wil je koffie? Wij leven momenteel op cafeïne.'

'Graag.'

Even later liep Decker met een mok koffie naar zijn kantoor, deed de deur dicht en begon aan de stapel papier. De tekst zat vol tikfouten, maar daar las hij overheen. Tweederde van de tekst besloeg de pogingen die

Oliver en Marge hadden gedaan om een bekentenis van Pine los te krijgen, afwisselend gebruikmakend van medeleven en leugens.

Daarna begon het interessant te worden. De geprinte woorden waren verstoken van emoties, maar misschien was het juist goed dat Decker de tekst sec las.

Scott Oliver: Begin bij het begin, Joe. Hoe ben je bij de moorden betrokken geraakt?

Joe Pine: Het liep heel anders dan de bedoeling was.

Marge Dunn: Wat had er dan moeten gebeuren?

Joe Pine: Er had niemand vermoord moeten worden. We zouden ze alleen maar beroven.

Marge Dunn: Hoe ben jij erbij betrokken geraakt?

Joe Pine: Door Martin Cruces. Die had het gepland.

Marge Dunn: Wat had hij gepland?

Joe Pine: Om het geld te stelen. Dat had Martin al heel lang gepland.

Scott Oliver: Hoe lang had Martin Cruces de beroving gepland?

Joe Pine: Heel lang.

Scott Oliver: Weken? Maanden?

Joe Pine: Zeker een half jaar.

Marge Dunn: Dat is erg lang.

Als dezelfde persoon tweemaal achtereen werd genoemd, wilde dat zeker zeggen dat er een korte pauze was gevallen, dacht Decker.

Marge Dunn: Je had het over geld. Dat hij het geld wilde stelen. Welk geld? Contant geld? Sieraden? Waardevolle voorwerpen?

Joe Pine: Martin zei dat Kaffey een safe had met heel veel geld. Ik had nooit een safe gezien, maar Martin zei dat er een safe was, en waarom zou hij liegen?

Marge Dunn: Hebben jullie de safe gevonden?

Joe Pine: Nee. Het ging meteen al fout.

Marge Dunn: Hebben jullie wel iets gestolen?

Joe Pine: We hebben wat geld en ringen en nog wat dingen meegenomen, maar verder hadden we geen tijd. Cruces zei dat we Denny moesten begraven, dus hebben we alleen meegepakt wat er open en bloot lag en zijn we gauw weggegaan.

Scott Oliver: Als het een beroving moest zijn, waarom hebben jullie die mensen dan doodgeschoten? En waarom hebben jullie er de tijd voor genomen om Denny te begraven als er in het huis nog meer lijken lagen? Waarom zijn jullie er niet meteen vandoor gegaan?

Joe Pine: Dat Kaffey en zijn vrouw dood waren, was een groot probleem. Cruces zei dat de politie alle bewakers zou ondervragen. Hij zei dat als we Denny zouden begraven en als niemand hem kon vinden, ze zouden denken dat Denny het had gedaan en dat hij was gevlucht.

Scott Oliver: En Rondo Martin?

Joe Pine: Cruces zei dat we die aan hem konden overlaten.

Scott Oliver: Joe, alles wijst erop dat iemand van tevoren aan dat graf had gedacht. Dat de moorden waren gepland.

Joe Pine: Het had een beroving moeten zijn, maar alles ging mis.

Scott Oliver: Joe, jullie wisten precies waar jullie het lijk moesten dumpen. In het paardengraf.

Joe Pine: Cruces zei dat we het lijk moesten begraven. Ik begon te spitten, maar de grond was zo hard als steen. Toen dacht ik opeens aan de dode paarden. Het zou makkelijker zijn om een oud graf te openen dan een nieuw graf te graven.

Marge Dunn: Maar jullie hebben het lijk onder de paarden begraven. Dat kostte extra tijd. Hadden jullie dan zo veel tijd?

Joe Pine: Ik zal wel snel gewerkt hebben. Het staat me niet meer zo helder voor de geest.

Decker stopte en analyseerde de woorden. Hun manier van ondervragen was perfect. Dat de daders het paardengraf hadden gebruikt wees erop dat de moorden van tevoren waren gepland. Ze wilden alleen dat Pine dat zelf zou toegeven. Hij las verder.

Marge Dunn: Als ik van plan was om Denny en Rondo te vermoorden, zou ik alle andere aanwezigen ook vermoorden, zodat er geen getuigen zouden zijn. Dan zou ik dus ook Guy, Gilliam en Gil Kaffey hebben vermoord.

Joe Pine: Toen Rondo ervandoor ging, zei Cruces ook dat we dat moesten doen. Iedereen afmaken. Maar dat was dus niet gepland. We zouden ze alleen maar beroven. Daarom waren we gewapend. Om Kaffey angst aan te jagen en te laten zien dat we het meenden. Daarom moest de zoon erbij zijn. En de vrouw. Als we een pistool tegen hun hoofd zetten, zou hij wel meewerken. Het was niet de bedoeling dat we zouden gaan schieten. Daarom waren we met veel. Om te laten zien dat we het meenden en om ervoor te zorgen dat er niemand gewond zou raken.

Scott Oliver: Maar ze zijn evengoed vermoord, of jullie dat nou gepland hadden of niet.

Joe Pine: Als ik dat had geweten, zou ik er nooit aan hebben meegedaan. We zouden ze alleen maar beroven.

Decker trok een smalend gezicht.

Marge Dunn: Hoeveel mensen waren er bij het plan betrokken?

Joe Pine: Zes, geloof ik.

Joe Pine: Ja, zes.

Scott Oliver: Waarom zes?

Joe Pine: Een voor Denny, een voor Rondo, een voor de vrouw, een voor de zoon en twee voor Kaffey.

Marge Dunn: We hebben namen nodig.

Marge Dunn: Joe, als je wilt dat we je helpen, moet je meewerken. Dat is je enige kans. Je laatste kans.

Blijkbaar had Pine er moeite mee zijn maten te verklikken. Scott probeerde het met een andere tactiek.

Scott Oliver: Jullie waren dus met zes man: een voor Denny, een voor Rondo, een voor de vrouw, een voor de zoon en twee voor Kaffey.

Joe Pine: Ja.

Scott Oliver: Hoe zit het met het dienstmeisje?

Joe Pine: Ja, dat is dus een van de dingen die misgingen. Zij had er helemaal niet moeten zijn. Ze zou naar de kerk gaan. We wisten hoe we via de bediendevleugel in het huis konden komen. Zulke dingen wisten we. Van Martin, geloof ik. Ik weet het niet. We zouden via de slaapkamer van dat dienstmeisje naar binnen gaan. Maar we wisten niet dat er nog eentje was. Die begon te krijsen en toen ging het dus al mis.

Marge Dunn: Wat is er gebeurd?

Joe Pine: Gordo heeft geprobeerd haar bewusteloos te slaan, maar dat lukte niet. Ze bleef krijsen. Uiteindelijk heeft Martin haar doodgeschoten.

Marge Dunn: Joe, je moet ons de namen geven.

Marge Dunn: Joe, als je ons niet helpt, hoe kunnen we jou dan helpen?

Scott Oliver: Het is een kwestie van survival, man. Als jij hen niet verklikt, verklikken zij jou.

Scott Oliver: Je lijkt me een fatsoenlijke jongen. Ik weet dat het niet je bedoeling was iemand te vermoorden. Waarom zou jij alle schuld op je nemen als er nog veel meer mensen bij betrokken waren?

Marge Dunn: Begin maar met Gordo. Hoe heet die van zijn achternaam?

Joe Pine: Cruces.

Marge Dunn: Goed zo. Gordo Cruces. Is hij familie van Martin Cruces?'

Joe Pine: Ik geloof dat het zijn neef is. Martin heeft veel neven.

Scott Oliver: Nu hebben we dus Martin, Gordo en jijzelf. Geef ons nog een naam.

Joe Pine: Jullie weten al van Esteban Cruz. Die hebben jullie gearresteerd.

Dat was niet helemaal waar. De politie had hem alleen op straat aangehouden en wat vragen gesteld. Maar een kniesoor die daarop lette.

Joe Pine: Cruz had twee heel eenvoudige taken gekregen, maar ze geen van beide uitgevoerd. Dat komt ervan als je je familie erbij haalt. Toen belde Martin mij op en zei dat ik als de sodemieter terug moest komen uit Mexico, ook al had hij me daar zelf naartoe gestuurd.

Marge Dunn: Waarom had hij je daarnaartoe gestuurd?

Joe Pine: Hij had me niet precies daarnaartoe gestuurd. Ik was uit mezelf gegaan. Maar hij wist waar hij me kon vinden. Hij belde me op en zei dat als ik niet iets aan die idiote gringo deed, hij míj iets zou doen.

Joe Pine: Ik had beter weg kunnen blijven.

Marge Dunn: Welke gringo?

Joe Pine: U weet best wie ik bedoel. De man van de rechtbank. In de woning. Maar ik heb hem niks gedaan.

Marge Dunn: Oké, we hebben nu vier namen. Hoe heten de andere twee?

Joe Pine: Miguel Mendoza en Julio Davis van de Bodega 12th Streetbende.

Marge Dunn: Julio Davis wordt vermist. Is die soms samen met jou naar Mexico gevlucht?

Joe Pine: Wat krijg ik als ik u vertel waar hij is?

Marge Dunn: Dat weet ik niet. Dat zou ik met mijn baas moeten overleggen.

Joe Pine: Doe dat, dan praten we daarna verder.

Marge Dunn: En Alejandro Brand?

Joe Pine: Brand is een achterlijke junk. Ik zit hier vanwege hem en zijn grote bek. Toen Brand aan Cruces vertelde dat de gringo hem in de rechtbank had afgeluisterd, heeft Cruces tegen Esteban gezegd dat hij met de gringo en Brand moest afrekenen.

Marge Dunn: Hij gaf Esteban opdracht zijn neef te vermoorden.

Joe Pine: Bloed is niet zo erg veel dikker dan water.

Scott Oliver: En toen?

Joe Pine: Brand werd opgepakt voordat Esteban hem kon vermoorden. En voordat Esteban de gringo iets kon doen, werd die eikel aangehouden door de politie.

Scott Oliver: Over welke eikel heb je het nu?

Joe Pine: Esteban Cruz.

Scott Oliver: Wat is de familieband tussen Martin Cruces en Esteban Cruz en Alejandro Brand?

Joe Pine: Ik geloof dat het allemaal neven van elkaar zijn.

Marge Dunn: Wie heeft de mensen uitgekozen die de Kaffeys moesten vermoorden?

Joe Pine: Cruces. Maar we zouden ze alleen maar beroven, niet vermoorden.

Marge Dunn: Het plan voor de moorden was van Martin Cruces.

Joe Pine: We zouden ze alleen beroven.

Marge Dunn: Het plan om ze te beroven was dus van Martin. Hoeveel heb je ervoor gekregen?

Joe Pine: Niet genoeg.

Scott Oliver: Hoeveel?

Joe Pine: Tienduizend plus wat ik heb kunnen stelen en verkopen.

Marge Dunn: Heeft Martin Cruces je tienduizend dollar in contant geld betaald?

Joe Pine: Heel wat, hè?

Scott Oliver: Zeg dat wel. Hebben de anderen ook tienduizend gekregen?

Joe Pine: Dat weet ik niet. Daar heb ik niet naar gevraagd.

Scott Oliver: Wat denk je zelf?

Joe Pine: Waarschijnlijk niet zo veel, maar wel veel. Ik heb tegen Martin gezegd dat ik een hoop geld nodig had om dit te doen, omdat de politie alle bewakers die voor de Kaffeys werkten zou controleren. Als hij wilde dat ik hem zou helpen, moest hij dus flink dokken.

Scott Oliver: Hoe kwam Martin Cruces aan zo veel geld?

Joe Pine: Dat weet ik niet.

Scott Oliver: Aan zo'n antwoord hebben we niks, Joe. Hoe kwam Martin Cruces aan die tienduizend dollar?'

Joe Pine: Misschien had hij ze gewonnen met kaarten.

Scott Oliver: Ook als Cruces de anderen niet zo veel heeft betaald als jou, moet hij dat geld ergens vandaan hebben gehaald. Hoe komt een vijfentwintigjarige bewaker aan zo veel geld?

Joe Pine: Dat weet ik niet. Dat heb ik hem niet gevraagd.

Marge Dunn: Dat is niet erg logisch, Joe. Niemand zal geloven dat jij niet eens hebt gevraagd waar het geld vandaan kwam, toen Martin Cruces je tienduizend dollar gaf om iets illegaals te doen.

Joe Pine: Als iemand je een smak geld geeft om een overval te plegen, vraag je niet waar dat geld vandaan komt.

Scott Oliver: Ik geloof je niet, Joe.

Decker las door. Ze bleven aandringen, maar pas op de twee na laatste pagina wisten ze iets van Pine los te krijgen.

Joe Pine: Oké, als jullie willen dat ik zomaar iets verzin, dan wil ik dat best doen. Cruces zei dat hij een suikeroompje had die ervoor betaalde. Hij noemde hem El Patrón, maar heeft er niet bij gezegd hoe hij heet.

Joe Pine: Ik zweer dat hij niet heeft gezegd hoe hij heet.

Scott Oliver: Over welke patrón had Cruces het volgens jou?

Joe Pine: Dat weet ik niet.

Marge Dunn: Dat weet je wel, Joe. Zeg het nou maar gewoon.

Twee pagina's heen en weer gepraat.

Joe Pine: Ik zweer dat ik het niet weet. Iemand die een hoop geld had en Kaffey niet kon uitstaan. Cruces heeft me niet verteld wie het was.

Daar eindigde de transcriptie. Decker dronk zijn derde kop koffie leeg. Gewapend met deze informatie en een vierde kop koffie was hij gereed om de strijd aan te gaan.

'Hallo, Martin, hoe gaat het?' zei Decker.

Cruces tilde zijn hoofd op van de tafel. Ondanks zijn bloeddoorlopen ogen en vermoeide gezicht zag hij er heel redelijk uit. Hij had symmetrische gelaatstrekken, donkere ogen, donker haar, een donkere snor, prominente jukbeenderen en een vierkante kin. 'Wie bent u?' vroeg hij.

'Inspecteur Peter Decker. Wil je iets eten of drinken?'

Cruces sprak onduidelijk. 'Bent u, zeg maar, de grote baas?'

'Ik heb de leiding over de afdeling Recherche.'

'Zeg dan tegen uw mensen dat ze moeten ophouden met liegen.'

'Waar liegen ze volgens jou over?' Decker ging tegenover Cruces zitten, om hem voorlopig wat ruimte te geven. Later, afhankelijk van het verloop van het gesprek, zou hij naar de middelste stoel verhuizen om hem te intimideren en hem die ruimte af te nemen.

'Ze zeggen dat ik betrokken ben bij de moord op de Kaffeys, maar ik was toen helemaal niet op de ranch. Ik zat in een bar. Jullie hebben mijn alibi nagetrokken. Jullie weten dat ik in die bar zat. Waarom hebben jullie me dan opgepakt?'

'Omdat we een vingerafdruk van jou, met bloed eraan, hebben gevonden op de plaats waar de moorden zijn gepleegd.'

'Dat bestaat niet.'

'Forensisch bewijsmateriaal liegt nooit.'

'Maar u wel.'

'Ik lieg soms,' gaf Decker toe. 'Maar nu niet.'

'Ik geloof u evengoed niet.'

'Martin, het interesseert me niet of je me gelooft of niet. We hebben je vingerafdruk. Je bent erbij, beste jongen. Trouwens, behalve het forensische bewijsmateriaal hebben we ook een ooggetuige die heeft verklaard dat jij erbij was.' Decker leunde op de tafel. 'Rondo Martin. Ik heb hem de afgelopen vierentwintig uur ondervraagd. Hij zit ergens veilig en wel opgesloten op een plek waar jij niet bij hem kunt komen, en je neven ook niet, want die hebben we bijna allemaal opgepakt. Rondo zal met veel genoegen getuigenis tegen je afleggen.'

'U weet helemaal niet hoeveel neven ik heb,' zei Cruces. Hij keek naar boven en sloot toen zijn ogen.

'Martin...' Decker ging op de middelste stoel zitten. 'Al zou iemand erin slagen Rondo Martin te vermoorden, dan heb je daar nog niks aan. We hebben alles wat hij ons heeft verteld op de video opgenomen en kopieën van de films gemaakt. Doe jezelf een lol. Praat met ons.'

'Ik heb geen videofilm gezien.'

Dat kwam doordat die niet bestond. Aangezien Cruces inderdaad een massa neven leek te hebben, had het Decker een goed idee geleken om te zeggen dat hij alles op film had. Hij zou er trouwens eentje moeten maken, voor het geval dat er iets misging. 'Waarom zou ik jou die film laten zien?'

'Omdat ik die wil zien.'

'Als je meewerkt, krijg je hem misschien te zien. Ik zal je vertellen hoe de zaken ervoor staan, Martin. José Pinon heeft ons alles verteld over jou, Esteban, Miguel, Gordo en Julio Davis, de man die jou je alibi heeft gegeven. Joe heeft ons ook verteld waar Julio is. Verder hebben we vingerafdrukken met bloed eraan en een ooggetuige die jou op de plaats delict heeft gezien.'

'Ik was er niet bij.'

'Martin, het is afgelopen. Toen Joe Pine begreep dat hij de doodstraf zou kunnen krijgen, heeft hij ons alles verteld.'

'Moet ik me druk maken omdat José leugens vertelt om zijn eigen hachje te redden? Sodemieter op, man.'

'Niet alleen hij, Martin. De rest van je maten van Bodega 12th ook. We hebben ze allemaal in hechtenis... behalve Julio.' Decker mengde graag wat waarheid door de leugens. 'Maar die krijgen we ook nog wel. Dat is slechts een kwestie van tijd.'

Cruces lachte minachtend. 'Dat denk je maar. José liegt dat hij barst.'

'Wat hij zegt, klinkt anders heel logisch,' zei Decker. 'Ik weet best dat hij af en toe maar wat verzint, maar wat hij zegt, klinkt logisch en de forensische bevindingen komen overeen met zijn verhaal. Hij zegt dat het een plan van jou was, Martin. Dat jij alles hebt georganiseerd en dat je elk van je neven tienduizend dollar hebt betaald. Je bent erbij, Martin. Help jezelf door ons te helpen.'

Cruces zei niets.

'Hoe ben jij aan zo veel geld gekomen, Martin?'

'José liegt! Hoe vaak moet ik dat nou nog zeggen?'

'Waarom zou ik jou geloven? We hebben je bebloede vingerafdruk, de ooggetuigenverklaring van Rondo Martin, en Joe Pine die zit te kletsen als een papegaai.'

'Rondo liegt ook. Hij haat mij.'

'Maar de vingerafdrukken liegen niet.' Decker leunde naar voren. 'Martin, ik weet dat je dit niet hebt kunnen organiseren zonder hulp. We wisten van het begin af aan dat je werd gefinancierd door iemand die de Kaffeys dood wilde hebben. Iemand met veel geld. Doe jezelf een plezier, vertel ons wie voor de moorden heeft betaald.'

'Niemand heeft mij ergens voor betaald. Hoe vaak moet ik het nog zeggen? Ik was er niet bij. En dat blijf ik zeggen tot jullie me vrijlaten.'

'We laten je niet vrij, Martin. We hebben voldoende bewijzen om je te arresteren voor moord met voorbedachten rade op minstens drie personen. Daarop staat de doodstraf. En de moorden zijn op zo'n gruwelijke wijze gepleegd dat ik zeker weet dat de rechter niet zal aarzelen de elektrische stoel voor je te bestellen. Wil je zo aan je einde komen?'

'Ik was er niet bij!'

Decker ging nog een uur door, maar Martin hield voet bij stuk. Als ze dit al zeven uur hadden gedaan voordat Decker was aangekomen, was het niet erg waarschijnlijk dat ze hem zouden kunnen breken.

Geduld.

Opeens herinnerde Decker zich een lezing die hij tien jaar geleden had bijgewoond. De spreker had het gehad over een psychiater die een sublieme hypnotiseur was. Soms besloot deze psychiater inductie niet te forceren, maar de weerstand van de patiënt juist voor de inductie te gebruiken. Misschien kon het geen kwaad als Decker de leugens van Cruces zogenaamd accepteerde.

'Goed,' zei hij. 'Je was er niet bij.'

Cruces keek hem argwanend aan. 'Dat klopt.'

'Je was er niet bij. Rondo Martin vergist zich, Joe Pine vergist zich, de vingerafdruk klopt niet, jij was er niet bij.'

'Dat klopt.'

'Goed.' Decker knikte. 'Ik geloof je.'

Daarop volgde een lange stilte. Toen zei Cruces: 'Mooi.'

'Weet je waarom ik je geloof?'

'Nou?'

'Omdat we je al urenlang ondervragen en je steeds hetzelfde antwoordt. Dat je er niet bij was. Dat brengt mij op de vraag waarom je dat blijft zeggen terwijl we zo veel bewijsmateriaal hebben. En het enige antwoord dat ik daarop heb... is dat het waar moet zijn.'

'Dat is het ook.' Cruces ging rechtop zitten. 'Het is waar.'
'Je was er dus niet bij,' zei Decker. 'Maar je kent de mensen die er wel bij waren.'
'Ik weet niet wie erbij waren, omdat ik er zelf niet bij was.'
'Ik zeg alleen maar dat je Joe Pine kent.'
'Ah. Oké.'
'En je kent Esteban Cruz en Gordo Cruces. Dat zijn neven van je.'
'Ja.'
'En je kent Julio Davis. Hij is degene die jou je alibi heeft gegeven.'
'Ja, natuurlijk ken ik Julio. Die was er ook niet bij. We zaten samen in een bar. Massa's mensen hebben ons daar gezien.'
'En je kent Miguel Mendoza.'
'Die heb ik een paar keer ontmoet.'
'Dat zeg ik dus alleen maar. Dat je de mannen kent die volgens Joe Pine de moorden hebben gepleegd.'
'Joe lult uit zijn nek.'
'Dat zou kunnen. Maar even terug naar jou. Als ik je geloof en bereid ben je te helpen, moet jij mij ook helpen.'
'Dat hangt ervan af.'
'Oké. Mag ik even heel eerlijk zijn?' Toen Cruces geen bezwaar maakte, zei Decker: 'We zitten in een nogal lastig parket. We weten dat de mensen die de Kaffeys hebben vermoord, daarvoor geld hebben gekregen van iemand die erg rijk moet zijn. Joe Pine zei dat hij er tienduizend dollar voor heeft gekregen.'
'Joe lult maar wat.'
Decker leunde naar voren. 'We weten dat een insider de moord op de Kaffeys heeft georganiseerd, Martin. We weten dat de moord niet is gepland door een paar jongens van de Bodega 12th Street-bende en een paar bewakers. We weten dat er iemand achter zit die veel geld heeft. Begrijp je wat ik bedoel?'
Cruces zei niets, maar knikte flauwtjes.
'En die persoon… is de ware misdadiger. Waarom zouden je neven opdraaien voor wat die rijke stinkerd heeft gedaan?'
Cruces gaf geen antwoord.
'Jij had er niets mee te maken,' zei Decker. 'Jou kan niks gebeuren, dus kun je net zo goed je neven helpen. Vertel me van wie ze het geld hebben gekregen om de Kaffeys te vermoorden.'

'Dat weet ik niet,' zei Cruces. 'Ik was er niet bij.'

'Maar als je moest raden wie El Patrón was, wie zou het dan zijn? Je kent El Patrón toch?'

'Waar zou ik hem van moeten kennen?'

'Je bent een slimme jongen, Martin. Jij weet wie zulke mensen zijn.'

Cruces gaf geen antwoord.

'Wie is El Patrón?'

'Waar zou ik hem van moeten kennen?'

'Ik vraag alleen maar wie je denkt dat het is.'

'Oké…' Cruces leunde achterover op zijn stoel. 'Als ik u vertel wie ik denk dat het is, laat u me dan vrij?'

'Daar kan ik niet over beslissen, maar ik zal tegen iedereen zeggen dat ik je geloof. En ik zal ook zeggen dat je me hebt geholpen door me je mening te geven.'

'Dat wil zeggen dat u geen ene moer voor me zult doen.'

'Je kunt me je mening toch wel geven? Wat maakt dat nou uit? Dat wil niet zeggen dat je een of andere bekentenis doet.'

'Dat klopt. Ik doe geen enkele bekentenis.'

Decker slaakte een diepe zucht. 'Ik weet dat je me kunt helpen. Je bent een slimme jongen.'

'Waarom zou ik u helpen?'

'Omdat ik degene ben die je gelooft.'

'Bent u echt een inspecteur?'

'Ja. Ik wil alleen maar je mening. Niets wat ze bij een rechtszaak kunnen gebruiken. Alleen maar je mening.'

Cruces knipperde een paar keer met zijn ogen en zakte nog verder onderuit op zijn stoel. 'Goed dan… naar mijn mening, zou ik als ik u was… onderzoeken… of het de broer niet is.'

'Grant Kaffey of Gil Kaffey?'

'Niet die broers, man. De *hermano*. Mace Kaffey. Die had een pesthekel aan Guy.'

'Oké. Bedankt.' Decker verliet de kamer breed glimlachend.

Soms hoefde je er alleen maar naar te vragen.

40

Drie weken later stemde Martin Cruces erin toe getuigenis af te leggen tegen Mace Kaffey, in ruil voor levenslang met de mogelijkheid om parool aan te vragen, maar zelfs nadat Decker het hele verhaal had gehoord, was het nog niet zo eenvoudig om Mace voor de rechter te krijgen. De officier van justitie wilde steeds meer en pas na maanden minutieus onderzoek slaagde de politie erin een karige hoeveelheid bruikbaar bewijsmateriaal bij elkaar te schrapen, nadat de rechter, op grond van de getuigenis van Cruces, bevelschriften had uitgevaardigd die de politie toestemming gaven de bankrekeningen, creditcardafschriften, e-mailcorrespondentie en belgegevens van Mace te bekijken.

Oliver en Marge slaagden erin te bewijzen dat Cruces en Mace elkaar op twee verschillende locaties hadden ontmoet. De partijen ruzieden luidruchtig over wat er was besproken.

Lee Wang ontdekte dat er van Mace' bankrekening honderdvijftigduizend dollar was afgeschreven in tien bedragen die via diverse dekmantelfirma's uiteindelijk in handen van Martin Cruces waren beland. Nergens werd gespecificeerd waar het geld voor was en weer kwamen de partijen met heel verschillende interpretaties. Cruces zei dat er tienduizend dollar naar ieder van de daders van het misdrijf was gegaan en dat hijzelf honderdduizend had ontvangen. De advocaten van Mace zeiden dat het geld was bedoeld voor extra veiligheidsmaatregelen omdat Guy anonieme dreigementen had ontvangen. De vraag waarom het geld van Mace naar Cruces was gesluisd, leverde nieuwe speculaties op onder de advocaten van de verdediging.

Messing en Pratt ontdekten dat Cruces zesmaal naar Kaffey had gebeld via wegwerpmobieltjes die hij verzuimd had weg te gooien. Vooral interessant waren de twee telefoontjes op de avond van de moorden – één ervoor en één erna.

Het overtuigendste bewijsstuk werd echter gevonden door Willy Brubeck: een pistool dat op naam van Mace Kaffey geregistreerd stond. Onderzoek wees uit dat de kogels die uit Kaffeys eigen lichaam en uit het jack van Neptune Brady waren verwijderd, met dat pistool waren afgevuurd. Waarom Mace ervoor had gekozen zichzelf met zijn eigen pistool te laten neerschieten, was een raadsel, maar men vermoedde dat het eerder een wanhoopsdaad was geweest dan een weloverwogen besluit.

Eindelijk hadden ze voldoende bewijsmateriaal om de zaak aanhangig te maken bij de rechtbank.

Er werd een arrestatiebevel uitgevaardigd voor Mace Kaffey.

Hij kwam naar het politiebureau met een ploeg advocaten die onmiddellijk zeiden dat Martin Cruces een leugenachtige psychopaat was die zijn getuigenis uit zijn duim had gezogen. Dat de politie probeerde Mace alles in de schoenen te schuiven omdat ze de zaak snel wilde afronden. Dat er helemaal geen geld was overgemaakt. Dat Mace en Cruces elkaar nooit ergens hadden ontmoet. En de gesprekken via de wegwerpmobieltjes? Wie wist waarom Cruces Mace had opgebeld? Opeens herinnerde Mace zich ook dat Guy zijn pistool had geleend. De moordenaars moesten het hebben meegenomen toen ze op de Coyote Ranch hadden huisgehouden.

De advocaten beweerden dat het ging om een uit de hand gelopen beroving en dat er zo veel slachtoffers waren gevallen omdat de daders zich van alle getuigen hadden willen ontdoen. Mace zou alle overredingskracht en hulp nodig hebben die hij kon krijgen. Hij werd aangeklaagd voor moord met voorbedachten rade op Guy Kaffey, Gilliam Kaffey, Denny Orlando, Alfonso Lanz, Evan Teasdale en Alicia Montoya, en poging tot moord op Gil Kaffey, Grant Kaffey, Neptune Brady, Antoine Resseur, Piet Kotsky, Peter Decker en Cindy Kutiel. Het duurde bijna een jaar tot de zaak voorkwam. Dankzij het bewijsmateriaal en de kroongetuige wist de officier van justitie de jury ervan te overtuigen dat Mace Kaffey zich schuldig had gemaakt aan de moord op zes personen. Hij werd ook schuldig bevonden aan poging tot moord op Gil Kaffey. De jury was echter verdeeld over de beschuldiging van poging tot moord op Neptune Brady, Grant Kaffey, Antoine Resseur, Piet Kotsky, Peter Decker en Cindy Kutiel.

Het was niet waarschijnlijk dat Mace nogmaals terecht moest staan, omdat hem nu al de doodstraf wachtte.

'Jammer, hè, dat je niet in de rechtszaak hoefde te getuigen,' zei Rina tegen Decker.

'Je kunt niet alles hebben.'

'Je boft wel dat ik niet in die jury zat.' De uitspraak was een week geleden gedaan en iedereen had het er nog over. 'Dan zou ik maandenlang van huis zijn geweest.'

Decker keek haar aan over zijn glas cabernet. 'Ze zouden jou geweigerd hebben.' Ze zaten in Tierra Sur, het restaurant van de Herzog Winery. Ze kwamen daar graag, want het had vriendelijk personeel, een uitmuntende koosjere wijnkaart, een gezellige sfeer en een kok die magische dingen deed met alle etenswaren die hij aanraakte. 'Weet je al wat je wilt eten?'

'Ik zit te denken aan de lamsbout.'

'Denkt de lamsbout ook aan jou?'

'Dan zou hij te rauw zijn naar mijn smaak,' zei Rina. 'Wat een verdorven man.'

'Denk je nu weer aan Mace?'

'Het is ook zo schokkend.'

'Hij is een onmens.'

'Maar...?'

Decker nam een slokje wijn. 'Waarom denk jij dat er een "maar" is?'

'Vanwege de blik in je ogen. Die zegt dat je iets wilt vergoelijken.'

'Er valt niets te vergoelijken voor een man die zes mensen heeft laten doodschieten en heeft geprobeerd mij te vermoorden omdat ik betrokken was bij het onderzoek naar de misdaad. De lamsbout is hier altijd erg goed. Als je die bestelt, wil ik mijn biefstuk wel met je delen.'

'Goed,' zei Rina. 'En laten we er patat bij nemen.'

'Liever niet, want dan eet jij twee patatjes en ik de rest.'

'Beheers je dan.'

'Daar ben ik niet toe in staat.'

'Ik zorg er wel voor dat je veel moet praten, dan kun je niet in de verleiding komen te veel te eten.'

'Hoe wil je dat precies doen?'

'Ik wil graag dat je me je mening geeft over Mace Kaffey en waarom hij het heeft gedaan.'

'Ik denk dat we daar nooit achter zullen komen en mijn mening is niets waard.'

'Voor mij wel,' zei Rina.

Decker keek in het broodmandje en duwde het opzij. 'Vertel me liever wat jij ervan denkt. Je hebt de rechtszaak op de voet gevolgd en je hebt veel mensenkennis.'

'Dank je.' Rina nam een slokje van haar pinot noir. 'Maar jij hebt het voordeel dat je een insider bent.'

'Jij eerst,' zei Decker.

Rina sprak bedachtzaam. 'Je denkt aan rivaliteit tussen broers, wat zo oud is als de Bijbel. Maar het was niet zo dat ze ruzie hadden en dat Mace zijn broer in een vlaag van woede heeft vermoord, zoals met Kaïn en Abel het geval was. De moorden waren zorgvuldig geplande executies. Toch lijkt het me sterk dat Mace op een dag zomaar opeens tot de conclusie is gekomen dat hij zijn problemen alleen kon oplossen door zijn familie uit te moorden. Ik denk dat het idee langzaam is gerijpt.'

'Ik ook.'

'Het zal een combinatie van allerlei factoren zijn geweest. Om te beginnen nam Mace alle schuld op zich voor de fraude. Na de rechtszaak was Guy veel beter af dan Mace.'

Decker zei: 'Mace moest zijn plaats in de directie opgeven, en zijn aandelen, en zijn inkomen werd gehalveerd. Maar hij verdiende evengoed nog een smak geld.'

'Maar niet zo veel als hij gewend was,' zei Rina. 'We hebben zelf gezien wat er is gebeurd op het dieptepunt van de recessie. Hoe de drie grote autofabrikanten in hun privévliegtuigen naar Washington vlogen om bij de regering om miljarden dollars te bedelen. Het is niet makkelijk om te wennen aan een minder luxueuze manier van leven.'

Decker knikte.

Rina zei: 'Ik denk dat Mace is teruggekeerd naar New York om via het Greenridge Project te bewijzen wat hij waard was. Toen de economie in elkaar zakte en het project zijn budget ver overschreed, zag Mace zijn droom – dat hij zich zou kunnen rehabiliteren – in rook opgaan. Het was duidelijk dat Guy van plan was het project te schrappen.'

'Grant werkte ook aan Greenridge.'

'Dat weet ik, maar Guy zou zijn zoon niet in de kou laten staan. Zijn broer, daarentegen, had die garantie niet,' zei Rina. 'Mace stond op het punt zowel zijn inkomen als zijn kans op eerherstel te verliezen. Zijn wereld dreigde in te storten en hij gaf Guy daar de schuld van. Ik denk dat hij alleen Guy wilde vermoorden. Gilliam, Gil en het personeel waren vermoedelijk nevenschade.'

'Daar ben ik niet zo zeker van,' zei Decker. 'Ik denk dat Mace heeft gewacht op een dag dat Gilliam, Gil en Guy allemaal op de ranch waren. Als Gilliam in leven was gebleven, zou zij een groot deel van Kaffey Industries hebben geërfd. Als zij er niet meer was, zouden de aandelen verdeeld worden tussen de zonen. Als Gil er niet meer was, zou Grant alle aandelen erven. Grant kon onmogelijk in zijn eentje Kaffey Industries bestieren – zowel de projecten aan de oostkust als die in Californië. Bovendien kon Mace goed met Grant overweg. Ik denk dat Mace hoopte dat Grant hem het beheer over de projecten aan de oostkust zou geven, inclusief Greenridge, en dat Grant zich over het westen zou ontfermen, waar ze de meeste zaken deden.'

'En omdat Grant in leven was gebleven en alles zou erven, zou de politie Mace niet snel verdenken,' zei Rina.

'Je slaat de spijker op de kop,' zei Decker. 'We wisten in het begin inderdaad niet in welke richting we moesten zoeken. Als Mace het bloedbad als enige had overleefd, zou hij voor ons de belangrijkste verdachte zijn geweest.'

Hun kelner, die Vlad heette, een lange jongen met donker haar en blauwe ogen, kwam bij hen om hun bestelling op te nemen en vulde Deckers halflege glas bij. Toen hij weer weg was, zei Rina: 'Ik heb nog een paar vragen over de zaak.'

'Een paar maar? Dan heb je er minder dan ik.'

'Had Mace iemand opdracht gegeven op hemzelf te schieten?'

'Dat neem ik aan,' zei Decker. 'De bedoeling was waarschijnlijk dat Gil doodgeschoten zou worden. Dat iemand zou afmaken wat op de ranch niet was gelukt.'

'Waarom is er dan op Grant, jou en Cindy geschoten?'

'Dat blijft een groot vraagteken. Volgens mij was het voor Mace juist gunstig dat Grant er nog was.' Hij dacht even na. 'Eerlijk gezegd begrepen we het niet goed. Toen alle Kaffeys dood of gewond waren, hadden we binnen de familie geen verdachten meer. We begonnen ons zelfs af te vragen of het dan toch om een ander soort misdaad ging, een beroving misschien.'

'Wie heeft er eigenlijk op jullie geschoten?'

'Dat weet ik niet. Geen van de betrokkenen heeft dat bekend.'

'Wie denk je dat het was?'

'Alejandro Brand kon het niet zijn, want die zat al in hechtenis. Joe Pine en Julio Davis zaten vermoedelijk in Mexico, en Martin Cruces is een type dat delegeert. Dan houden we over: Gordo Cruz, Esteban Cruz en Miguel Mendoza. Ik gok op Esteban, omdat hij de slimste van de drie lijkt te zijn.'

'Esteban Cruz heeft helemaal niets bekend.'

'Ja, hij is de enige die zo verstandig is geweest meteen een advocaat in de arm te nemen. De anderen zeiden dat hij erbij was, maar daarvoor hebben we geen forensisch bewijsmateriaal. Hij zal gevangenisstraf krijgen, maar niet levenslang, wat jammer is, want hij lijkt een pientere jongen en het is nooit goed als pientere misdadigers vrij rondlopen.'

'Al is Esteban volgens Joe Pine de mist in gegaan toen hij met Harriman moest afrekenen.'

'Als dat waar is.'

'En is hij ook de mist in gegaan omdat hij op de ranch Gil Kaffey niet heeft afgemaakt.'

'Nee, dat was Joe Pine zelf. Zijn kogels waren op.'

'Wat dom.'

'We zullen er waarschijnlijk nooit achter komen hoe het allemaal precies in elkaar zit, maar we hebben genoeg om de daders achter de tralies te laten zetten.'

Rina nam een slokje wijn. 'Mace moet Guy wel erg gehaat hebben om de hele familie te kunnen uitmoorden. Ik neem toch aan dat hij wel een ander bouwproject had gekregen als Greenridge zou zijn geschrapt. En hij verdiende meer dan genoeg geld. Het was ook niet zo dat Guy hem uit de zaak wilde zetten.'

'We weten niet wat Guys plannen waren.'

'Niemand heeft Guy horen zeggen dat hij Mace zou ontslaan.'

'Niemand heeft Guy horen zeggen dat hij Greenridge zou schrappen, maar bijna iedereen in het bedrijf wist dat het zou gaan gebeuren, vooral toen de economie in het slop raakte.'

'Dat is waar.'

Vlad serveerde hun maaltijd. 'Nog een glaasje wijn?'

'Als ik nog meer drink, zweef ik straks naar huis,' zei Decker.

'Is dat zo erg?'

'Ja, want ik moet rijden.'

‘Geef uw vrouw de autosleuteltjes dan.’

‘Ik mag niet in zijn Porsche rijden,’ zei Rina.

‘Dat is niet waar,’ protesteerde Decker. ‘Niet helemaal, tenminste.’

Rina glimlachte. ‘Geeft niks, hoor. Ik beschouw hem gewoon als mijn knappe chauffeur.’

Vlad lachte. ‘Wilt u zelf dan nog wel een glaasje?’

‘Ja, schenk haar maar in,’ zei Decker.

‘Maar dan kan ik straks écht niet rijden.’

‘Dat is ook de bedoeling,’ zei Decker.

Rina gaf hem een speels tikje. ‘Doe dan maar,’ zei ze tegen Vlad.

Hij schonk haar glas vol en vroeg: ‘Verder nog iets van uw dienst?’

‘Nee, helemaal niets,’ zei Rina. ‘Het ziet er allemaal prima uit.’

Toen Vlad weer weg was, sneed Rina een stukje van haar lamsbout. ‘Mmmm. Heerlijk. Wil je de helft?’

‘Daar zeg ik geen nee tegen. Maar dan neem jij de helft van mijn biefstuk.’

‘Dat is veel te veel.’

‘Zie je nou? Daarom blijf jij zo slank en word ik steeds dikker. Ik krijg de helft van jouw lamsbout, maar jij wilt maar een klein stukje van mijn biefstuk.’

‘Jij weegt veel meer dan ik, dus kan ik nooit zo veel eten als jij.’ Ze nam een patatje. ‘Wil je geen patat?’

‘Jezebel.’ Maar hij liet zich verleiden en at een paar frieten. ‘Weet je wat volgens mij voor Mace de laatste druppel was?’

Rina leunde naar voren. ‘Nou?’

Decker lachte. ‘Wat kijk je gretig.’

‘Ik ben ook nieuwsgierig.’

‘Ik denk dat Mace er wel overheen zou zijn gekomen als Greenridge was geschrapt. Zoals jij al zei, zat het er niet in dat hij ontslagen zou worden. Wel gedegradeerd, maar niet ontslagen. En zoals je ook al zei, verdiende hij meer dan genoeg geld en had hij waarschijnlijk wel een ander project kunnen doen. Daarom denk ik dat het om de ranch ging.’

‘Guy had die ranch al heel lang.’

‘Dat is waar, maar de ranch kostte handenvol geld. Als Guy hem zou hebben verkocht, ondanks de dip in de onroerendgoedmarkt, zou hij veel geld hebben overgehouden en een deel daarvan hadden ze dan in het Greenridge Project kunnen steken.’

'Het zou niet genoeg zijn geweest om de kosten te dekken.'

'Maar misschien zou het genoeg zijn geweest om Greenridge drijvende te houden tot er betere tijden zouden aanbreken. Ik denk dat Mace het had kunnen accepteren als Greenridge geschrapt had moeten worden en dat hij het zelfs had kunnen accepteren dat Guy de ranch hield. Maar toen Guy en Gil plannen begonnen te maken om de ranch in een wijngaard te veranderen, sloegen bij Mace de stoppen door. Guy zou niet alleen geen geld vrijmaken voor Greenridge, maar hij ging ook nog eens miljoenen dollars uitgeven aan een hobby.'

'Interessant punt,' zei Rina.

'Ik denk dat Mace het niet kon verkroppen dat Greenridge zou worden geschrapt wegens geldgebrek, terwijl er miljoenen dollars in een project als een wijngaard zouden worden gestoken, een project dat geen winst zou opleveren.'

'Sommige wijngaarden zijn wel degelijk winstgevend.' Rina maakte een gebaar om zich heen. 'Kijk zelf maar.'

'Dan zal ik het anders zeggen. Kleine wijngaarden zijn zelden winstgevend. Je moet dus wel weten waar je aan begint.'

'Dat is waar. En jouw theorie bevalt me.'

'Dank je.'

Rina hief haar glas op. 'Op jou en het fantastische werk dat je hebt geleverd. Je hebt deze heerlijke maaltijd dubbel en dwars verdiend en ik beloof je dat ik niet in je Porsche zal rijden.'

'Je mag best in mijn Porsche rijden, maar niet als je een glaasje op hebt.'

Rina lachte. 'Ja, dat is waarschijnlijk maar beter. Proost.'

Decker glimlachte en ze klonken. 'Proost.'

De metamorfose was verbluffend. De keiharde grond van weleer was voor zover het oog reikte bedekt door een groen waas. Duizenden jonge wijnstokken stonden in keurige rijen onder strak gespannen netten. Waar de woningen van de bewakers en de paardenstal hadden gestaan, was een spiksplinternieuw gebouw verrezen dat honderden eikenhouten en roestvrijstalen tonnen, een aantal laboratoria voor de enologen en wijnmengers en een proeflokaal bevatte. Zodra de wijngaard daadwerkelijk wijn ging produceren, zou hij ongetwijfeld veel bezoekers trekken.

De zon probeerde door de sluierbewolking heen te breken die typerend was voor het voorjaar in Los Angeles. Ondanks de bewolking was de lucht schoon. Decker haalde diep adem. Onrendabele grond die was omgetoverd in een levende, groene vlakte.

Guys droom.

'Dit is niet te geloven.' Decker ritste zijn jack dicht. 'Bedankt voor de uitnodiging een kijkje te komen nemen.'

'Ik had u al eerder willen laten komen,' zei Gil Kaffey, 'maar ik wilde dat alles er perfect uit zou zien.'

Ze liepen over de omgeploegde grond tussen de rijen wijnranken – Gil Kaffey, Grant Kaffey, Antoine Resseur, Decker en de goedgeklede man rechts van hem die zijn arm vasthield. De man die zich goede kleding kon veroorloven sinds er een beloning van twintigduizend dollar op zijn bankrekening was gestort. Harriman kon de wijngaard niet zien, maar wel ruiken.

'Cabernetdruiven links en chardonnay rechts,' zei hij tegen Gil.

'Je hebt een bijzonder scherpe neus, Brett. Zijn je smaakpapillen net zo gevoelig?'

'Laat me iets proeven, dan weten we het.'

'Het zal nog heel lang duren voordat ik wijn kan maken van mijn eigen druiven. Ik sta in contact met wijnmakers in het noorden. Ik denk dat ik het beste klein kan beginnen met premium druiven en dan gaandeweg mijn ervaringen toepassen op mijn eigen druiven.'

'Hoe lang gaat dat duren, denk je?' vroeg Harriman.

'Een paar jaar,' zei Gil. 'Maar ik heb genoeg omhanden. Veel mensen vragen of ik het bedrijf niet mis en of ik er geen spijt van heb dat ik mijn aandeel aan Grant heb verkocht. Dan vraag ik hun op mijn beurt wat ik eraan zou moeten missen.'

Grant zei: 'Wij missen jou anders wel.'

'Dat zou je niet denken als je naar de winst kijkt die jullie maken.'

'Dat komt doordat we vijfhonderd mensen hebben ontslagen en de hele operatie aan de oostkust afgestoten. Als je een bedrijf saneert, hou je vanzelf geld over.'

'Dat had pa veel eerder moeten doen,' zei Gil.

'Pa had dít veel eerder moeten doen.' Grant maakte een weids gebaar naar de velden; Mozes die de Rode Zee uiteen liet wijken.

Gil slaakte een zucht. 'Hij was soms erg moeilijk. Hij bemoeide zich met elk facet van het bedrijf en was een controlfreak. Hij kon je met één